Het echte leven

Het echte leven

Dr. Phil McGraw

Bereid je voor op de zeven
meest ingrijpende momenten van je leven

Spectrum

Uitgeverij het Spectrum
Postbus 97
3990 DB Houten

Oorspronkelijke titel: *Real Life. Preparing for the 7 Most Challenging Days of Your Life*
Uitgegeven door: Free Press
© 2008 Phillip C. McGraw
Vertaald door: TOTA/Erica van Rijsewijk

Eerste druk 2009
Omslagontwerp: Peter Beemsterboer – Studio Imago, Amersfoort
Zetwerk: studio Xammes, Vijfhuizen

ISBN 978 90 491 0051 3
NUR 770
www.spectrum.nl

Voor mijn vrouw, Robin, en mijn zonen, Jay en Jordan, die me ertoe hebben geïnspireerd de grootste crises te doorstaan

En voor mijn moeder, die meer 'zware tijden' heeft doorgemaakt dan welke vrouw ook zou moeten doormaken, maar die toch nooit tegen iemand van de familie heeft geklaagd

En voor al diegenen die moeilijkheden te boven zijn gekomen en hun verhaal hebben verteld

De persoonlijke verhalen in dit boek zijn gebruikt om veelvoorkomende kwesties en problemen te illustreren waar ik op ben gestuit, en zeggen niet per se iets over bepaalde mensen of situaties. Er zijn geen bestaande namen gebruikt.

Zoals voor alle boeken geldt, geeft ook dit boek de meningen en ideeën weer van de schrijver. Het is bedoeld om nuttige informatie te bieden over de besproken onderwerpen. Noch de schrijver, noch de uitgever kan in dit boek op de persoon van de lezer toegesneden medisch, gezondheidskundig, psychologisch of andersoortig professioneel advies geven. De lezer dient zelf een bevoegde professionele kracht in te schakelen op het gebied van medische zaken, gezondheid in het algemeen, psychologie of anderszins voordat hij of zij de ideeën in dit boek in de praktijk toepast of er conclusies aan verbindt. De inhoud van dit boek kan niet anders dan algemeen zijn, terwijl de situatie van iedere lezer uniek is. Daarom is het doel, zoals bij alle boeken van dit genre, om algemene informatie te verschaffen en niet zozeer om individuele situaties te behandelen, wat boeken nooit zullen kunnen.

De schrijver en de uitgever kunnen zich met name niet aansprakelijk stellen voor enig verlies of risico, persoonlijk of anderszins, als direct of indirect gevolg van het gebruik en de toepassing van de inhoud van dit boek.

Inhoud

Dankwoord

Allereerst gaat mijn dank uit naar mijn echtgenote Robin, omdat ze er zowel op fijne als op moeilijke momenten altijd voor me is. Jouw kracht en veerkracht in de loop van ons leven samen vormen een grote inspiratiebron. Toen je diep in de put zat nadat je dierbaren had verloren, vormden jouw gratie, je stabiliteit en zelfs je kwetsbaarheid de emotionele maatstaf en het kompas voor ons gezin, en dat is nog steeds zo. Ik ben gezegend met jouw licht.

Zoals altijd dank aan mijn zonen, Jay en Jordan, omdat ze altijd in hun vader hebben geloofd en hem altijd hebben gesteund. Ik hoop, en bid, dat ik aan jullie, jongens, alles heb doorgegeven wat ik in dit boek bespreek, als voorbereiding op tijden waarvan ik wel met zekerheid durf te zeggen dat jullie ze liever niet zouden meemaken. Jullie inspireren me en maken me trots, en dankzij jullie zie ik de toekomst met optimisme tegemoet. En dank aan mijn kersverse schoondochter Erica, omdat ze zo veel levendigheid en positieve energie ons gezin binnen heeft gebracht.

Dank aan Scott Madsen, die het altijd verdient vermeld te worden: zoals gebruikelijk heb je dagen, nachten en weekends waarin je op een heleboel andere plekken had kunnen zijn voor dit boek opgeofferd. Al die keren dat ik 'ertussenuit piepte' om te gaan schrijven, sprong jij in de bres, en daar ben ik je intens dankbaar voor.

Tevens dank aan Bill Dawson (de 'Trots van Tulia, Texas'), omdat je bent wie je bent. Jouw geest is uniek en je bent een intieme en gewaardeerde vriend. Dat je me al die jaren dat we elkaar nu kennen door dik en dun hebt gesteund, betekent veel voor me en heeft me geïnspireerd tot veel van de in dit boek besproken inzichten.

Dank aan G. Frank Lawlis, Ph.D., ABPP, lid van de Amerikaanse Psychological Association en voorzitter van de adviesraad voor de *Dr. Phil Show*. Je bent al ruim dertig jaar een collega en vriend, en jouw steun, je inzicht, je enthousiasme en je encyclopedische kennis van psychologie en het menselijk functioneren vormden een bron van onschatbare waarde bij de research voor en het schrijven van dit boek.

Dank aan Terry Wood en Carla Pennington, twee verbazingwekkende vrouwen in het hart van mijn Dr. Philteam, voor jullie standvastige toewijding om 'de boodschap' over te brengen. Jullie vuur voor en steun bij alles wat ik doe, maken projecten zoals dit mogelijk en ook nog eens heel leuk. We staan nog maar aan het begin!

Bij het schrijven van dit boek heb ik me niet alleen gebaseerd op mijn eigen beroepsopleiding en ervaring, maar ook op de gewaardeerde ideeën van een aantal deskundigen die in hoog aanzien staan. Grote waardering gaat uit naar John T. Chriban, Ph.D., Th.D., docent klinische psychologie aan de Harvard Medical School en belangrijk faculteitslid van het Cambridge Hospital; Barry S. Anton, Ph.D., ABPP, emeritus professor van de universiteit van Puget Sound; Susan Franks, Ph.D., buitengewoon hoogleraar psychiatrie aan het Health Science Center van de universiteit van North Texas in Forth Worth; bisschop T.D. Jakes sr., geliefde pastor bij het Potter's House in Dallas en CEO van TDJ Enterprises; dr. Harold C. Urschel III, verslavingspsychiater aan het Urschel Recovery Science Institute; Beth Clay, consultant gezondheidsbeleid; en Rich Whitman, CEO van het La Hacienda Treatment Center.

Zoals altijd speciale dank aan mijn vriendin en collega Oprah. Als zij twaalf jaar geleden niet op het idee was gekomen en me sindsdien niet in mijn werk had gesteund, zou er geen 'Dr. Phil' zijn geweest.

Eveneens dank aan Carolyn Reidy, Dominick Anfuso en de Simon & Schuster/Free Press Group omdat zij altijd hebben geloofd in het belang van mijn boodschap en zich er sterk voor hebben gemaakt die 'naar buiten' te brengen.

Dank je wel Michele Bender en Sandy Bloomfield, omdat jullie je unieke redactietalenten op dit project hebben losgelaten. Jullie medewerking was van groot belang, en dankzij jullie toewijding en werk is dit boek er stukken beter op geworden. Jullie waren in elke zin van het woord echte professionals, en daar ben ik jullie dankbaar voor.

Op de laatste, maar zeker niet op de minste plaats bedank ik mijn team bij Dupree Miller & Associates, Inc. Boeken als dit komen niet zomaar tot stand, en er is heel wat meer voor nodig dan een schrijver in zijn eentje ooit voor elkaar zou kunnen krijgen.

Jan Miller wordt nooit moe, blijft altijd ter zake, en weet niet van ophouden voordat het boek zo goed is als maar kan. Shannon Marven, die ik jaren geleden mijn 'geheime wapen' heb genoemd, is een vrouw met een verbazingwekkende diepgang en wijsheid. Haar bijdrage aan dit boek is niet in woorden uit te drukken. *Het echte leven* was een van de meest uitdagende projecten die ik ooit heb ondernomen. Het zou domweg nooit vorm hebben gekregen zonder Shannons onvermoeibare toewijding aan de organisatie, redactie en vormgeving van het manuscript. Tevens dank aan haar teamleden Lacy Lynch, M.S., die zich met name inzette voor het redactiewerk, en aan Annabelle Baxter. Zij hebben allebei op het gebied van research en organisatie veel meer gedaan dan had gehoeven, en hun bijdrage stel ik zeer op prijs.

Inleiding

Mocht jij toevallig zo iemand zijn die in de verleiding komt om alvast vooruit te bladeren en het eind van een boek het eerst te lezen, dan zitten we, zoals dat in het Engels heet, 'op dezelfde bladzijde', want ik wil hier graag even met je *achteruit* werken. Ik wil je nu al vertellen hoe ik dit boek ga eindigen. Het is een goed idee om op deze manier te beginnen, want deze paar bladzijden aan het begin zijn in feite de laatste die ik schrijf, nadat ik er meer dan een jaar aan heb besteed om uiteen te zetten hoe jij, ik en degenen van wie we houden zich het best kunnen voorbereiden op de zeven grootste uitdagingen die het leven ons kan stellen.

Dus hier volgt het slotakkoord: je zou kunnen denken dat ik, na me zozeer te hebben verdiept in alle ins en outs van zware tijden die allesbehalve welkom zijn, wel behoorlijk uitgeput zal zijn, of pessimistisch gestemd ten aanzien van het leven. Maar eerlijk gezegd is niets verder bezijden de waarheid! Het leven kan zwaar zijn, maar we zijn geen slachtoffers – althans, dat hoeven we niet te zijn. Dit is een boek over hoop, vreugde, persoonlijke kracht, en – bovenal – gemoedsrust. Deze kenmerken van het leven kunnen alleen worden versterkt door te doen wat nodig is om je leven 'in evenwicht' te houden ten overstaan van de ups en downs die er nu eenmaal bij horen, en om degenen van wie je houdt te helpen om dat ook te doen. Al worden de meesten van ons slecht op die ups en downs voorbereid. Ik heb *Het echte leven* geschreven om ervoor te zorgen dat de lacune die ik zie in onze voorbereiding op de grootste uitdagingen van ons leven, wordt opgevuld.

Ook al is het leven niet altijd even prettig en kan het zelfs heel pijnlijk zijn, toch ben ik er ontzettend, onmiskenbaar dol op en popel ik om te ontdekken wat de komende jaren zullen brengen. Na ruim een halve eeuw op deze aardbol te hebben rondgelopen heb ik veel gezien. Om eerlijk te zijn heb ik meer dan veel gezien, en net zomin als het jouwe was mijn leven altijd een lolletje. Het was niet altijd makkelijk, en ik heb zeker niet altijd de beste reacties gekregen – vooral niet aan het begin van mijn leven. Maar al met al vind ik het fijn om in deze wereld te zijn en voel ik me gezegend dat ik er ben. In het licht van sommige dingen die ik heb meegemaakt voel ik me zelfs gezegend om überhaupt ergens te zijn!

Tot dusver heb ik ruim 21.000 dagen geleefd. Van de meeste dagen herinner ik me niets specifieks, maar andere onderscheiden zich doordat ze heel geweldig en spectaculair waren. Veel van die echte topdagen hebben te maken met een goede gezondheid, een fijn gezin waarin God een centrale plaats inneemt, en een loopbaan die zo leuk is dat ik me bijna schuldig voel dat ik er geld voor krijg – bijna!

Maar (want is er niet altijd een groot 'maar'?) er zijn ook dagen bij die zich onderscheiden doordat ze helemaal niet geweldig en spectaculair waren. In feite herinner ik me een aantal daarvan nog zo goed omdat ze tot de zwaarste tijden uit mijn leven behoorden. Die dagen bedreigden, namen weg of maakten kapot wat mij het meest dierbaar was. Soms voelde het alsof zo'n dag wel een maand duurde, en van tijd tot tijd stelde ik alles ter discussie wat ik over mezelf en de wereld om me heen wist. Op die momenten voelde ik me onbekwaam, inadequaat en onthand – zeker wanneer degenen die me het meest na stonden erdoor waren beïnvloed of erbij betrokken. Wanneer je ook maar een beetje in elkaar zit zoals ik, heb jij je in zulke zware tijden ook weleens afgevraagd of je ooit je evenwicht, je vreugde en je hoop nog zou hervinden, en of je weer gat in de toekomst zou zien. Als het leven zo zwaar kan zijn, waarom voel ik er dan zo veel passie bij en kijk ik uit naar wat komen gaat?

Omdat ik ben gaan geloven dat wij allemaal, inclusief jij en ik, in onszelf over de kracht en de wijsheid beschikken (of als je in gaven van een God gelooft: die kunnen *verwerven*) om effectief om te gaan met elke uitdaging die we in ons leven tegenkomen. Dit bedoel ik niet als hallelujakreet, en ik wil er al helemaal niet mee zeggen dat algebra of meetkunde in ons DNA zit ingebakken. Maar als het aankomt op de échte kwesties van leven, overleven, vrede en geluk – hoezeer die ook worden bedreigd of uitgedaagd – dan geloof ik dat we het vermogen om tot de waarheid te komen, en tot de antwoorden die nodig zijn om aan de eisen te voldoen, in onszelf kunnen vinden, en dat we ze altijd al in ons hebben gehad. We beschikken over wat nodig is om dit leven met een vette plus te laten eindigen. We zijn ruimschoots tegen uitdagingen opgewassen. Dat weet ik omdat ik heb geleerd een stapje achteruit te doen en te kijken naar hoe ik en anderen de zwaarst mogelijke tijden te boven zijn gekomen. We kennen allemaal doodgewone mensen die ten overstaan van overweldigende uitdagingen een uitzonderlijke diepgang en vindingrijkheid laten zien. Als jij daar ook toe gerekend wilt worden, is het moeilijkste wat je daarvoor moet doen alle lawaai, rommel en afleidingen van het leven uit de weg ruimen waaronder de kracht en wijsheid in je binnenste bedolven zijn geraakt en waar ze door vertekend zijn, want die kracht en wijsheid heb je hard nodig om zware tijden te doorstaan.

Het hoge tempo en de complexiteit van het moderne leven maken het soms heel moeilijk om terug te keren naar een plek in onze geest en ziel waar we toegang kunnen krijgen tot alles wat we zijn en moeten zijn. Niets kan in de schaduw staan van ouderwets hard werken, een gedegen voorbereiding en helder denken over copingstrategieën voor moeilijke tijden.

Het echte leven gaat daarover. Ik wil je helpen toegang te krijgen tot de *beste delen* van wie je bent, zeker in de *ergste tijden* van je leven. Immers, gemiddeld leef je zo'n 78 jaar, oftewel 28.470 dagen. Sommige daarvan (hopelijk de meeste) zullen heel fijn zijn, andere zijn zo gewoontjes dat het lijkt of ze nooit hebben plaatsgevonden, weer andere zijn niet zo fijn, en een paar (hopelijk maar heel weinig) zullen heel zwaar zijn – zo zwaar dat ze je ervaring van alle andere dagen kleuren. In hoeverre ze die kleuren, hangt ervan af hoe goed je op die cruciale momenten bent voorbereid.

Je weet dat ik gelijk heb en dat jij en degenen die je het meest dierbaar zijn de tijd en moeite waard zijn om je erop voor te bereiden. In dit boek heb ik niet geprobeerd 'het wiel opnieuw uit te vinden', en ik heb alle mogelijke moeite gedaan om je niet meer informatie door de strot te duwen dan je nodig hebt of effectief kunt toepassen als het leven moeilijk wordt. Ik had honderden pagina's vol kunnen schrijven over elk van de zeven uitdagingen die ik in dit boek aan de orde stel, en veel mensen die er verstand van hebben, hebben dat ook gedaan – en goed ook. Wanneer je denkt meer informatie nodig te hebben over een van de crises die ik in dit boek bespreek – wat heel goed zou kunnen – vind je achterin uitgebreide verwijzingen. Maar mijn doel is meer om je datgene aan te reiken wat, gebaseerd op mijn ervaring en overtuiging, de *kerninformatie* is die je zal helpen van dag tot dag met jouw crisis om te gaan, zonder dat je daarvoor een eindeloze hoeveelheid materiaal hoeft door te ploegen (waarvan het grootste gedeelte trouwens niet is geschreven voor echte mensen in de echte wereld). Anderen zijn het er misschien niet mee eens, maar ik sta voor wat ik in dit boek bespreek.

Ik heb geprobeerd om op een heldere en beknopte manier te formuleren waar het om gaat, zodanig dat je er echt iets aan hebt. Ik zal je laten zien wat ik onder enkele van de grootste uitdagingen in het leven versta en je vertellen wat je kunt verwachten wanneer ze op je pad komen, zodat je daar niet vreemd van opkijkt, je in de val gelokt voelt, of er ondersteboven van bent; en daarna stel ik een strategie voor om jou of je dierbare weer de put uit te helpen. Hoewel er belangrijke verschillen zijn, zul je zien dat de copingstrategieën die ik aanreik om deze zware tijden te boven te komen ook veel overeenkomsten vertonen, dus het goede nieuws is dat je je niet zeven volkomen verschillende spelplannen eigen hoeft te maken!

Ik hoop van harte dat je, als je dit boek uit hebt, met een gerust hart kunt stellen dat jij een van die mensen bent die voorbereid zijn op álles wat er in het leven op je pad kan komen. Die voorbereiding kan je een groot voordeel opleveren, en je er zelfs toe aanzetten anderen in zware tijden leiding en hulp te bieden.

1.

Zorg dat je er klaar voor bent

*Het leven is wat je overkomt terwijl je druk bezig bent
andere plannen te maken.*
– John Lennon

Als we geluk hebben in ons leven, komen we ergens onderweg
toch zeker een páár speciale mensen tegen die ons op krachtige,
positieve en soms onverwachte manieren veranderen. Ook al zijn
deze mensen verstandig, toch zijn het soms helemaal niet degenen die je bewust zou uitkiezen om bij te rade te gaan. Eén zo
iemand die tot mijn grote geluk mijn pad kruiste, was een vliegin-
structeur die ik in de jaren zestig leerde kennen, een man van wie
ik verwachtte te leren hoe ik de lucht in moest komen, en verder
niets. Ik had me niet meer kunnen vergissen, want hij bleek een
van de grote 'geschenken' in mijn leven te zijn.

Bill was, volgens eigen zeggen en ook qua verschijning, een
doorgewinterde 'luchtpiraat' zonder veel opleiding, die toevallig
hield van alles wat met vliegen te maken had. Maar wat hij aan
mijn leven bijdroeg, bleek veel meer te zijn dan vliegen, zoals uit
dit boek zal blijken.

Ik was nog maar een tiener toen ik bij hem op les ging, maar
hij 'keek' in dat vliegtuig in mijn toekomst. Tegen de tijd dat ik
mijn opleiding afsloot, vertelde hij me dat ik alles had gedaan wat
nodig was, alle oefeningen had gedaan, aan alle vereisten had vol-
daan, en zeker mijn brevet zou kunnen halen en zelfstandig het
wijde uitspansel tegemoet zou kunnen vliegen. Vervolgens zweeg
hij even en toen zei hij iets waarmee hij echt mijn aandacht trok.
Ik ben dat moment op die met gras begroeide landingsbaan naast
het vliegtuig vlak buiten een stadje in Noord-Texas nooit vergeten. 'Phil,' zei hij, 'je beheerst de basisbeginselen, je weet hoe je
omhoog en omlaag moet komen en een rondje moet vliegen, en
eerlijk gezegd ben je lang niet slecht. Maar ik heb je leren ken-

nen, en ik weet net zo zeker als dat ik hier sta dat er meer voor nodig is dan wat je nu hebt geleerd. Je wilt niet maar zo'n beetje spelevaren met het vliegtuig; jij stort je erop en maakt het tot een belangrijk onderdeel van je leven, in plaats van dat je alleen maar op een mooie heldere zondagmiddag over het huis van je oma vliegt. Je zult er daarboven wel eens een zootje van maken, of het nu regent of dat de zon schijnt, of het nou dag is of nacht, en dat geeft op zich ook niet, maar de waarheid is dat er dan van alles kan misgaan. Misschien is het jouw fout dat je te agressief bent, of misschien ben je op het verkeerde moment op de verkeerde plek, maar de kans is groot dat je door dit vliegtuig op een gegeven moment in een crisis terechtkomt. Als je in de lucht zit, heb je alleen maar jezelf. Je zult van jezelf op aan moeten kunnen, en als je daar niet van tevoren op voorbereid bent, kun je om het leven komen in dit toestel. Dus de keus is aan jou. Maar besef goed dat het kan gebeuren, en als het gebeurt, zijn er voor een piloot twee mogelijkheden: je bent iemand die er klaar voor was en het nog kan navertellen, of je bent iemand die er niet klaar voor was en het niet meer navertelt.'

Hij wachtte mijn antwoord niet af; hij had zijn zegje gedaan en dat was dat. Zelfs op dat moment besefte ik het belang van ons gesprekje, vooral omdat hij zojuist meer woorden achter elkaar had gezegd dan ik hem al die tijd dat ik hem kende ooit had horen gebruiken. Nou was ik een puber in de ergste zin van het woord. Ik vermoed dat een heleboel mensen die me toen kenden dachten dat ik als kind een heleboel stijfsel had gegeten. Tjonge, wat popelde ik om de lucht in te gaan! Maar om de een of andere reden luisterde ik (wat helemaal niets voor mij was) goed naar zijn wijze raad. We waren in de verste verte nog niet klaar, omdat ik er in de verste verte nog niet op voorbereid was dat er dingen mis konden gaan, en hoewel ik het toen nog niet wist, zóúden ze ook fout gaan – heel fout.

We spoelen nu *fast forward* door naar vier jaar en enkele honderden vlieguren later. Ik steeg vlak voor middernacht op in een energiek eenmotorig vliegtuigje (sommige mensen zullen dat krankzinnig vinden), in de nasleep van een krachtige winterstorm die als een goederentrein over het Midwesten was gedenderd. De vlucht begon zoals elke andere vlucht die ik had gemaakt, maar liep heel anders af. Ik vloog op 10.000 voet toen de motor er ineens de brui aan gaf – en dan bedoel ik écht de brui. Hij sputterde niet eens, maar viel gewoon stil. De lucht was inktzwart, zonder dat ook maar het kleinste maansikkeltje voor enig licht zorgde, en op de grond lag ruim een halve meter verse sneeuw, zodat alles onder me er eendimensionaal uitzag. Ik zag geen verschil tussen huizen, velden en wegen, en er was geen horizon om me op te oriënteren. De stilte was oorverdovend, waardoor ik me moederziel alleen voelde. Ik kon niet gewoon de berm in rijden, zoals met autopech, en ik kon geen reddingsvest pakken, zoals op een schip. Ik had slechts vijf minuten om actie te ondernemen – dat is 300 seconden. De klok tikte door en ik ging omlaag – daar viel niet over te onderhandelen: ik ging onherroepelijk omlaag. Of ik het zou overleven of zou omkomen hing af van Gods genade en van wat ik in die 300 seconden zou doen. Er was geen tijd om in paniek te raken of om contact te zoeken met iemand op de grond. Achteraf realiseer ik me dat ik waarschijnlijk op een soort 'innerlijke automatische piloot' moet zijn overgeschakeld. Ik herinnerde me al mijn training en voorbereiding. Tijdens die extra oefeningen die ik op Bills aanraden had gedaan, had hij me tientallen keren gesimuleerde fatale noodlandingen laten uitvoeren, soms overdag en soms midden in de nacht. En terwijl ik in de cockpit snel de situatie overzag waarin ik me bevond, hoorde ik in gedachten zijn stem: 'Eerst vliegen, dan navigeren, en ten slotte communiceren… de klok tikt door.' Ik voelde me heel alleen, maar ik bracht mezelf tot bedaren met de wetenschap dat ik me op precies deze situatie had voorbereid: dit noodgeval betekende alleen maar dat al die praktijkoefeningen ergens goed voor waren geweest. Nu was het *showtime*. Ik kan je verzekeren dat ik die nacht leerde dat er dingen in het leven kunnen gebeuren waarbij het aankomt op jóú en op alles wat je in je hebt. Zo staan de zaken, punt uit.

Een oud grapje onder piloten (dat die nacht helemaal niet om te lachen was) luidt dat elke landing waarna je weg kunt lopen een geslaagde landing is. Ik bestuurde dat vliegtuig annex zweefvliegtuig tijdens die 300 seconden met meer doelgerichtheid en aandacht dan alles wat ik ooit in mijn leven had gedaan. Het was een 'goede' landing omdat ik daarna nog weg kon lopen. Ik zou graag zeggen dat ik stoer wegliep, zoals John Wayne in *The High and Mighty*, fluitend en met een laatste klopje op de vleugel. Maar de waarheid is dat ik zo ontdaan en bang was dat het me moeite kostte de ene voet voor de andere te krijgen op een manier die ook maar enigszins op lopen léék. Die vijf minuten van mijn leven veranderden me voorgoed, maar dankzij alle voorbereiding kon ik in die vijf minuten, toen het erop aankwam, de juiste keuzes maken. Als Bill het niet nodig had gevonden om me de waarheid te zeggen zoals hij die zag, als hij me niet had geïnspireerd en niet had geholpen om klaar te zijn voor wat er kon gebeuren, dan zou ik hier nu vast niet deze regels zitten typen.

Ik weet nu dat de uitkomst van die koude en donkere winternacht al voordat ik opsteeg beklonken was. Ik overleefde het niet omdat ik mazzel had, of omdat ik zo'n macho piloot was die met veel flair en bravoure de dood wist te misleiden. Ik overleefde het omdat ik had geluisterd, omdat ik mijn huiswerk had gedaan; ik was klaar voor de crisis voordat die zich aandiende. Die nacht gaf me het vertrouwen dat als ik me voorbereidde op de noodgevallen en de crises die ik hoogstwaarschijnlijk nog te verstouwen zou krijgen in het leven, ik ook op de afloop daarvan ten minste enige invloed zou kunnen hebben.

Ik mag hopen dat jij nooit in zo'n crisis terechtkomt als ik die nacht. Maar we weten allebei dat, terwijl jouw crises er zowel qua vorm als qua inhoud waarschijnlijk anders uit zullen zien, ze misschien toch al in de sterren geschreven staan. De vraag is dan: ben je er klaar voor? Heb je voor jezelf en voor degenen van wie je houdt je huiswerk gedaan? Net als tijdens mijn nacht in het vliegtuig zal de uitkomst mogelijk worden bepaald door wat je tussen nu en dat moment doet of laat. Dan kun je dus net zo goed nu meteen beginnen te denken aan die dagen in het leven die we liever zouden overslaan.

Het echte leven brengt echte problemen mee

Soms zou ik willen dat ik de toekomst kon voorspellen, en zelfs kon sturen, maar dat kan ik niet en jij ook niet.

Niemand beschikt over de kaart 'Verlaat de gevangenis zonder te betalen'. Hoewel ik zeven van de meest voorkomende crises onderscheid, kun jij er aan dat lijstje misschien nog wel vijf of tien toevoegen. Er bestaat geen magisch getal, maar ik wilde me in dit boek richten op die crises die iedereen, zo is mijn ervaring, zelf of via een dierbare, hoogstwaarschijnlijk zal meemaken. Ze overkomen je, of je nu in groep 8 zit of net bent afgestudeerd. Ze kunnen zich aandienen, of je nou je geld verdient met over de rode loper lopen of met tapijten reinigen. Ze voltrekken zich, of je nou in een grote stad woont te midden van allerlei hectiek of een rustig leventje leidt in een hutje op de hei.

Dat betekent dat het aan ons is om zo'n crisis te managen, om ons ernaar te voegen en om te boven te komen wat er op ons pad komt. Helaas vertonen sommige mensen alleen maar een automatische reactie op wat er voor hen opdoemt. Sommigen kiezen ervoor alles te ontkennen en maken zichzelf wijs dat als ze maar niet nadenken over de onvermijdelijke en onmiskenbare crises van het leven, die misschien vanzelf wel weggaan. Scarlett O'Hara drukte het, vind ik, prachtig uit: 'Daar kan ik nu niet over nadenken – als ik dat doe, word ik gek. Ik denk er morgen wel over na.' Nou, eerlijk gezegd, mijn beste Scarlett, breekt 'morgen' eerder aan dan je denkt, en als je je daar niet op hebt voorbereid, kan het nog knap vervelend worden. Je zult zien dat er op zulke strategieën (of beter gezegd: non-strategieën) een hoge prijs staat.

Ook al staan we er niet graag bij stil, we weten allemaal dat het leven onvoorspelbaar is. We mogen er niet van uitgaan dat het vandaag of morgen niet zal regenen alleen maar omdat gisteren de zon scheen. Een deel van ons blijft altijd op zijn hoede, en hoe goed het allemaal ook lijkt te gaan, toch knaagt er vaak iets van: 'Hoe lang blijft dit nog duren?' En de waarheid is dat het op een goed moment inderdaad hoogstwaarschijnlijk uit is met de pret. Dat zeg ik niet omdat ik nou zo pessimistisch ben, maar als realist en als coach, zodat jij kunt besluiten wat je eraan wilt doen om de gemoedsrust te verwerven van iemand die er klaar voor is.

Als ik tot die nacht op 10.000 voet hoogte had gewacht om een plan te maken, zou dat veel te laat zijn geweest. Wanneer een van die zeven zware tijden aanbreekt, wil ik graag dat je kunt zeggen: 'Op deze crisis heb ik me voorbereid. Ik sta op een kruising van wegen, en ik kan ofwel in paniek raken en instorten, ofwel al mijn vaardigheden en voorbereidingen inschakelen om dit te boven te komen. De keus is aan mij.' Natuurlijk kun je dat alleen maar zeggen als je iemand bent met een plan, iemand die zijn huiswerk heeft gedaan. Het moment om te bedenken wat je gaat doen als je in zwaar weer terechtkomt, is het moment waarop je nog rustige wateren bevaart, omdat je in de zeven zware crises zowel lichamelijk en geestelijk als emotioneel veel te druk bezig bent om een plan te bedenken.

Monsters in het donker

Ik zie het leven niet in termen van 'goed' en 'slecht', of van 'eerlijk' tegenover 'oneerlijk'. Ik geloof niet dat de wereld eropuit is om jou of mij een loer te draaien, of dat we het leven zouden moeten beschouwen als een tikkende tijdbom die zo meteen explodeert. Ik wil niet dat wij deze crises alleen maar overleven, maar ook dat we, als we eruit tevoorschijn komen, op een nieuwe plek staan – met nieuwe instrumenten, nieuwe wijsheid, en een dieper inzicht in hoe we er gekomen zijn, zodat als je dingen deed die niet effectief waren, je daar iets aan kunt veranderen, en dat als het om iets ging wat plotseling, onverwacht gebeurde, je ertegen bestand bent en er des te sterker uit komt. De instrumenten waarover ik straks ga vertellen, zijn bedoeld om je daarbij te helpen, en ook om al doende als mens succesvoller te worden – als echtgenote of echtgenoot, als moeder of vader, en als lid van je gemeenschap. Het is een reeks vaardigheden die iedereen zou moeten aanleren, maar die zelden wordt onderwezen. Deze vaardigheden zouden deel moeten uitmaken van de voorbereiding op volwassenheid, maar de meesten van ons krijgen die niet.

Ik wil niet dat wij deze crises alleen maar overleven, maar ook dat we, als we eruit tevoorschijn komen, op een nieuwe plek staan – met nieuwe instrumenten, nieuwe wijsheid, en een dieper inzicht in hoe we er gekomen zijn, zodat als je dingen deed die niet effectief waren, je daar iets aan kunt veranderen, en dat als het om iets ging wat plotseling, onverwacht gebeurde, je ertegen bestand bent en er des te sterker uit komt.

Mijn doel is niet alleen om je te leren hoe je je staande kunt houden, maar ook om je in staat te stellen te voorzien in de behoefte aan informatie van je kinderen – of ze nu nog klein zijn of al volwassen, met een eigen gezin. Je hoeft niet je hele leven vol angst naar die zeven crises uit te kijken, naar het moment dat er 'iets gebeurt', of naar wat voor zware tijd dan ook. Je hoeft je leven niet in angst te leiden, mits je een plan hebt en mits je de tijd neemt om eventuele lacunes in copingvaardigheden te onderkennen en daarin te voorzien – vóórdat je ze nodig hebt.

Mensen die het spel spelen met 'het zweet in hun handen' zijn waarschijnlijk bang omdat ze dat ook móéten zijn, omdat ze weten dat er bij hen een leemte is. Een vrouw vertelde me dat ze zichzelf door het leven zag gaan alsof ze op het puntje van zo'n harde metalen klapstoel zat. Ze was bang dat die stoel onder haar vandaan getrokken zou worden zodra ze enthousiast over het leven raakte. Ik durf te wedden dat er bij haar sprake is van een 'lacune' in haar copingvaardigheden en dat ze diep in haar hart heus wel beseft dat ze niet opgewassen is tegen eventuele uitdagingen. En zij is niet de enige. Veel mensen leven op die manier, omdat angst voor het onbekende ons nu eenmaal ingebakken zit. We kunnen de weg die voor ons ligt niet zien, dus soms vrezen we het ergste. Maar stel nou dat je kunt nadenken over wat er om de hoek ligt, dat je dat kunt erkennen en je er een idee van zou kunnen vormen? Niemand van ons weet precies hoe zijn leven zal verlopen, maar zou het niet helpen als je wist hoe ten minste zeven veelvoorkomende zware tijden of crises die je hoogstwaarschijnlijk in je leven zult meemaken eruit zullen zien? Zou het niet veel verstandiger zijn om daarnaar te kijken vóórdat ze toeslaan, in plaats van de dingen maar over je heen te laten komen en dan straks, midden in de crisis zelf, ook nog eens met de schok, de ontzetting en de verwarring geconfronteerd te worden?

Soms kunnen die eerste momenten van een crisis cruciaal zijn. Stel je bijvoorbeeld maar eens voor wat er gebeurt tussen een aanvaller en zijn slachtoffer. Als je in elkaar wordt geslagen, is je aanvaller in die eerste paar seconden dat hij op je af stapt en zijn mes trekt, een vuurwapen op je richt of naar je uithaalt ten opzichte van jou in het voordeel. Dat moment van schrik is een gemoedsgesteldheid waar hij op rekent; die tijd heeft hij nodig om jou tot slachtoffer te maken. Stel je dan nu eens voor dat je wíst dat je aanvaller je zou aanvallen. Als je hem hebt zien aankomen, heeft hij dat voordeel niet. Uiteraard zou je in zo'n situatie nooit volkomen rustig kunnen zijn, en dat geldt ook voor de crises waar dit boek over gaat. Je zou zonder meer gealarmeerd raken en op je hoede zijn. Maar het verschil is dat je niet in paniek raakt en niet instort – niet ten overstaan van die aanvaller en niet ten overstaan van de grootste uitdagingen van je leven.

Vertrouw er maar op dat je alles wat op je pad komt aankunt en – belangrijker nog – dat je elke dag van je leven dat vertrouwen kunt voelen. Dat alles maakt deel uit van wat ik je 'benaderings-houding' noem, iets waar we in het volgende hoofdstuk nog uitgebreid op terugkomen. In het donker zijn monsters. Maar zodra je het licht aandoet, zeg je: 'O, oké. Dit kan ik wel aan.' En dat kun je ook. Ik geloof erin dat je dat kunt. Belangrijker is echter dat ik wil dat jíj gelooft dat je het kunt.

De zeven grootste crises in het leven

Voor de meeste mensen geldt dat hun opleiding en andere levenservaringen hun geen informatie geven over crisismanagement, problemen oplossen, of zelfs maar problemen onderkennen. Het grootste deel van dit boek is gebaseerd op mijn ideeën over en ervaringen met dingen waarvan ik heb gezien dat ze goed werken voor mensen die met deze zeven crises te maken krijgen, en ook voor mezelf. Maar ik heb het niet allemaal zelf verzonnen, aangezien de meeste van mijn ideeën, zo niet allemaal, ook worden gesteund door de uitkomsten van onderzoek. Ik heb bovendien geen opzienbarende nieuwe informatie ontdekt om de 'code des levens' te 'kraken', en dat geeft ook niet, want daar was ik helemaal niet op uit.

Zoals bij al mijn boeken het geval is, gaat ook dit boek over echte mensen en echte problemen in het leven. Toen ik eraan begon, was ik nieuwsgierig naar waar mensen vandaag de dag zoal mee worstelen. Om een actueel beeld te krijgen van wat sommigen van onze vrienden en buren als de grootste stressfactoren en zwaarste tijden zien, is er op internet (www.dr.phil.com) een onderzoek gedaan, waarop meer dan duizend mensen hebben gereageerd. We vroegen hun wat volgens hen de meest stressvolle gebeurtenissen waren met de grootste invloed op hun leven, beoordeeld op een schaal van 0 tot en met 100 (0 betekende dat de gebeurtenis geen invloed had, 100 dat die een heel grote invloed had).

Ga voor jezelf na of je het, in het licht van je eigen ervaringen, al dan niet eens bent met de cijfers die aan de onderstaande gebeurtenissen werden toegekend. In andere hoofdstukken bespreek ik de relatie tussen stressvolle gebeurtenissen zoals deze en mogelijke invloeden die ze hebben of reacties die ermee gepaard gaan. De vijftien stressvolle gebeurtenissen die een invloed hadden van minstens 75 procent waren:

Rangorde	Stressvolle gebeurtenis*
1	Executie van een hypotheek of lening**
2	Overlijden van een naast familielid
3	Diagnose van ernstige ziekte
4	Diagnose van ernstige ziekte bij familielid
5	Ernstige ziekte (leven met een chronische ziekte)
6	Overlijden van de partner
7	Grote financiële problemen, faillissement
8	Verandering in financiële situatie
9	Traumatisch probleem met de wet
10	Ontslag
11	Identiteitscrisis
12	Verandering in geestelijke gezondheid van familielid
13	(Echt)scheiding
14	Ernstig letsel
15	Dood van een goede vriend(in)

* Bedenk als je naar deze antwoorden kijkt dat dit een onderzoek op internet was, geen hogere wetenschap. Ook al vormt de informatie nuttige input voor discussies, vanuit wetenschappelijk oogpunt is die maar beperkt bruikbaar – wat betekent dat als ik het onderzoek niet had gedaan vanwege de discussie, maar om er voorspellingen op te baseren, ik het enigszins anders zou hebben aangepakt. Maar het is niettemin een 'rapport vanuit het veld', en als zodanig denk ik dat je het wel interessant vindt.

** Dat executie bovenaan staan heeft er misschien mee te maken dat het onderzoek werd uitgevoerd in een tijd waarin de media bol stonden van de berichten over de instorting van de huizenmarkt, en wil niet per se zeggen dat dit als erger wordt ervaren dan de dood van een familielid of gezondheidsproblemen. Dat neemt niet weg dat deze respondenten executie bovenaan zetten.

De uitkomsten van het onderzoek kwamen sterk overeen met veel onderzoeken die in het verleden naar stress zijn gedaan. Het attendeert ons op mogelijke terreinen waarop we waakzaam moeten zijn, omdat deze gebeurtenissen, zoals je verderop nog zult lezen, lichamelijke en emotionele gevolgen kunnen hebben die een situatie er nog beroerder op kunnen maken. Zo voerden de onderzoekers Holmes en Rahe een generatie geleden een onderzoek uit naar stress, waarvan de uitkomsten doen vermoeden dat stressvolle gebeurtenissen tussen mensen onderling, zoals het overlijden van een partner en echtscheiding, de meeste stress opleveren en dat er bovendien een verband te zien is met lichamelijke ziektes. De gegevens gaven niet aan wat er het eerst was: de stressfactor of de ziekte, maar hoe dan ook gaat het in beide gevallen om problemen die aandacht vragen.

Hieronder zet ik op een rijtje welke zeven crises ik in dit boek zal bespreken. Als je zelf net midden in een daarvan zit, zul je de pijnlijke beschrijving herkennen. Zoals ik al zei: deze zeven crises zijn gekozen op grond van mijn ideeën en mijn observaties van hun vermogen om invloed uit te oefenen op je leven en je gemoedsrust, en op basis van de frequentie waarmee ik heb gezien dat ze zich in het leven van mensen voordoen.

Wanneer je hart breekt

Bij deze crisis raak je iets kwijt wat grote waarde voor je heeft en wordt je hart gebroken. Je kunt er gif op innemen dat dit niemand bespaard zal blijven, en de kans is groot dat je op een zeker moment in je leven, of in het leven van je dierbare, al eens zoiets hebt meegemaakt. Het zit er bovendien dik in dat je deze crisis vaker dan één keer zult meemaken, en elke keer zal het een beetje anders zijn, afhankelijk van wat je verliest – een dierbare verliezen aan de dood, een huwelijk, een vriendschap of je carrière verliezen, of de grote droom van je leven – maar wat telkens hetzelfde is zijn het verdriet, de rouw en de pijn die je naar de strot vliegt en op de knieën dwingt.

Wanneer je beseft dat je verraad aan jezelf hebt gepleegd

Dit is een van de zeven grootste crises, omdat je daarbij moet constateren dat je je leven leidt zonder lef en integriteit. Uiteindelijk moet je toegeven dat je leven wordt geregeerd door angst en dat vrijwel elke keus die je tot nu toe hebt gemaakt door die angst is ingegeven. Je ziet in dat je jezelf en je dromen 'in de uitverkoop hebt gedaan', omdat je bang was dat je zou falen of de mensen op wier mening je prijs stelt zou teleurstellen. Je kunt niet met trots op je leven terugkijken, omdat je niet eens je éígen leven hebt geleid – het is andermans leven geweest, of misschien wel het leven van een heleboel anderen... van iedereen behalve van jou. Je hebt je 'authentieke zelf' de das om gedaan.

Wanneer je niet langer kunt voldoen aan wat het leven van je vraagt

De manier waarop je je staande houdt in deze wereld noem ik je aanpassingsvermogen. Bij deze crisis schiet je vermogen om je aan te passen aan wat het leven van je vraagt tekort. Mentaal, emotioneel en lichamelijk voel je je volkomen overdonderd – of de oorzaak van je instorting nou financieel was of alleen het besef dat je niet kunt blijven doorgaan alsof je alles onder controle hebt, omdat dat namelijk niet zo is. Je voelt je overweldigd en ziet er geen gat meer in. Het lijkt wel of je verzuipt in de eisen die aan je worden gesteld en niets kunt doen om het hoofd boven water te houden.

Wanneer je lichaam het laat afweten

We denken niet graag aan ziek worden, maar een lichaam dat het laat afweten behoort tot de onvermijdelijke feiten van het leven. De kans dat jijzelf of een van je dierbaren op zeker moment te maken krijgt met een ernstige gezondheidscrisis is vrij groot. Zelfs als je een gezond leven leidt, zonder ongelukken, zal je lichaam vroeg of laat tekenen van slijtage gaan vertonen. Net als bij alles is de manier waarop je omgaat met de mededeling dat jij of iemand van wie je houdt een levensbedreigende of ingrijpende ziekte heeft, of met het oplopen van letsel of het krijgen van fysieke mankementen, van cruciaal belang.

Wanneer je geest het laat afweten

Zodra je inziet en erkent dat je eigen mentale of emotionele functioneren, of dat van iemand van wie je houdt, gevaar loopt, kun je pijn, schaamte, angst en verwarring voelen. Als samenleving staan we veel minder verlicht tegenover mentale problemen dan tegenover lichamelijke, en het gevolg daarvan is dat je het op z'n zachtst gezegd heel zwaar kunt krijgen om in zo'n crisis de benodigde antwoorden te vinden. Verbazingwekkend genoeg is geestelijke gezondheid nog steeds niet iets waar in ons land makkelijk over wordt gesproken, terwijl het toch een van de belangrijkste aspecten van ons leven is. Het is iets wat in de een of andere vorm ons hele leven bepaalt. Wanneer je geestelijke gezondheid het laat afweten, kan dat zich op verschillende manieren uiten, maar statistisch gezien gaat het het vaakst om angst en depressie, of om minder vaak voorkomende maar ernstigere geestelijke stoornissen waarbij de werkelijkheidszin wordt aangetast, of simpeler gezegd: waarbij sprake is van een onvermogen om te onderscheiden wat echt is en wat fantasie, illusie of hallucinatie.

Wanneer je verslaving met je op de loop gaat

Je hoeft maar één blik op de krantenkoppen te werpen, of het is duidelijk dat verslavingen steeds meer om zich heen grijpen. Vroeger hielden drugsverslaafden zich alleen op in donkere steegjes en andere foute buurten van de stad. Maar vandaag de dag kun je ze overal tegenkomen, van slaapkamers in voorsteden tot vergaderzalen van directies. Verhalen over een thuisblijfmoeder of een succesvolle zakenman of -vrouw die verslaafd is aan drugs zijn helemaal niets bijzonders meer. Dat komt deels doordat drugs makkelijker verkrijgbaar zijn: met één muisklik heb je ze zo via de computer besteld. Maar het gaat niet om drugs alleen; er zijn ook zorgwekkend veel mensen aan alcohol verslaafd. Of het nu om jezelf gaat of om de verslaving van een dierbare, verslavingen gaan met mensen op de loop en kunnen hun leven zomaar kapotmaken.

Wanneer je niet meer weet wat de zin van je leven is en geen antwoord hebt op de vraag 'Waarom?'

Hier gaat het om de uitdaging een nieuwe zin in je leven te vinden. De vraag is niet zozeer wie je bent als wel waaróm je bent. Het kan gaan om een geloofscrisis, of om het gevoel dat je je kompas of richtsnoer in het leven kwijt bent. Wat heeft het allemaal voor zin? Wat is jouw levensdoel? Je voelt je onbetekenend. Tijd is iets eindigs, en je hebt er maar een zekere hoeveelheid van tot je beschikking om iets van het leven te maken. Wat ga je daarmee doen? Wanneer je niet meer weet wat de zin van je leven is, moet je dit terrein onderzoeken en weer aansluiting vinden bij iets wat je weer in balans brengt. Dat kan van alles zijn, van een nieuwe basis voor je geloof tot je inzetten voor een zaak waar je je altijd al sterk voor hebt willen maken, of er alleen maar naar streven een zo goed mogelijke vader, mentor, werknemer, dochter of vriend(in) te zijn.

Wanneer je op deze zeven terreinen, of op andere die zich in je leven voordoen, voor uitdagingen komt te staan, en je jezelf er weer uit tevoorschijn ziet komen, mag je in je handjes knijpen en daar kracht uit putten: je bent in staat geweest je hoofd boven water te houden toen alles om je heen instortte.

Het leven is geen reis die uit louter successen bestaat

Het is een feit dat het echte leven, ondanks onze beste plannen en diepste verlangens, niet altijd makkelijk is. Het is voor niemand van ons een reis die uit louter successen bestaat. Door het leven gaan heeft soms veel weg van door een windtunnel lopen: soms komt het leven tot je als een gestaag briesje; andere keren is het eerder een orkaan. De stormen van het leven hebben dan misschien niet altijd een happy end, maar ze zijn wel te overkomen, en soms voeren ze je zelfs naar een betere plek. Minstens even belangrijk is dat je in staat bent om de touwtjes in handen te nemen voor je gezin – om rustig te blijven in het oog van de storm.

Wanneer je je leven leidt volgens een geloof of spirituele leidraad, zeg je misschien dat je bij een crisis wel tot God zult bidden en dat Hij je dan wel zal redden. Dat is ook helemaal niet verkeerd, maar ondertussen zul je zelf ook in actie moeten komen. Ik ben ook gelovig, maar desondanks wend ik toch alle middelen waarover ik beschik aan om mezelf te helpen. Volgens mij heeft God ze me daarom gegeven. Ik bedoel maar: waar je je kracht ook vandaan haalt, het is jóúw taak om te schoppen, te vechten, te krabben en te klauwen om er op deze wereld zo goed mogelijk voor te komen staan. Of je nu denkt dat je de middelen daartoe via je DNA hebt doorgekregen of als een gave van God, juist in een crisis zal er een beroep op worden gedaan, en ik wil graag dat je leert hoe je die reserves kunt gebruiken.

Hoofd omhoog!

We zijn allemaal het product van onze eigen leergeschiedenis, en als er zich nooit uitdagingen zouden voordoen, zouden we ons mentaal, lichamelijk, emotioneel en spiritueel nooit ontwikkelen. Ik ben altijd van mening geweest dat elke tegenslag je iets te leren heeft. Als je er iets van opsteekt, kun je de gebeurtenis namelijk als 'leermoment' beschouwen. Ik wil niet beweren dat een andere benaderingshouding of een klaarliggend actieplan kan voorkomen dat je in de problemen komt of je kan behoeden voor de uitdagingen die het leven zal stellen; dat is namelijk niet zo. Ik zeg niet dat je daarmee de zeven levenscrises op afstand kunt houden; dat is namelijk niet zo. Je zult tijdens diezelfde zeven crises nog steeds dezelfde hobbels over moeten, maar je kunt er dan wél anders mee omgaan.

De manier waarop je door het leven gaat wordt er anders van. Je kunt het zo zien: stel je iemand voor die een zwarte band heeft in een bepaalde vechtsport en die 's avonds laat door een donker steegje loopt. Stel je dan iemand voor die die training níét heeft en ook door dat steegje loopt. De manier waarop deze twee mensen dat wandelingetje ervaren is een verschil van dag en nacht. Uiteindelijk is mijn doel met dit boek om jou voor je wandeling zelfvertrouwen en kracht te schenken, niet gebaseerd op valse bravoure, maar op bereidheid.

2.

Je benaderingshouding

Bid tot God, maar blijf naar de kúst roeien.
– Russisch spreekwoord

Niemand kan je leven voor je 'regelen' – omdat het iets is waar je mee moet leren omgaan, en wat niet kan worden 'genezen'. Hopelijk pakt je leven grotendeels goed uit. Maar je kunt jezelf altijd aanleren om het beter te managen. Wanneer je dit boek uit hebt, is de kans groot dat je nog steeds dezelfde problemen had als voordat je met lezen begon. Had je voordat je het opensloeg een slecht huwelijk, dan heb je als je het dichtslaat nog steeds een slecht huwelijk – misschien zelfs nog wel slechter. Was voordat je dit boek pakte je carrière in het slop geraakt, of had je last van overgewicht, dan heb je als je het uit hebt nog steeds dezelfde carrière en hetzelfde lichaam. Bovendien lagen er toen je begon te lezen vrijwel zeker een paar van de zeven levenscrises voor je in het verschiet, zo niet allemaal, en is ook daaraan nog niets veranderd. Door dit boek te lezen kun je niets veranderen aan de problemen die je al hebt of vermijden wat nog te gebeuren staat.

Wat er wel door verandert, is veel belangrijker dan welke situatie of welk probleem ook. Want jíj zult veranderen: je vermogen om je leven te managen en om de zaken in het juiste perspectief te zien, je inzicht in waarom je doet wat je doet en waarom je niet doet wat je achterwege laat, en wat je daar allemaal mee opschiet. En het allerbelangrijkste: je zult de houding waarmee je in het leven staat aan een nader onderzoek onderwerpen en welbewust besluiten die te laten zoals ze is of er iets aan te veranderen. En dat is niet niks, want die houding is cruciaal voor de manier waarop je leven verloopt.

Je zult je nieuwe en belangrijke vaardigheden eigen maken, zodat je aan het probleem kunt werken in plaats van er zelf deel van te zijn. In plaats van je te focussen op dingen die je niet in de hand hebt, of daar zelfs geobsedeerd door te raken, zul je inzicht verwerven dat je zal helpen slachtofferschap te vermijden, zelfs op die 'kruisingen' van je levensweg waarop je het gevoel hebt dat je opeens van opzij wordt aangevallen. Ik hoop dat je begrijpt dat wat je in het leven overkomt niet is wat ervoor zorgt dat je je voelt zoals je je voelt, maar dat je in plaats daarvan zélf kunt kiezen hoe je erop reageert. Later ga ik daar dieper op in, maar eerst wil ik duidelijk stellen dat ik niet beweer dat je problemen zoals de zeven grote levenscrises kunt laten verdwijnen als je jezelf maar vol zonneschijn pompt. Was het maar zo makkelijk!

Laten we het dus eens hebben over jouw persoonlijke en unieke 'benaderingshouding'. Iedereen heeft die, zonder uitzondering, of hij nu wel of niet weet wat dat is. Zelfs als je je er niet van bewust bent, heb je er een; ik wil wedden dat als je er diep over nadenkt, je al snel de jouwe op het spoor komt, omdat het zo'n belangrijk deel vormt van wie je bent. Verschillende mensen treden de wereld en hun leven nu eenmaal op verschillende manieren tegemoet. Sommige mensen zijn prooien en andere zijn jagers, sommigen zijn gevers en anderen nemers, sommige mensen zijn passief, terwijl andere heel agressief zijn. De categorieën, de woorden waarmee ze worden aangeduid, en de tweedelingen zijn eindeloos.

Ik begin met dit onderwerp, want als je 'benaderingshouding' niet goed voor je uitpakt in tijden waarin er niet veel aan de hand is, zul je flink in de problemen komen bij een van de zeven grote klappen. Dus de vragen waar het om draait zijn: 'Wat is jouw benaderingshouding, en pakt die goed uit?' 'Hoe zouden de mensen die je het best kennen die benaderingshouding omschrijven?' 'Leidt je benaderingshouding tot de gewenste resultaten, of heb je er last van en houdt ze je af van wat je in je hart het liefst wilt en wat je het hardst nodig hebt?' 'Waar komt deze houding vandaan en wanneer heb je voor het laatst geprobeerd er iets aan te veranderen?' Je benaderingshouding heeft invloed op alles wat je doet en voelt, en het is een filter waardoorheen de wereld tot je komt; het is de optelsom en de substantie van de strategie waarmee je het leven benadert. Ook kan je benaderingshouding een sterke invloed hebben op de manier waarop andere mensen op jou reageren en jouw plaats in deze wereld omschrijven. Je krijgt wat je geeft. Als je er nooit voor bent gaan zitten om je af te vragen hoe jouw levensfilosofie eruitziet, wat je strategie is, jouw unieke benadering, dan wordt het daar nu hoog tijd voor.

Een kwestie van hoe je ertegenaan kijkt

Ik ben van mening dat er geen werkelijkheid bestaat, maar alleen perceptie. Er is geen goed nieuws of slecht nieuws; alleen onze interpretatie van nieuws maakt het goed of slecht. Dat is een functie van de kijk die je erop hebt, van je perceptie, en van je interpretatie van de invloed die een gebeurtenis op je heeft.

Ik denk dat je er – soms bijna automatisch – zelf voor kiest hoe je gebeurtenissen in je leven interpreteert en erop reageert. Misschien is jouw vaste patroon analytisch, misschien is het emotioneel, of misschien trek je je zo'n beetje alles persoonlijk aan, van een verkeersopstopping tot een verhoging van je energierekening. Je reacties en interpretaties komen ergens vandaan, en ze hebben invloed op het altijd maar doorgaande gesprek dat je met jezelf voert over wat er speelt en hoe jij je daaronder voelt. Feit is echter dat de manier waarop je nu reageert op mensen of gebeurtenissen waarschijnlijk voor een groot deel wordt bepaald door achterhaalde informatie, die je moet onderzoeken om na te gaan of die niet verjaard is en stiekem je grootste plannen in de weg staat. Als je weet waar je keuzes vandaan komen en kunt anticiperen op je reacties op een situatie, kan dat je helpen inzicht te krijgen in je 'patronen' en die te onderkennen. Dáár wil ik het hier over hebben: op welke manier die filters die in de loop der jaren een plekje hebben veroverd ertoe hebben geleid dat je bepaalde woorden, gebaren, daden en gebeurtenissen interpreteert zoals je ze interpreteert.

Als je weet waar je keuzes vandaan komen en kunt anticiperen op je reacties op een situatie, kan dat je helpen inzicht te krijgen in je 'patronen' en die te onderkennen.

Dus hoe heb je jouw specifieke benaderingshouding ontwikkeld, en hoe word je je ervan bewust hoe die eruitziet? (En zo nodig: hoe kun je er iets aan veranderen?) Je benaderingshouding bestaat hoogstwaarschijnlijk voor een klein deel uit overgeërfde gewoontes en uit een heleboel delen van de zich opstapelende en zich immer ontwikkelde uitkomsten van gebeurtenissen, ervaringen en uitwerkingen in je leven, en de manier waarop je hebt geleerd daar emotioneel op te reageren en ze te interpreteren. Een groot deel van je benaderingshouding is emotioneel. Je emoties komen niet zomaar vanzelf tot stand, of door tovenarij. Inzicht in wat mijn voorgangers in het rationele denken hebben betiteld als 'de anatomie van een emotie' helpt.

De vier basisbestanddelen van emoties

1. Er vindt een gebeurtenis plaats en je neemt die op een zintuiglijke manier waar; je maakt gebruik van je vermogens om te zien, te horen, te ruiken, te voelen en misschien zelfs te proeven. Dezelfde gebeurtenis kan door duizend verschillende mensen op duizend verschillende manieren worden waargenomen, en daarom zeggen rechercheurs van politie ook dat verschillende getuigenverklaringen van dezelfde gebeurtenis zelden of nooit consistente of accurate verhalen opleveren. Iedereen kijkt door een ander filter (ervaringen uit het verleden).

2. Je labelt de gebeurtenis door er via je filters betekenis aan toe te kennen. Dat kan betekenen dat je iemand met autoriteit als bedreigend ervaart, omdat die je doet denken aan je vader, die losse handjes had; of je kunt gebruikmaken van plezierige ervaringen zoals dat 'warme en doezelige' gevoel dat je krijgt wanneer je van een verjaardagstaart zit te smikkelen of de zee ruikt, omdat je vroeger als kind heerlijke zomers hebt doorgebracht aan het strand.

3. Je vertoont een emotionele reactie op basis van wat je over de gebeurtenis tegen jezelf zegt: je innerlijke dialoog (of zelfspraak), oftewel het altijd maar doorgaande gesprek dat je in gedachten met jezelf voert. Je innerlijke dialoog kan zo goed geoefend zijn en zo diep zijn ingesleten dat het iets automatisch wordt, zonder dat je je ervan bewust bent dat hij gaande is.

4. Je reageert gedragsmatig op een manier die voortvloeit uit de emoties die je via je innerlijke dialoog hebt uitgekozen.

Emoties zitten ingewikkeld in elkaar. Ik zal je laten zien hoe ze in het echte leven tot stand komen. De vader van Ann liet zijn gezin in de steek toen Ann nog maar drie jaar oud was (het begin van de 'gebeurtenis'). Zonder steun van haar echtgenoot kon Anns moeder de eindjes amper aan elkaar knopen, dus in de daaropvolgende vijf jaar trok Ann van het ene pleeggezin naar het andere. Helaas was elk nieuw gezin akeliger dan het vorige. Ze sliep in een kaal bedje in een kamer vol andere pleegkinderen, had maar weinig persoonlijke spulletjes en moest in sommige gezinnen vechten voor basale zaken als een warme maaltijd en schone kleren. Als ze klaagde of ergens vraagtekens bij zette, werd Ann lichamelijk of verbaal gestraft. Ze kwam zo vaak op een andere school dat ze nooit echte vriendjes en vriendinnetjes kreeg, en haar moeder verscheen en verdween in een onvoorspelbaar patroon in en uit haar leven.

Ann kende aan al deze gebeurtenissen betekenis toe en vormde in de loop van haar leven 'feiten' over haar ervaringen (het tweede onderdeel van hoe emoties in elkaar zitten: elke gebeurtenis labelen en 'opslaan' om haar in de toekomst te kunnen raadplegen). Deze feiten zouden voortaan bepalend zijn voor hoe ze in de toekomst tegen dingen aankeek, en voor haar verwachtingen van de manier waarop mensen haar zouden behandelen en hoe ze zich diende te gedragen om aan een negatieve behandeling te ontkomen. Anns gebrek aan een vaste routine en een vaste, liefdevolle verzorger in haar leven – boven op de ruwe behandeling die ze al van jongs af aan kreeg – legde de kiem voor latere problemen met intimiteit en relaties. Hoewel ze van tijd tot tijd toegewijde en zorgzame pleegouders trof, echte 'heiligen' die zich opofferen voor kinderen in de knel, hadden door haar ervaringen op jonge leeftijd al veel van haar filters een vaste plaats gekregen. Ze velde emotionele oordelen over mensen op basis van wat haarzelf was overkomen, waardoor ze zich op haar weg door het leven op een veilige afstand van anderen hield.

Het was niet zo gek dat Ann opgroeide met het gevoel dat ze alleen op zichzelf kon vertrouwen (het derde element van de emotionele anatomie: aangezien haar innerlijke dialoog elke dag hetzelfde verliep, nam ze de oordelen uit haar jeugd mee naar haar volwassenheid). Ze wist dat het, als ze iets nodig had, aan háár was om te bedenken hoe ze het kon krijgen. Ze besloot bovendien dat zij aan het roer moest zien te blijven in haar leven, zodat ze nooit meer aan de grillen van anderen onderworpen zou zijn. Het gevolg hiervan was dat ze toen ze net van school kwam een baan aannam als vertegenwoordiger, zodat ze niets te maken zou hebben met de druk die zo kenmerkend is voor kantoorchefs en -regels (het laatste onderdeel van de anatomie van een emotie, waarbij de innerlijke dialoog de emoties aanstuurt, met als gevolg gedrag dat de cirkel rond maakt). De prestaties die ze leverde, werden haar 'valuta's' (datgene waar ze waarde aan hechtte): ze leerde dat ze haar verkoopcijfers in haar plaats kon laten spreken, wat, in zekere zin, goed voor haar uitpakte. Ze was een echte doorzetter, en dat bracht haar het respect en de bewondering die ze voor haar gevoel verdiende. Maar wat ze er níét mee won, waren de liefde en het vertrouwen die in haar kindertijd geweld waren aangedaan en waar ze onder haar zelfverzekerde buitenkant al die tijd zo naar hunkerde. Haar carrière hield haar gaande, dus had ze altijd een excuus om zich terug te trekken wanneer relaties al te serieus dreigden te worden, en ze leerde nooit hoe ze een partnerschap kon sluiten met anderen, of hoe ze in toegewijde relaties kon geven of nemen. Ann leidt uiteindelijk het succesvolle leven waar ze altijd van heeft gedroomd, maar toch voelt ze zich emotioneel gehandicapt omdat ze nog steeds met dezelfde filters leeft als in haar jeugd. Omdat ze die nooit meer heeft onderzocht en oude informatie over de onbetrouwbaarheid van mensen en de pijn die zij veroorzaakten nooit meer heeft herzien, heeft ze niemand om de dingen die haar in het leven de meeste vreugde brengen of het meeste pijn doen mee te delen.

Zoals ik eerder al zei, zijn emoties niet zomaar te ontrafelen. Anns benaderingshouding kwam door vele factoren tot stand, en als haar reacties op haar eerdere percepties anders waren geweest (dus als het bij stap twee anders was gelopen), zouden haar ervaringen een respons aan de andere kant van het spectrum hebben opgeroepen. Wat er in de pleeggezinnen gebeurde, zou ze hebben kunnen interpreteren als: als je een 'braaf' meisje bent, niet klaagt en geen stennis schopt, doet niemand je kwaad. Als ze voor díé respons had gekozen, zou haar benaderingshouding waarschijnlijk eerder passief dan gedreven zijn. In beide gevallen zou ze flink wat bagage meezeulen om mee klaar te komen. Anns filters houden direct verband met de manier waarop ze geleerd heeft haar jeugdervaringen te verwerken, betekenis toe te kennen aan de gebeurtenissen die hebben plaatsgevonden en een innerlijke dialoog te voeren die haar gezichtspunten ondersteunde – hoe onjuist of incompleet ook – totdat ze de door haar gekozen realiteit zouden zijn. Het goede nieuws is dat niemand door het leven hoeft te gaan met de gevolgen van oude informatie en vervuilde filters: je kunt zelf beslissen of je de bron van je conflicten wilt achterhalen en de 'feiten' die je zo lang voor waar hebt aangenomen op de korrel wilt nemen.

Dit is een geschikt moment om enkele korte gedachten te wijden aan iets waar ik eerder over heb geschreven, namelijk de lakmoes-logicatest: een simpele reeks vragen die je op elke gedachte of overtuiging kunt loslaten om na te gaan of die de 'bron' van je innerlijke dialoog nu wel of niet vergiftigt. Misschien gaat het om een oordeel of idee van situaties of gebeurtenissen in het verleden dat je nog steeds meedraagt, of is het iets wat je nog maar kortgeleden ergens op je reis hebt verworven. Waar het ook vandaan is gekomen, je kunt zelf besluiten of je het in de toekomst mee wilt nemen. Daag je gedachten van tijd tot tijd uit en zorg ervoor dat ze deze toets kunnen doorstaan:

- **Is de gedachte of de overtuiging echt een feit?**
  Bedenk dat een feit iets anders is dan een overtuiging die je erop na kunt houden. Zo kun je nog zo graag willen geloven, of jezelf wijsmaken dat het geen gevolgen heeft voor je gezondheid om elke week een doos met twaalf geglazuurde donuts naar binnen te werken, het is hoe dan ook een feit dat dat wél zo is. Als je serieus veranderingen in je leven wilt, wat voor veranderingen ook, moet je de waarheid onder ogen zien. Met andere woorden: je moet de waarheid aankunnen om gezond te blijven.

- **Is met de gedachte of de overtuiging je beste zelf gediend?**
  Is je beste belang ermee gediend wanneer je deze zaak prioriteit geeft? Met andere woorden: geeft het je echte voldoening als je die boven aan je lijstje zet? Als het je, zoals voor veel mensen geldt, moeite kost om 'nee' te zeggen, dan maak je jezelf misschien dingen wijs die je blik op de wereld vertekenen. Je neemt zitting in commissies waar je niet echt in wilt zitten,

of doet dingen voor vrienden waar je niet echt tijd voor – of zin in – hebt. Waarom doe je die dingen, die voor jou niet goed uitpakken? Omdat je jezelf ergens diep in je innerlijke dialoog voorhoudt dat je ze 'moet' of 'zou moeten' doen. Zulk denken vergiftigt je zelfspraak. Het kan je tot keuzes brengen die gebaseerd zijn op angst voor afwijzing en die duidelijk niet in jouw beste belang zijn.

- **Beschermt de gedachte of overtuiging je gezondheid, en houd je die daarmee in stand?**
Brengt het feit dat je aan deze zaak zo veel waarde hecht je gezondheid op wat voor manier dan ook in gevaar? Leidt je bezorgdheid erom bijvoorbeeld tot chronische stress, die kan uitmonden in lichamelijke problemen en uiteindelijk in een ernstige ziekte of zelfs de dood? Welke invloed heeft je zelf-spraak op je lichaam? Als je te dik bent, loop je dan door dat te ontkennen kans op een hartkwaal, diabetes of kanker? Als je jezelf een 'mislukkeling' of 'waardeloos figuur' noemt, bete-kent dat dan dat je stress in je leven toelaat omdat je denkt dat je niet beter verdient?

- **Brengt de gedachte of overtuiging je wat je wilt?**
Pakt dit gedrag goed voor je uit? Helpt je innerlijke dialoog je om je doelen te bereiken, of heeft die een negatieve invloed op je vermogen om werk te maken van de dingen die je in het le-ven belangrijk vindt? Als je moeder bijvoorbeeld altijd zei dat jij nooit zo goed zou worden als je zus, kan het zijn dat je jezelf wanneer je opgroeit, voorhoudt dat je onwaardig bent. Ook al ben je nu volwassen, je hoort nog steeds in gedachten je moe-ders woorden: 'Jij bent niet goed genoeg, je bent geen liefde waardig,' en als gevolg daarvan ben je voortdurend bang om je baan of partner te verliezen. Deze angsten mogen ongegrond zijn, toch ben je veel tijd en energie kwijt aan je pogingen om die zaken niet kwijt te raken, in plaats van toe te werken naar wat je echt van het leven wilt.

Het is belangrijk dat je deze lakmoes-logicatest geregeld voor je-zelf doet, zodat je niet onverhoeds de verkeerde patronen of fil-ters aanneemt.

Prioriteiten stellen vanuit een gezonde benaderings-houding

Je benaderingshouding houdt niet alleen direct verband met je dagelijkse bestaan, maar ook met de zeer betekenisvolle pieken en dalen van het leven, waar de zeven grote crises deel van uitmaken. Om een plan te kunnen opstellen dat je zal helpen die zware tijden heelhuids te doorstaan, moet je het belang inzien van perspectief, verantwoordingsplicht, en actie ondernemen om jezelf de ervaringen te bezorgen die je van het leven wilt. Als dat allemaal goed zit, ben je al een eind op weg met een benaderings-houding die goed voor jou uitpakt.

Leven met perspectief

Je hoort mensen weleens zeggen: 'Ik heb nog nooit meegemaakt dat iemand op zijn sterfbed zei dat hij zou willen dat hij meer tijd op kantoor had doorgebracht.' Hoe komt dat? Omdat je, wanneer je op het punt staat afscheid van dit leven te nemen, inziet wat er werkelijk toe doet. Je hebt dan het ultieme perspectief. Helaas is het op dat moment een beetje te laat om er nog iets aan te doen. Sommige zakenmensen zijn zo druk bezig met geld verdienen dat ze helemaal niet doorhebben hoe geweldig hun huwelijk en hun kinderen zijn, tot ze zich opeens realiseren dat ze al rijk zíjn. Ze hádden alles al wat in het leven belangrijk was, maar daar hadden ze geen oog voor, omdat ze 'waardevol' anders opvatten. Hun 'inkomen' had met geld te maken in plaats van met familie.

Mijn vader zei vlak voordat hij stierf tegen me dat het heel mooi zou zijn als je *op het moment* dat er iets beslissends gebeurt of een beslissing neemt, zou kunnen inzien hoe de zaken in elkaar steken, in plaats van pas aan het einde van je leven, als het te laat is om er nog iets aan te doen. Hij vertelde me dat als ik echt iets voor mensen wilde betekenen, het goed zou zijn om hen allereerst te helpen oog te hebben voor die kritieke, levensveranderende momenten op het moment van plaatsvinden en niet pas daarna.

Perspectief hebben is van cruciaal belang voor een productieve benaderingshouding. Daarmee vallen je problemen binnen een kader en krijgen ze context. Ik maak mensen mee die dénken dat ze problemen hebben omdat hun kinderen niet op de juiste kleuterschool hebben gezeten, of omdat een collega achter hun rug over hen roddelt. Vervolgens wordt er bij hun partner kanker geconstateerd en komen ze pas écht in de problemen. Op dat moment kan het hun ineens niet meer zo veel schelen of hun kind nu wel of niet op de goede kleuterschool zit, of wie er bij de waterkoeler loopt te kletsen. Die dingen doen er niet meer toe, omdat hun leven ineens perspectief heeft gekregen. Ik zou graag zien dat je je benaderingshouding onder de loep neemt vóórdat je tot over je oren in de nesten zit en moet constateren dat je er niet klaar voor bent.

Om klaar te zijn, moet je bepalen waar het in je leven écht om gaat. Je moet bepalen wat je werkelijke prioriteiten zijn, wat je echt ter harte gaat. Hoe omschrijf jij succes? Waar sta je voor en waar schenk je je tijd, energie en geld aan? In hoofdstuk 10 staat een oefening die je kan helpen het een en ander helderder te krijgen. Deze dingen moeten helder zijn in je geest en in je hart, zodat je stevig op de grond staat en je kompas is afgestemd op de richting die je echt op wilt gaan wanneer er een crisis toeslaat. Wanneer je niet al van tevoren helderheid hebt over wie je bent en waar je heen wilt, kon het weleens knap lastig worden om door een crisis niet uit balans te raken.

Om klaar te zijn, moet je bepalen waar het in het leven écht om draait.

Dingen waar ik bijvoorbeeld erg veel waarde aan hecht in het leven, zijn mijn persoonlijke verhouding tot Jezus Christus, de zorg, bescherming en koestering van mijn gezin, mijn gezondheid, en een verantwoordelijk lid van de gemeenschap zijn dat een zinvolle bijdrage aan de samenleving levert. Daarna komen mijn carrière en me bezighouden met belangrijke levenskwesties voor mensen die deze ook ter harte gaan. Over perspectief wil ik maar zeggen dat als er midden in een tv-opname een camera het begeeft of er een gast niet komt opdagen, ik die dingen in een ruimer kader plaats. Waren mijn vrouw en kinderen gezond voordat die camera er de brui aan gaf? Jawel. Was mijn huis warm en droog? Jawel. Was ik trots op wat ik aan de maatschappij bijdraag? Jawel. Dus over het grote geheel betekent een haperende camera misschien wel even frustratie, maar als puntje bij paaltje komt is het niet zo heel belangrijk. Zo kun je er echter alleen tegen aankijken als je een benaderingshouding hebt ontwikkeld die wordt gekenmerkt door een evenwichtig perspectief.

Woorden hebben grote kracht, omdat je gelooft wat je tegen jezelf zegt

Woorden zijn heel, heel krachtig, en de taal die je gebruikt speelt een belangrijke rol voor je vermogen om dingen in het juiste perspectief te zetten, en dus ook voor je benaderingshouding. Het is belangrijk hier aandacht aan te besteden in je gesprekken met andere mensen en in je innerlijke dialoog. Woorden hebben een emotionele lading; op elke gedachte die je hebt en op elk woord dat je zegt vertoon je een fysiologische reactie. Je woorden roepen een reactie op in je ingewanden – vooral negatieve reacties, die zich duidelijker lijken te laten horen dan positieve. En hoe extremer de negatieve taal is, hoe harder die kreten. Dus als je zegt dat een bepaalde film de afschuwelijkste is die je ooit hebt gezien, zal je gevoel erover sterker zijn dan wanneer je alleen maar zou zeggen: 'Die film was niet zo goed.' Dat betekent ook dat als je zegt: 'Dit is het allerergste wat me ooit is overkomen,' je er meer door zult worden getroffen dan wanneer je had gezegd: 'Dit is niet fijn, maar het is niet het einde van de wereld.' Ik wil maar zeggen dat je vast niet gediend bent met een melodramatische, theatrale en overdreven manier om tegen jezelf over het leven te praten.

Zo probeer ik nooit woorden zoals 'vreselijk', 'afgrijselijk' of 'rampzalig' te gebruiken als ik een lekke band heb of eindeloos in het verkeer van Los Angeles vaststa wanneer ik haast heb. Oké, het is vervelend. Het is irritant en ongemakkelijk. Maar rampzalig is het niet. Er is niets afgrijselijks, niets vreselijks aan. Toch hoor ik mensen zulke woorden vaak gebruiken voor dingen die nog niet eens in de buurt komen van een crisis, en dat doen ze alleen maar omdat ze niet de juiste benaderingshouding hebben. Ik heb stellen meegemaakt van wie de bruiloft in de soep liep: de ene keer dronk de bruidegom te veel, de andere keer struikelde de bruid over haar lange sluier, en bij een derde echtpaar kreeg hun hele bus vol bruiloftsgasten in de stromende regen motorpech. Ze beschreven deze gebeurtenissen als 'een ramp', 'een nachtmerrie', en 'het ergste moment van mijn leven'. Toegegeven: hun bruiloften waren niet sprookjesachtig mooi en ik wil niets afdoen aan hun wens om deze dag perfect te laten verlopen. Maar 'afgrijselijk' en 'rampzalig' zijn woorden die ik tijdens mijn opleiding vaak heb horen bezigen op de brandwondenafdeling van een ziekenhuis. Je kunt ze gebruiken voor de orkaan Katrina, voor 11 september en voor nog een heleboel andere tragedies. Het zijn alleen geen geschikte beschrijvingen van ingezakte bruidstaarten, een dronken bruidegom of verregende gasten. Dat stelt allemaal niks voor in het licht van wat echt belangrijk is in het leven, en als zulke dingen echt de 'ergste momenten' van je leven zijn, dan heb je het winnende lot te pakken. Nogmaals: als je dit tegen jezelf zegt, beschik je niet over een helder, realistisch perspectief.

Geef je persoonlijke kracht niet weg

Een van de meest belastende benaderingshoudingen die je kunt aannemen, is die waarbij je je gevoel van eigenwaarde en je keus van wat ertoe doet laat bepalen door, een gevolg laat zijn van of sterk laat beïnvloeden door wat anderen over jou zeggen en denken. Waarom? Omdat als je je persoonlijke kracht 'weggeeft' aan een werknemer, een maatje, een familielid, een vriend(in), of met wie je ook maar te maken hebt, je jezelf in een heel kwetsbare positie manoeuvreert. Hoe goed jíj je over jezelf voelt wordt dan afhankelijk van hoe stevig die persoon in zijn of haar schoenen staat. Staat die niet stevig in z'n schoenen en kan hij of zij alleen maar een goed gevoel over zichzelf hebben door jou naar beneden te trappen, dan zul je altijd veroordeeld en bekritiseerd worden, wat je ook doet. Wanneer je daarnaar handelt, geef je je persoonlijke kracht weg aan iemand over wie je geen zeggenschap hebt of kunt hebben.

Stel bijvoorbeeld dat je naar je werk rijdt en geniet van de zonnige ochtend, een kopje koffie en een lievelingsliedje op de radio. Opeens komt er een kerel naast je rijden die nijdig begint te gebaren en te schreeuwen om te laten weten dat jij volgens hem niet hard genoeg rijdt. Je had al wel iemand dicht achter je zien rijden, maar je had niet door hoe opgefokt hij was voordat hij zo tekeerging. En dan opeens is de man weer verdwenen. Hoewel het al met al nog geen minuut heeft geduurd, moet je de rest van de ochtend steeds aan die man denken en ben je erdoor van slag. Waarom deed hij nou zo? Waarom reed hij niet gewoon langs je zónder zich druk te maken? Je reed toch bepaald niet met een slakkengangetje – of wel soms? Je verspilt uren met stilstaan bij iets wat in een flits is gebeurd, waarbij iemand betrokken was die je niet kent en die je hoogstwaarschijnlijk nooit meer zult zien. Erger nog: je laat toe dat hij het gevoel aantast dat je over jezelf hebt. Dus ga maar na: als je al zo uit het veld geslagen bent door zoiets kleins als de reactie van een vreemde, hoe moet het dan wel niet gaan als er een echte crisis op je stoep staat?

Ook wanneer je stevig in je schoenen staat en weet wie je bent, is het gedrag van die botte automobilist nog steeds vervelend. Maar het is ook onbelangrijk. Je zet het van je af en zegt tegen jezelf: 'Hij moet er wel heel ellendig aan toe zijn.' Verder sta je er niet bij stil. Je gaat verder met je dag, omdat je je gevoel van eigenwaarde, je zelfrespect en wat jij belangrijk vindt zelf bepaalt.

En 'zelf' is hier het sleutelwoord. Hoewel we het in hoofdstuk 5 nog over je 'authentieke zelf' zullen hebben in verband met een leven dat op angst is gebaseerd, noem ik het hier toch alvast, omdat de manier waarop je tegen jezelf aankijkt bepalend is voor hoe je in de wereld staat. Voor degenen die me deze term nog niet eerder hebben horen gebruiken: kort gezegd is je authentieke zelf de 'jij' die in je diepste kern te vinden is, in tegenstelling tot je 'fictionele' zelf (degene die je volgens de buitenwereld bent). Het is het deel van je dat niet wordt bepaald door je baan, je functie of je rol, maar dat de optelsom is van alles wat jou uniek maakt. Wanneer je een duidelijk beeld hebt van wat jij echt belangrijk vindt en van wie je zelf bent, is het net of je tegen negatieve boodschappen vanuit de buitenwereld ingeënt bent. Je zegt: 'Ík bepaal wat er in mijn leven toe doet. Ík bepaal wat belangrijk is. Ík bepaal wat voor gevoelens ik over mezelf heb!' Je realiseert je dat je niet aardig gevonden hoeft te worden of er niet bij hoeft te horen om een goed gevoel over jezelf te hebben.

Ik zeg niet dat dit makkelijk is. Dat is het namelijk niet. Het is geen gering streven, maar het is wel een van de meest bevrijdende ervaringen die je in je leven kunt hebben. Ga maar na: als jijzelf de enige bent op wie je toezicht hoeft te houden om je gelukkig, stabiel en geaccepteerd te voelen, maakt dat je leven er een stuk makkelijker op. Echt, er is niets mis mee om aardig gevonden en geaccepteerd te willen worden, maar er bestaat een groot verschil tussen die acceptatie *willen* en *nodig hebben*. In de manier waarop je het leven benadert, zul je onderscheid moeten maken tussen wensen en behoeften. Je moet de dingen die echt in lijn zijn met je normen en waarden meer prioriteit toekennen dan de dingen die alleen maar je voorkeur genieten. Werk jezelf alsjeblieft niet tegen door te denken dat het zelfzuchtig zou zijn om er je eigen agenda op na te houden. Je dringt die immers niemand anders op. Als er anderen bij betrokken zijn, ga daar dan verstandig mee om en onderhandel om ieders behoeften te respecteren. Er bestaat een verschil tussen agressief zijn, waarbij je opkomt voor je eigen belangen ten koste van anderen, en assertief zijn, waarbij je opkomt voor je eigen belangen terwijl het níét ten koste van anderen gaat.

Ik werk er heel hard aan om mijn persoonlijke kracht niet weg te geven, en dat is ook een van de redenen waarom ik het spel des levens niet met het zweet in mijn handen hoef te spelen. Ik kan me er niet druk om maken of ik door iedereen op de hele wereld geaccepteerd word. Als ik daar niet het juiste idee over had, zou ik niet kunnen doen wat ik doe en niet de onderwerpen aan de orde kunnen stellen die ik aan de orde stel, omdat ik een heleboel critici heb. Wanneer ik het aan hen zou overlaten te bepalen wat voor gevoel ik over mezelf heb, zou ik me terugtrekken en de rest van mijn leven bezig zijn excuses maken. Dat doe ik echter niet, omdat ik geloof in wat ik doe. Als jij je zelfrespect laat bepalen door jouw critici (en die hebben we allemaal), ben je een groot deel van de tijd alleen maar bezig je leven uit te zitten. Om je goed te voelen moet je besluiten dat niet iedereen je aardig hoeft te vinden, dat niet iedereen je hoeft te begrijpen, het met je eens hoeft te zijn of hoeft te willen dat jij slaagt. En als je die benaderingshouding echt niet kunt opbrengen, ben je kwetsbaar. Wanneer andere mensen denken dat zij jou kunnen sturen, zullen ze dat zeker niet nalaten. Mensen gaan voortdurend met mij in discussie, in mijn programma en op de message boards op mijn website. Ze zeggen dingen als: 'Dr. Phil, je bent niet wijs. Waar heb jij je opleiding gevolgd? In een warenhuis soms?' Ik vind het niet erg als mensen kritiek op me hebben, maar dat betekent niet dat ik mijn eigen oordeel inruil voor het hunne. Ik weet zelf wat mijn normen en waarden zijn. Ik weet waar ik in geloof en waar ik voor sta. Dáár gaat het om.

> **Je moet aan de dingen die echt in lijn zijn met je normen en waarden meer prioriteit geven dan aan de dingen die alleen maar je voorkeur genieten.**

Je zult moeten besluiten: 'Ik accepteer mezelf, met zwakheden, fouten en de rest. Ik heb geen leegte in me die gevuld moet worden met jouw goedkeuring. Ik geloof in wie ik ben en in wat ik doe. Als ik daar niet in geloof, moet ik daar verandering in brengen, maar ik heb jouw goedkeuring in elk geval niet nodig om een goed gevoel over mezelf te hebben.' Stel je eens voor wat voor vrijheid dat geeft. Ik garandeer je dat je er heel veel aan zult hebben wanneer je in een van de grote levenscrises belandt.

Verantwoordelijkheidsgevoel is belangrijk

Een ander belangrijk bestanddeel van je benaderingshouding is verantwoordelijkheid. Je kunt je verantwoordelijkheid voor hoe en waarom je leven is zoals het is niet ontlopen. Als je je werk niet leuk vindt, ben jij daarvoor verantwoordelijk. Als je te zwaar bent, ben jij verantwoordelijk. Als je niet gelukkig bent, ben jij verantwoordelijk. Wil je ooit verandering in een situatie brengen, dan moet je die zelf bewerkstelligen.

In het leven en midden in een crisis kun je de situatie het best aanpakken, of uitdagen, door ermee op te houden anderen er de schuld van te geven en zelf het slachtoffer uit te hangen. Wanneer je niet onder ogen ziet dat je niet zomaar een passant bent in je eigen leven en wanneer je geen verantwoordelijkheid neemt voor wat er gebeurt, zul je alleen maar zoeken naar excuses in plaats van naar oplossingen. Je komt op die manier niet vooruit en blijft vastzitten. Als je je als slachtoffer opstelt, verdoe je kostbare tijd met denken: 'Waarom overkomt mij dit nou? Wat heb ik gedaan waardoor ik dit heb verdiend?' Je verdiepen in het waarom van een gebeurtenis kan betekenen dat je daarmee probeert de gebeurtenis zelf uit de weg te gaan, en dat werkt niet. Zoals je weet, heb ik door schade en schande geleerd dat wanneer ik achter de stuurknuppel van een vliegtuig zit dat dreigt neer te storten, het niet veel zin heeft om me alleen maar te gaan zitten afvragen waaróm het vliegtuig neerstort. Tenzij dat direct te maken heeft met de manier waarop ik reageer op het feit dat het neerstort. De seconden tikken toch wel weg en ik kom toch steeds dichter bij de grond, of ik nou vind dat het leven onrechtvaardig is of in actie kom en alles doe om het vliegtuig te blijven besturen. De houding die ik kies, bepaalt hoe het vliegtuig aan de grond komt en hoeveel kans ik heb om dat te overleven. Hetzelfde geldt wanneer jij een hobbel aantreft op je levensweg. Je moet actie ondernemen en erover nadenken wat je nú gaat doen. Bij zo'n benaderingshouding ga je niet zitten wachten tot iemand de stuurknuppel van het vliegtuig van je overneemt.

Wanneer je niet onder ogen ziet dat je niet zomaar een passant in je eigen leven bent en wanneer je geen verantwoordelijkheid neemt voor wat er gebeurt, zul je alleen maar zoeken naar excuses in plaats van naar oplossingen.

Als je iets wilt veranderen, en je de marathon die het leven is uit wilt lopen – of het nu gaat om echtscheiding, het verlies van een dierbare, een financiële crisis, of welk zwaar weer dan ook – zul je moeten inzien dat je je eigen ervaring schept. Wanneer je wilt weten waarom het leven is zoals het is, moet je naar binnen kijken. Zodra je je verantwoordelijk opstelt, snap je dat je de oplossingen voor de uitdagingen van het leven in je hebt. Ook als je kwaad bent, je gekwetst voelt of van streek bent, zijn dat nog altijd jouw eigen gevoelens. Jij bent ervoor verantwoordelijk dat ze zich in je leven voordoen. Je moet inzien dat niemand anders dan jijzelf je zal helpen welke situatie dan ook te boven te komen en te zeggen: 'Ik beschik wel degelijk over de kracht en ben daarom verantwoordelijk, dus ik moet die taak oppakken en zien dat ik krijg wat ik hebben wil.'

Een van de grootste hindernissen waar mensen mee te maken krijgen als het gaat om verantwoordelijkheid, is ontkenning. Er zijn maar weinig mensen die niet tegen zichzelf liegen; we liegen ofwel door dingen weg te laten, ofwel door ze te vertekenen; en dat zijn allebei niet-geringe problemen, omdat we dingen die we niet erkennen niet kunnen veranderen. Als je in paniek raakt, of net doet alsof een bepaalde gebeurtenis er niet is, neem je geen verantwoordelijkheid en kun je ook niet in actie komen. Maar als je stopt met ontkennen en de pijn doorvoelt, onderneem je wel iets. Mocht je als kind zijn misbruikt, dan ben je daar op geen enkele manier zelf verantwoordelijk voor, maar de manier waarop je er als volwassene mee omgaat en erop reageert is wél jouw verantwoordelijkheid.

Hieronder stel ik een paar belangrijke vragen die je kunnen helpen te bepalen hoe verantwoordelijk je je in je leven opstelt en wat je benaderingshouding is. Denk over je antwoorden na in termen van een situatie die misschien al heeft plaatsgevonden. Wees eerlijk. Je antwoorden zijn alleen voor jezelf bestemd.

- Hoe vaak gaat de gedachte door je heen dat een situatie niet eerlijk is? ---
- Wanneer iemand anders lof krijgt voor iets waarvoor jij je hebt ingezet, wat doe je dan? Ga je zitten simmen, probeer je diegene onderuit te halen, of probeer je enige voldoening te putten uit het feit dat je blijkbaar een paar heel goede ideeën hebt gehad? ---
- Wat heb je gedaan met ervaringen of gebeurtenissen uit je jeugd die niet eerlijk waren? Heb je die wrok meegenomen naar relaties in je volwassen leven, of heb je die ervaringen omgesmeed tot iets waardevols? ---
- Als je in een nare situatie zit, zoals wanneer je getrouwd bent met iemand die je misbruikt, of op je werk een baas hebt die niet eerlijk tegen je is, wat doe je dan? Leun je achterover tot de prins op het witte paard je komt redden? Hoop en bid je dat de ander wel zal veranderen? Of maak je een plan om ofwel de relatie te verbeteren ofwel eruit te stappen? ---
- Stel je voor dat je een groot deel van je leven hebt geïnvesteerd in een carrière die je niet langer bevalt, maar dat het je veel tijd en/of geld zou kosten om iets anders te gaan doen. Blijf je dan tot je pensioen het werk doen dat je nu doet terwijl je op zoek gaat naar een leuke hobby voor erbij, of ga je een opleiding volgen en je richten op een ander vakgebied? ---

Kom in actie

Een van mijn diepste overtuigingen is dat je in dit leven je eigen ervaringen maakt. Dat zeg ik vaak, omdat ik er ook echt in geloof. Als je met je auto op de snelweg 200 kilometer per uur rijdt, met je handen op je schoot omdat je het stuur niet vast wilt pakken, ziet het er niet best voor je uit. Het maakt niet uit hoe goed je bedoelingen zijn, het doet er niet toe hoe zuiver je hart is – je komt hoe dan ook beroerd aan je einde. Jij zult moeten bepalen wat belangrijk is in het leven en je dienovereenkomstig moeten gedragen. Dóé er iets mee. Ik beweer niet dat dat makkelijk is, maar als je niets doet, krijg je ook niks. Het leven beloont actie.

Bij het ontwikkelen van je benaderingshouding dien je proactief te zijn. Mijn vader zei altijd: 'Je bent er vijf procent van de tijd aan kwijt om te bepalen of je een goede of een slechte deal hebt gesloten, en 95 procent van de tijd aan wat je daaraan denkt te gaan doen.' Dat is waar. Wanneer je op tegenstand stuit, zou je niet heel veel tijd aan waarom-vragen kwijt moeten zijn, maar kun je beter wat-vragen stellen. Wat kun je doen om te laten gebeuren wat jij wilt dat er gebeurt? Welke actie kun je ondernemen? Op welke knoppen kun je drukken? Wil je dat het anders wordt, wees dan zelf anders. Ben je niet tevreden in je werk of in je huwelijk, dan heb je het emotioneel waarschijnlijk moeilijk. De enige manier om aan die pijn een einde te maken is door aan de slag te gaan. Je moet bereid zijn om van je luie krent te komen en je op iets anders te richten dan wat je hebt. Een oud spreekwoord luidt: 'De tijd heelt alle wonden.' Maar die vlieger gaat niet op! Dat is wel heel kort door de bocht, want tijd op zich heelt helemaal niets. Datgene wat heelt, is wat er in die tijd *gebeurt*. Wil je minder stress, wil je de zeven crises van het leven glansrijk doorstaan, dan zul je proactief moeten zijn.

Volgens mij denk ik zo omdat ik in grote armoede ben opgegroeid. Ik had een kleine krantenwijk en verdiende daar zo'n tien dollar per week mee. Dat klinkt als een bescheiden bedrag, maar het verschil tussen die paar dollar en helemaal niets was enorm, omdat het soms het verschil betekende tussen die dag iets te eten hebben en met een lege maag in bed stappen. Soms stond er een ijzige storm met natte sneeuw en windstoten van 75 kilometer per uur. Dan zei mijn moeder: 'Je gaat vanavond toch niet je geld ophalen, hè?' Maar mooi wel! Want als het stormde, zat iedereen thuis. Mensen kwamen zelf opendoen om me te betalen. En dan zou ik die dag te eten hebben. Ik móést wel resultaatgericht zijn; als je straatarm bent, kun je nog zo veel goede bedoelingen hebben, maar je kunt niet naar de winkel stappen en zeggen: 'Ik wil graag iets te eten, maar ik heb geen geld. Ik had het vanavond willen ophalen, maar dat heb ik niet gedaan.' Niets daarvan, ik moest het ook doen. Ik kon niet anders dan pragmatisch zijn.

Wanneer we verderop in dit boek de zeven grote levenscrises bespreken, zal ik je vertellen welke zinvolle actiegerichte stappen je kunt nemen. Maar alleen erover lezen of erover nadenken zal je niet helpen. Dat is een begin, maar het haalt je niet uit een crisis. Wat wél helpt is die dingen dan ook dóén. Met intenties kom je niet ver wanneer je erachter komt dat je een levensbedreigende ziekte hebt of tot over je oren in de schulden zit. Je voornemen om een second opinion te vragen bij de diagnose van kanker is niet hetzelfde als daadwerkelijk een afspraak maken en bij die tweede dokter langsgaan. Van plan zijn een financiële buffer op te bouwen zal je niet helpen je rekeningen te betalen wanneer de schulden zich opstapelen. Bedrijven die betaald moeten worden, geven er niets om of jij 'oprecht van plan was een acceptgiro in te vullen'. Het kan hun niets schelen wat voor gedachten er allemaal door jouw hoofd zijn gegaan. Wat zij willen, is dat je het doet. Wat het probleem ook is, hoe de crisis of uitdaging er ook uitziet, die lost zichzelf niet op en wordt niet beter van wat jij denkt te gaan ondernemen. Hij lost alleen maar op of gaat beter wanneer jij iets onderneemt.

Wanneer je deze benaderingshouding aanneemt, betekent dat ook dat je geen tijd verspilt aan je zorgen maken over dingen die je toch niet in de hand hebt. Het gebed dat bij de Anonieme Alcoholisten wordt gebruikt vat het goed samen: '**God, geef mij kalmte om te aanvaarden wat ik niet kan veranderen, moed om te veranderen wat ik kan veranderen en wijsheid om tussen deze twee onderscheid te maken.**' Als je het mij vraagt, besteden te veel mensen te veel tijd aan dingen die ze niet zelf in de hand hebben. Als gevolg daarvan kunnen ze niet genieten van het leven als er weinig aan de hand is en verkleinen ze hun kansen om eventuele crises heelhuids te doorstaan.

De manier waarop je in het leven staat kan je leven veranderen

Ik kan niets in je leven voorspellen, maar ik kan je wel één ding met zekerheid zeggen: met de juiste benaderingshouding zul je je leven veranderen. Je verandert de uitkomst van de zeven grote levenscrises, en tegelijkertijd verander je de tijd daartussenin. Je bent beter voorbereid op wat er komen gaat, en voelt je elke dag veiliger en zekerder. Het gevolg is dat je relaties met iedereen en alles om je heen zullen veranderen. Als je andere dingen doet, krijg je ook andere dingen terug. Je acties zullen beloond worden. Het begint de goede kant op te gaan. Je zult nieuwe oplossingen vinden voor de problemen en uitdagingen waar je mee te maken krijgt, en in plaats van door het leven verzwolgen en uitgespuugd te worden, weet je je te weren en zul je erdoorheen komen. Het zal je eerder vormen dan verpletteren. Elke dag weer zal je leven er anders uitzien. Je ervaart een vrede, een gemoedsrust en een zelfvertrouwen die verbazingwekkend zijn. En ik wil wedden dat je dan anders zult reageren wanneer een van die zeven crises zich aandient.

3.

Stress: tussen pieken en dalen

Het leven is zwaar. Uiteindelijk wordt het je dood.
– Katharine Hepburn

Het echte leven is flink stressen. Als het niet onderweg zijn tol van je eist, leef je niet echt. Het gaat er soms zo heftig aan toe dat je gedachten, je gevoel en je gedrag er volledig door worden bepaald. Dit zijn de zeven grootste uitdagingen van je leven. Maar voordat we die nader onder de loep nemen, wil ik het eerst hebben over de tijden tussen die crises in. Waarom? Nou, zelfs als je niét in een crisis verkeert, kan het leven metaal, emotioneel en fysiek nog steeds veeleisend zijn dankzij twee zaken: stressoren en stress. Het is belangrijk om te beseffen dat dat twee verschillende dingen zijn. Voor het vervolg moeten we ervoor zorgen dat we er hetzelfde onder verstaan. Stress is de reactie van je lichaam op de eisen die worden gesteld; stressoren zijn de dingen waar je onderweg mee te maken krijgt. Om goed met zowel stressoren als stress om te gaan, moet je het verschil ertussen begrijpen.

Wat is een stressor?

Stressoren, of stressfactoren, zijn dingen die je leegzuigen, die je uitputten, die je onder druk zetten en een grote invloed op je hebben. Ze stellen mentaal, emotioneel en fysiek eisen aan je. Een stressor kan een ruzieachtig huwelijk zijn, of de druk van je schoonfamilie. Of het is het feit dat je voortdurend overhoopligt met je lastige baas, of de zorg om een financiële ramp die op de loer ligt. Of het geluid van een krijsend kind of een loeiende stofzuiger. Het kan het verkeer zijn, of uren aan één stuk achter het stuur van een carpoolauto zitten. Ik noem maar een paar dwarsstraten, maar er zijn eindeloos veel stressoren die voor problemen kunnen zorgen. Wat ik maar wil zeggen, is dat het niet altijd 'grote' crises zijn waardoor je lichamelijk, mentaal en emotioneel instort; dat kan ook gebeuren door de niet-aflatende stortvloed van de minder hoge eisen die het leven stelt, of door stressoren die aan de lopende band op je af komen. We kennen allemaal de verhalen over martelingen met water: één druppel water stelt niets voor, maar als er telkens druppels op je neervallen, voelt het algauw alsof je met bakstenen op je kop wordt geramd.

Naast externe stressoren zoals je baas, je huwelijk, je kinderen en je financiële situatie zijn er ook stressoren die uit jezelf en je eigen innerlijke dialoog voortkomen. Jazeker, we kunnen zelf onze grootste vijand zijn! Hier komen zaken zoals zelfrespect en negatieve zelfspraak om de hoek kijken. Je zult me nog vaak horen zeggen dat er geen werkelijkheid bestaat, maar alleen perceptie. Als jouw percepties zijn gebaseerd op een reeks irrationele overtuigingen die je je in de loop van je leven eigen hebt gemaakt of die je jarenlang hebt moeten aanhoren, dan kun je flink in de problemen komen. Dat komt doordat je dan van binnenaf op jezelf 'vit' – en neem maar van mij aan dat dat een gigantische stressfactor kan zijn. Daarom had ik het hiervoor ook over je benaderingshouding en irrationeel denken.

Tijdens mijn opleiding in de cognitieve gedragstherapie werd ik al vroeg beïnvloed door deskundigen die stelden dat bepaalde irrationele overtuigingen tot een heleboel stress voor ons lichaam en onze geest kunnen leiden. Het goede nieuws is dat deze overtuigingen zijn aangeleerd en dus ook weer kunnen worden afgeleerd, maar je moet wel weten waar je je dan vanaf wilt.

*Hieronder noem ik een paar veelvoorkomende gedachten-
patronen waar mensen in vast kunnen komen te zitten,
zoals geschetst door Albert Ellis en Emmett Veiten.*[1]

1. *Heilig moeten: 'Ik moet slagen en goedkeurig krijgen.'*
2. *Verschrikkelijk maken: 'Ik heb ... gedaan, is dat niet verschrikkelijk?'*
3. *Lage frustratiedrempel: 'Ik kan ... niet doen; dat zou te
zwaar voor me zijn.'*
4. *De les lezen en beschuldigen: 'Ik ben waardeloos omdat
ik een fout heb gemaakt,' of: 'De wereld is helemaal geen
leuke plek.'*
5. *Overgeneraliseren: een houding aannemen waarin 'altijd' en 'nooit' belangrijke begrippen zijn: '... is goed voor
iedereen, want voor mij werkte het,' of: '... is helemaal
niks; ik heb het geprobeerd en het werkte niet.'*

*Ik durf te wedden dat je zelf nog meer punten kunt toevoe-
gen die jou persoonlijk saboteren. Schrijf die op, want het
helpt als ze vanaf het papier naar je staren!*

Je eigen gedachten lijken misschien minder schadelijk of krachtig
dan dezelfde boodschappen overgebracht door iemand anders,
maar dat is niet zo. Ons lichaam reageert op dezelfde manier op
stressoren die van binnenuit komen als op stressoren van buitenaf, omdat we in het algemeen geloven wat we onszelf voorhou-
den. Een stressproducerende innerlijke dialoog en een stresspro-
ducerend labelsysteem kunnen een manier van leven worden, die
alle energie uit je wegzuigt.

Wat is stress?

Stress is de reactie van lichaam en geest op alle eisen die stressoren
aan je stellen. Hoe meer stressoren er in je leven zijn, hoe meer
stressreactie je vertoont en hoe meer je lichaam wordt beroofd
van belangrijke energie. Wanneer je te vaak in deze toestand ver-

keert, begin je misschien zelf te merken dat het enorm veel van je vergt: mentaal kun je inefficiënt worden, emotioneel kun je heel wispelturig worden en lichamelijk kun je vatbaarder worden voor ziekte. Let wel: ik heb het nog niet over de grote crises. Ik doel juist op de kleinere dingen, die zich elke dag kunnen opstapelen. Het is net zoiets als een klein gat in een boot waardoor er telkens water op de bodem komt te staan: op een gegeven moment zal de boot zinken vanwege dat gaatje.

Je moet zó omgaan met je stressoren en stress dat je bij een crisis geen kracht tekortkomt.

Stel je een houten balk voor van vijf bij tien centimeter, drie meter lang, die op twee zaagbokken rust. Vervolgens stapel je er in het midden gasbetonblokken op. De balk zal doorbuigen, maar als je de blokken weghaalt vlak nadat je ze erop hebt gelegd, wordt hij weer keurig recht. Geen punt; hij veert gewoon weer terug. Als je de blokken echter een week op het hout laat liggen en ze er dán af haalt, is het hout blijvend doorgebogen. Stapel betonblokken op dat doorgebogen hout en het begint te kraken doordat sommige houtvezels het begeven. De balk is weliswaar niet gebroken, maar hij is ook niet meer in topconditie en hij is gescheurd vanwege de chronische belasting en de nieuwe blokken. Hij is niet meer zo sterk als voorheen. Toch kun je ook een kromme balk die nog niet kapot is weer goed krijgen. Maar als hij eenmaal is gekrakt of zelfs gebroken, kun je hem niet meer repareren. Die scheuren geven aan dat het hout niet bestand is tegen de eisen die eraan worden gesteld. Met je lichaam werkt het precies zo.

Zelfs wanneer je in je leven geen grote stressoren kunt aanwijzen, zoals een lastige schoonfamilie of een telefoon die continu gaat omdat je wordt gebeld over niet-betaalde rekeningen, kunnen je gewone dagelijkse bezigheden (zelfs degene waarvan je geniet) tot stress leiden. Ik vroeg een keer aan een vrouw waar ze woonde en ze antwoordde: 'In een blanke Chevyvoorstad.' Toen ik haar vroeg wat ze daarmee bedoelde, zei ze: 'Ik heb drie kinderen, die op drie verschillende scholen zitten. De ene zit op koor, de tweede danst en de derde voetbalt. Ik ben makelaar, dus ik race óf met een cliënt van het ene huis naar het andere, óf heen en weer om het ene kind op te halen en ergens naartoe te brengen om vervolgens hetzelfde met nummer twee te doen. En intussen bel ik continu met mijn cliënten.' Ze vertelde me dat ze na zo'n dag uitgeput in bed rolt en moeilijk in slaap kan komen, omdat ze druk bezig is met lijstjes opstellen voor de volgende dag. Ik heb zo'n vermoeden dat velen van jullie ook zo'n soort leven leiden, waarbij balanceren op het slappe koord heel simpel lijkt in vergelijking met jouw dagelijkse gebalanceer.

Alleen al de energie opbrengen voor zo'n manier van leven zorgt voor een gigantische fysieke stressreactie in het lichaam, en langzaamaan vergt dat zijn tol. Denk maar aan een kolibrie. Die heeft het hoogste energieverbruik van alle warmbloedige dieren, met een hartslag tot wel 500 slagen per minuut. Hij fladdert vijftig keer per seconde met zijn vleugels, dus als er zo'n vogeltje voorbijvliegt, zien we alleen maar een wazige vlek. Mede doordat een kolibrie een heleboel energie verbruikt om dit tempo vol te houden, leeft hij gemiddeld maar zes tot twaalf jaar. Vergelijk dat eens met de reuzenschildpad van de Galapagoseilanden, een uiterst traag dier dat zich voortbeweegt met een gangetje van zo'n tien meter per uur en dat een hartslag heeft van zes slagen per minuut. Omdat hij weinig energie verbruikt, kan zo'n schildpad wel 177 jaar oud worden! Wij mensen schieten weliswaar niet als kolibries door het leven, maar ons energieverbruik heeft een enorme invloed op ons.

Als je deze stress niet kunt loslaten en je lichaam niet in zijn normale toestand kunt laten terugkeren, breng je je lichaam, en dus ook je leven, mogelijk in gevaar. Je bent niet alleen opgefokt en gespannen, maar al die opgestapelde stressreacties kunnen ook invloed hebben op de manier waarop je je staande houdt en met de stressprikkels omgaat die zich tijdens de zeven grote levenscrises voordoen. Wanneer je zo chronisch geprikkeld bent en er doet zich iets groots voor, weet ik zeker dat je veel sneller door je hoeven zakt dan een 'verse lat' waarop niet continu druk is uitgeoefend. Je moet zó omgaan met je stressoren en stress dat je bij een crisis geen kracht tekortkomt. Zorg dat je zo sterk mogelijk bent en zo goed mogelijk bent voorbereid voor de naderende storm.

Stress en het lichaam
Dieren hebben het vermogen om zich 'schrap te zetten' als ze be-

dreigd worden, en mensen doen dat ook wanneer ze de uitdagingen van het leven onder ogen proberen te zien. Op die manier kunnen ons brein en ons lichaam à la minute beschikken over al onze reserves – ons beste denken, onze lichamelijk sterke punten, en onze volledige aandacht – met het doel de bedreiging te overleven. Het is niet de bedoeling dat deze reactie 'aan blijft staan', als een spaarbrander onder een pan met water. Vaak wordt dit de 'vecht- of vluchtreactie' genoemd, en om te begrijpen wat er bij een stressreactie met je gebeurt, kun je denken aan een konijn en een wolf. Stel je voor dat het konijn lekker van het gras zit te knabbelen wanneer hij opeens doorkrijgt dat er een wolf aankomt. Het konijn weet dat als hij niet snel reageert, de wolf hem als avondmaal zal verschalken. Plotseling vindt er een verandering plaats in de fysiologie van het konijn, terwijl zijn lichaam alles wat het in zich heeft te hulp roept om met deze bedreiging af te rekenen: zijn hart gaat sneller kloppen, zijn bloeddruk en spierspanning nemen toe en zijn lichaam maakt een enorme hoeveelheid stimulerende hormonen aan. Zijn longen bereiden zich erop voor om meer zuurstof op te nemen. Andere systemen in zijn lichaam die niet nodig zijn – zoals de spijsvertering, de voortplanting en het immuunsysteem – gaan op een laag pitje, zodat het konijn al zijn energie kan geven om zo hard mogelijk weg te rennen. Zijn hersenen richten hun aandacht volledig op de vijand en bannen pijn en zaken van buitenaf volkomen uit. Dankzij deze stressprikkel kan hij wegspurten naar zijn konijnenhol, waar hij veilig is voor de wolf. Als hij daar eenmaal zit en weet dat het gevaar is geweken, normaliseert zijn fysiologie zich weer.

In deze situatie is de prikkeling een goede zaak, want die zet het konijn tot actie aan. Een acute, stimulerende energie of prikkeling kan ook jou in gang zetten wanneer je na een ongeluk pijlsnel met je kind naar de eerste hulp moet, moet wegrennen voor een aanvaller, of zelfs een opwindende, maar steile skipiste af suist. Tot op zekere hoogte geeft de stressreactie je de kracht voor een positieve reactie. Dit herkennen we allemaal wel wanneer we jongleren met ons drukke leventje rondom gezin, werk, ontspanning, de sociale kalender enzovoort. Misschien vind je het heel leuk wat je voor de kost doet en raak je opgetogen over je betrokkenheid bij leuke activiteiten of projecten op het werk, in de kerk of bij het gemeenschapscentrum – en dat is prima. Als je niets te doen had, zou dat een giftige stressor zijn die tot stress zou kunnen leiden die minstens even erg is als wanneer er juist veel van je geëist wordt. Maar er komt een punt waarop te veel stressoren, ook leuke, de balans doen doorslaan en je in gevaar brengen. Als het je vreemd in de oren klinkt dat positieve activiteiten een opeenstapeling van giftige stress kunnen veroorzaken, bedenk dan eens hoe vaak je niet van vakantie of Kerst met de hele familie bij oma thuis bent teruggekomen met de verzuchting: 'Hèhè, ik ben blij dat ik weer aan het werk kan; dan heb ik tenminste weer rust!'

De reactie van het lichaam op stress, met name als die chronisch is, is niet iets om lichtvaardig over te denken. Het kan je jaren van je leven kosten. Je kunt er zelfs aan doodgaan.

Terug naar het voorbeeld van het konijn en de wolf: wat zou er gebeuren als je dat konijn ving, zodat het niet aan de wolf zou kunnen ontsnappen? Het konijn zou, omdat het weet dat de wolf in de buurt is, voortdurend in een staat van stress verkeren. Dat houdt in dat de fysiologische response waar we het net over hadden niet meer afneemt, en langdurige blootstelling daaraan kan ernstige schade toebrengen aan het lichaam en het immuunsysteem van het konijn. Ons lichaam en onze hersenen reageren net zo op chronische stress. Zelfs bij een laag niveau kan aanhoudende stress ertoe leiden dat alle stressorganen van het lichaam (de longen, het brein, de aderen, de spieren en het hart) chronisch over- of ondergeactiveerd worden, wat allerlei soorten mentale, emotionele en lichamelijke problemen tot gevolg kan hebben.[2] Het kan je humeurig, cynisch en somber maken,[3, 4] wat allemaal weer invloed kan hebben op relaties.[5] Het kan je chronisch vermoeid maken, je slaap verstoren, je geheugen aantasten en ervoor zorgen dat je je spieren aanspant, zodat je hoofdpijn, rugpijn, en spier- en buikkramp krijgt. Veel wetenschappelijke onderzoeken tonen aan dat de reactie van je lichaam op stressoren je immuunsysteem kan verstoren, je vruchtbaarheid en je seksuele functioneren kan beïnvloeden, je spijsvertering van slag kan brengen, je kans op lichamelijke problemen doet toenemen, evenals de kans op obesitas, hoge bloeddruk, hartaanvallen, beroertes, botontkalking, een maagzweer, kanker, multipele sclerose, lupus en ademhalingsproblemen (zoals astma), en dat die de pijn bij aandoeningen zoals artritis kan verergeren. De lijst van de negatieve invloeden van stress is eindeloos.[6,7] Maar hopelijk snap je waar ik op aanstuur: de reactie van het lichaam op stress, met name als die chronisch is, is niet iets om lichtvaardig over te denken. Het kan je jaren van je leven kosten. Je kunt er zelfs aan doodgaan.[8]

De stressindex

Ik hoef je waarschijnlijk niet te vertellen dat hoge stressniveaus niet goed voor je zijn. Maar ook al weet je dat best, toch betekent dat niet dat je er ook iets aan doet! In al die jaren dat ik me nu bezighoud met menselijk gedrag, heb ik talloze keren het verband gezien tussen stress en lichamelijke mankementen, dus ik weet hoe erg het kan worden. Zoals ik eerder al zei, heb ik op internet een onderzoekje gedaan om na te gaan hoe mensen reageerden wanneer hun gevraagd werd specifieke stressvolle gebeurtenissen te noemen die hadden plaatsgevonden binnen vijf jaar voordat de diagnose van een ziekte werd gesteld. Toen ik alle antwoorden had bekeken, kon ik constateren dat degenen die een grote stressor in hun leven hadden ervaren vaker te kampen hadden met lichamelijke problemen zoals kanker, hartaandoeningen, beroertes, diabetes en multipele sclerose, en dat ze vaker verslaafd waren aan bepaalde middelen en vaker ernstige ongelukken meemaakten met de auto of in huis. Betekent dit dat stress die ziektes en problemen had veroorzaakt? Niet per se, maar stress kan er wel aan hebben bijgedragen, in combinatie met andere factoren zoals genetische aanleg, blootstelling aan giftige stoffen in het milieu of andere ingrijpende gebeurtenissen in het leven.

Nu kan deze groep mensen al dan niet representatief zijn voor de hele bevolking, en dit onderzoek voldoet zeer zeker niet aan de vereisten van een wetenschappelijke studie, maar toch vond ik de uitkomsten interessant. Ze lagen ook in de lijn van een groot onderzoek dat helemaal tot 1900 teruggaat – en ook in de lijn van wat je zelf wel kunt bedenken. De resultaten toonden aan dat mensen die met een hoger stressniveau leven, vatbaarder zijn voor lichamelijke problemen dan mensen voor wie dat niet geldt. Ik kan hier niet alle onderzoeken gaan bespreken (dat zou je ook niet willen), maar ik zal deze kwestie wel toelichten door je een globaal overzicht te geven.*

Hieronder bespreek ik drie soorten stress waar herhaaldelijk onderzoek naar is gedaan, met uitkomsten die er niet om liegen. Het gaat om de stress van sociale ontwrichting, prestatiestress en de stress van pessimisme. Het klinkt misschien saai, maar werp toch maar eens een blik op de samenvattingen die ik van de onderzoeken geef; ik weet zeker dat het voor jou en je dierbaren een *wake-up call* kan zijn. Ik beloof je dat je daarna niet zult worden overhoord.

De stress van sociale ontwrichting

Onder de stress van sociale ontwrichting versta ik de stressreacties die het gevolg zijn van bijvoorbeeld onenigheid in het huwelijk, echtscheiding en moeizame relaties met vrienden en familie. Het onderzoek dat op deze terreinen is gedaan, heeft aangetoond dat die zaken samenhangen met een kortere levensverwachting[9] en veelvoorkomende aandoeningen zoals astma, hoge bloeddruk, maagzweren en reumatische artritis.[10] Mijn ervaring is dat vrouwen gevoeliger zijn voor de stress van sociale ontwrichting, ook al zijn voor mannen de gevolgen ingrijpender. De relatie tussen deze factoren kan worden beïnvloed door zaken zoals de kwantiteit van de conflicten en de gevoeligheden van de betrokkene.**[11] Deze uitkomsten lagen in de lijn van die van het onderzoek dat ik zelf heb gedaan; ze toonden aan dat bepaalde stressvolle gebeurtenissen, zoals de dood of scheiding van de partner, samenhingen met een hogere incidentie van ziektes in de daaropvolgende vijf jaar.

---

* Het internetonderzoek waar ik het hier over heb, bestond uit gegevens die mensen zelf aandroegen, die nergens door werden gestaafd. Ik ken er geen voorspellende waarde aan toe wat jouw leven betreft, maar bied de uitkomsten hier aan als stof tot nadenken en om er nog eens op te wijzen dat een stressreactie van je lichaam je vatbaarder kan maken voor lichamelijke problemen.

** Bovendien wijst klinisch onderzoek – vooral onderzoek naar verbroken huwelijken – uit dat er een heel specifieke correlatie bestaat met een verzwakt afweersysteem, en dat heeft weer invloed op allerlei ziektes.[12]

Ik moet erbij zeggen dat ik niet echt van die uitkomsten sta te kijken, want ik heb dit verband tussen de stress van sociale ontwrichting en ziekte in de loop der jaren al bij veel mensen kunnen constateren. Wil dat zeggen dat als je één of meer van dergelijke ingrijpende gebeurtenissen hebt ervaren, je ervan uit kunt gaan dat je gezondheid het in de toekomst zal laten afweten? Nee, dat niet. Maar het kan wel betekenen dat je meer risico loopt en dringend behoefte hebt aan heel doelgericht stressmanagement.

Wil je meer weten over het verband tussen stress en lichamelijke problemen, kijk dan in het adressenoverzicht achter in dit boek en in de noten, maar ik vermoed dat je wel snapt wat ik bedoel.

Prestatiestress

Dit soort stress bestaat uit werk- en studiestress, waarbij mensen aangeven dat ze een hoge productiviteit moeten hebben en deadlines moeten halen. Het kan ook gaan om werk in huis, bijvoorbeeld wanneer een huismoeder haar best doet om met te veel activiteiten tegelijk te jongleren en het gevoel heeft dat de mate waarin ze daarin slaagt wordt bekritiseerd. Naar schatting melden in Amerika elke dag zo'n 1 miljoen mensen zich ziek vanwege stress![13] Een heleboel onderzoeken hebben ook aangetoond dat stress op het werk tot meer ziektes leidt, zoals griep, hartkwalen, stofwisselingsproblemen (obesitas) en hoge bloeddruk.[14] Bij één onderzoek was de uitkomst dat mensen die door hun werk een burn-out kregen zo'n 1,8 keer vaker diabetes type 2 ontwikkelden,[15] en bij een andere studie werd geconstateerd dat mensen die in het verleden een hartaanval hadden gehad en daarna blootstonden aan chronische stress op het werk tweemaal zo veel kans hadden op nóg een hartaanval.[16] Nog los van al dat onderzoek klinkt dat ook logisch. Je kunt met eigen ogen zien dat mensen die zeggen dat ze een stressvolle relatie hebben met hun baas en collega's sneller oud worden. Kijk maar eens naar het gros van de Amerikaanse presidenten, die volgens mij een uiterst stressvolle baan hebben. Kijk naar een foto op de dag dat ze werden geïnaugureerd en vervolgens naar een foto die genomen is op hun laatste werkdag vier of acht jaar later: die mannen lijken wel twintig jaar ouder geworden!

Wat academische stress betreft, toont onderzoek aan dat studenten die zich voorbereiden op tentamens waarvan hun carrière afhangt, zoals het geval is bij studenten geneeskunde en rechten, vaker last hebben van herpes simplex, depressie en hepatitis B.[17] Ook deze resultaten verbazen me niet, want mensen verliezen in zo'n situatie algauw uit het oog hoe belangrijk het is om voor zichzelf te zorgen.

Stress van pessimisme

Onder pessimisme versta ik een houding waarbij je geen geloof of hoop hebt, waarbij je geneigd bent niets te doen met de reserves die je ter beschikking hebt, en waarbij je geen plannen maakt om te slagen. Ik doel hier op mensen die hun toekomst alleen maar negatief inzien. Ze wantrouwen hun vrienden, de regering en hun werkplek, en hebben slechts een vaag beeld van hun omgeving en zichzelf. Deze instelling eist een fysieke tol van het lichaam, en wel door de biochemie die ermee samengaat.

Stress door pessimisme vormt een flinke categorie denkpatronen die gebaseerd zijn op vijandigheid, wrok en wanhoop. Er bestaat een correlatie met diverse soorten ziekten, met name hart- en vaatziekten. Zo heeft een onderzoek onder mannen van 40 tot 55 jaar aangetoond dat mensen die veel vijandigheid voelden, 42 procent meer kans hadden op overlijden dan mensen die geen grote vijandigheid voelden.[18] Ander onderzoek richtte zich op mensen die tien jaar eerder aan een hart- of vaatziekte hadden geleden; degenen met een negatief affect (dat wil zeggen: een scala aan negatieve emoties) liepen meer kans op een nieuwe hart- of vaataandoening dan diegenen die positiever in het leven stonden.[19] Ander onderzoek betrof hiv-patiënten: als ze stress hadden door pessimisme, hadden ze vaker last van virusinfecties en kwam de ziekte sterk tot ontwikkeling.[20] Mijn interpretatie van dit onderzoek is heel simpel: een negatieve levenshouding, 'lichtgeraaktheid' en hoge stressniveaus staan garant voor een grotere kans op lichamelijke problemen.

In de praktijk van de psychologische hulpverlening heb ik dit vaak gehoord en gezien; er zijn patiënten wier lichamelijke gezondheid door hun negatieve manier van denken in de knel komt. Zo vertelde een collega me over Julie, wier moeder en grootmoeder beiden op hun zestigste waren overleden aan een hartaanval. Julie was bang dat haar ook een dergelijk lot zou treffen, al waren er nog zo veel verschillen tussen hen aan te wijzen. Haar levensstijl – ze drinkt alcohol en eet ongezond – droeg bij aan het gevoel van gebrek aan zeggenschap over haar lot, dus deed ze nooit moeite om die negatieve cyclus te doorbreken, omdat ze toch niet dacht dat zij daar iets over te zeggen had. Op haar zestigste verjaardag overleed ze aan een hartaanval. Je kunt stellen dat ze daarmee haar eigen gelijk bewees.

Nogmaals: betekent dit alles nu dat jij ook die ziektes krijgt als je zo'n crisis meemaakt in je leven, als je zelf die stressoren ervaart of als je je leven leeft met een negatieve houding? Niet per se. Maar er zijn genoeg aanwijzingen dat stress je leven op meer manieren kan beïnvloeden dan je misschien zou denken. Wellicht is het raadzaam eens na te gaan of je het aantal stressoren in je leven zou moeten verminderen om dat leven te beschermen en te verlengen.

Het hectische tempo van het moderne leven

Vergeleken met nog maar een paar generaties geleden is het tempo van het moderne leven – en de frictie die daardoor ontstaat – enorm toegenomen. Dat geldt ook voor onze stressniveaus. Als jij dat ook vindt, sta je niet alleen. Bij lange na niet. Een recent onderzoek van de Amerikaanse Anxiety Disorders Association (Vereniging van Angststoornissen)[21] stelde vast dat bijna de helft van de Amerikaanse werknemers naar eigen zeggen voortdurend en overmatig stress of zorgen in het dagelijks leven ervaart. Dat klinkt aannemelijk; ik zou willen stellen dat we in een van de meest stressvolle tijden leven die er ooit zijn geweest, althans qua levenstempo. Hoe hectisch en gehaast we zijn, is goed te zien in New York City, waar mensen tien procent sneller lopen dan tien jaar geleden[22] in hun pogingen al hun afspraken na te komen en hun dingen te doen – duidelijk een teken van een stressvolle maatschappij.

Waarom juist nu meer dan vroeger? We worden tegenwoordig gebombardeerd met informatie, gegevens, beslissingen en keuzemogelijkheden, meer dan ooit het geval is geweest. De pluspunten daarvan zijn duidelijk, maar de schade die erdoor aan onze samenleving wordt toegebracht wellicht niet. Onze draadloze wereld is goed voor het bedrijfsleven en helpt families die ver uit elkaar wonen contact met elkaar te houden, maar dag en nacht bereikbaar zijn via BlackBerry's en internet is niet altijd gezond.

Het geeft ons het gevoel dat we altijd bereikbaar móéten zijn, waardoor we in de stress schieten zodra we onze elektronische apparaten moeten uitschakelen. Een ander nadeel van alle technologie is dat die ons zo heeft geconditioneerd dat we alles in een vloek en een zucht geregeld willen zien, en als dat niet lukt, voelen we stress. Geef maar toe: wanneer je computer er een paar minuten in plaats van een paar seconden over doet om een bestand te downloaden, zit je je te ergeren, en wanneer de rij voor de kassa bij de supermarkt niet opschiet, versnelt je hartslag.

Toch vind je je leven misschien niet stressvol of vind je het allemaal niet zo'n probleem, zeker niet als je niet beter weet. We hebben deze zaken geaccepteerd als feiten en zijn zo gewend geraakt aan de witte ruis van stress op de achtergrond, dat we die niet eens meer opmerken. Maar wat ik je probeer te laten zien is dat je die niet als een gegeven hoeft te accepteren. Misschien maak je deel uit van een huishouden waar de kinderen altijd schreeuwen, waar altijd vier of vijf televisies staan te tetteren, waar de honden altijd blaffen, waar de rekeningen zich altijd opstapelen, en waar je man de helft van de tijd dronken is. Misschien ben je wel twintig kilo te zwaar, maar dat is dan maar zo. Luister: dat is krankzinnig! Ik geef je op een briefje dat deze ergernissen en stressoren de kwaliteit van je leven veranderen.

In de psychologie kennen we het concept 'reflexief vechten in respons op een aversieve prikkel', waarmee de onmiddellijke, onwillekeurige agressie wordt bedoeld die optreedt wanneer mensen of dieren gestrest zijn. Een voorbeeld hiervan zie je wanneer je twintig muizen stopt in een kooi waar er tien in kunnen. Omdat het dan te vol wordt, zullen anders rustige dieren opeens agressief worden en elkaar beginnen te bijten. Voeg nog flink wat lawaai aan de overbevolking toe, en de agressie en het gebijt worden nog erger. Het reflexieve vechtgedrag is instinctief, wat wil zeggen dat het plaatsvindt zonder dat erover wordt nagedacht, als een automatische respons op een situatie. Hetzelfde kan met jou gebeuren wanneer de witte ruis van de stress gonzend op de achtergrond van je leven aanwezig is. Je bent prikkelbaar en moe. Je kunt niet meer zo goed nadenken, en in je probleemoplossende vermogens en communicatieve vaardigheden komt de klad. Je snauwt je partner af en spreekt met stemverheffing tegen je kinderen. Het is volgens mij geen toeval dat er tegenwoordig zo veel echtscheidingen plaatsvinden, want uit elkaar gaan kan een direct gevolg zijn van stress. Het is net zoiets als een flinke zonnebrand: als er iemand tegen je aan stoot, slaak je een gil en spring je op. Dat komt niet doordat diegene iets heel ergs deed, maar doordat je overgevoelig bent geworden omdat je niets meer kunt hebben.

Hoeveel stress heb jij?

Ik heb altijd gesteld dat je niets kunt veranderen aan wat je niet onderkent. Om je te helpen na te gaan hoeveel stress jij ervaart, heb ik de onderstaande oefening bedacht. Neem even de tijd om te bepalen hoe het momenteel met jouw stressniveau gesteld is:

	Heel vaak	Vaak	Soms	Zelden
1. Hoe vaak heb je het gevoel dat je niet opgewassen bent tegen de eisen die aan je worden gesteld?				
2. Kost het je moeite om in te slapen en/of door te slapen?				
3. Merk je dat je je terugtrekt van vrienden, familie en collega's?				
4. Heb je het gevoel dat je harder werkt, maar dat er minder uit je handen komt?				
5. Constateer je bij jezelf dat je bang bent om beslissingen te nemen?				
6. Maak je je zorgen?				
7. Voel je je gespannen?				
8. Ben je nerveus?				
9. Ben je gespannen en kun je je niet goed ontspannen?				
10. Voel je vijandigheid en word je kwaad om kleine dingen?				
11. Leg je de schuld bij anderen?				
12. Heb je veel kritiek op inspanningen van anderen?				

	Heel vaak	Vaak	Soms	Zelden
13. Hebben andere familieleden problemen in verband met stress, en denk je dat jij daar verantwoordelijk voor bent?				
14. Merk je dat je niet goed met familieleden en vrienden kunt praten over kwesties die verband houden met stress?				
15. Lig je 'om het minste of geringste' met andere mensen overhoop?				
16. Deel je minder bevredigende momenten met familie en vrienden?				
17. Voel je je zonder aanwijsbare reden verdrietig en down?				
18. Ondervind je lichamelijke gevolgen van stress, zoals hoge bloeddruk, gespannen spieren en vermoeidheid?				
19. Neem je er niet de tijd voor om je te ontspannen en je lichaam en geest zich na stress te laten herstellen?				
20. Ben je je ervan bewust dat je stress ervaart en dat die een negatieve invloed op je leven heeft?				

Score

Heb je op meer dan vijf van deze vragen 'heel vaak' of 'vaak' ingevuld, dan is de kans groot dat je met te veel stress te kampen hebt.

Heb je op minstens één vraag 'heel vaak' of 'vaak' ingevuld, dan moet je er iets aan doen voordat het erger wordt, want de kans dat dat gebeurt is groot.

Wanneer je langere tijd achtereen niet goed met je stress omgaat door de last van je af te zetten en jezelf de kans te geven terug te veren, word je ontvankelijker voor een instorting. Wie niet ontstrest, wordt een stresskip! De tol die dat eist, kun je aanzienlijk verminderen door onderweg onderhoud te plegen, en wel door van tijd tot tijd het lawaai buiten te sluiten, de stenen van je af te laden, en jezelf weer terug te brengen in je oude vorm. Het gaat erom dat je het probleem op twee verschillende fronten aanpakt. Ten eerste moet je zien dat je het aantal stressoren waar je aan blootstaat vermindert, en ten tweede zul je je reactie op stress in de hand moeten houden. Helaas leren we in onze jeugd op school of van onze ouders meestal niet hoe we met stress om moeten gaan. Dat is vreemd, want stress heeft een heel belangrijke invloed op onze gezondheid. Maar goed, ik wil niet 'brand!' roepen zonder je een blusser aan te reiken, dus hieronder noem ik een paar manieren waarop je met stress kunt afrekenen. Zet deze punten op je agenda voor de komende week of maand. Schrijf op wat je hebt gedaan en hoe je je daarna voelde.

Wie niet ontstrest, wordt een stresskip!

Strategieën om stress tegen te gaan

- **Vergeef jezelf**
  Verdoe je tijd niet langer met jezelf de les te lezen over fouten die je in het verleden hebt gemaakt. Van alle fouten kun je immers iets leren. Leer die les, en ga daarna verder. Als je ooit succesvolle topsporters hebt horen praten over hun nederlagen, zou je weten dat ze daarvan hebben geleerd en dat ze die lessen gebruiken om hun prestaties te verbeteren. Ze maken zichzelf geen verwijten en laten zich ook niet door hun nederlaag van de wijs brengen (als ze dat wel zouden doen, zouden ze niet lang topsporters blijven).

- **Ga bewust met je reacties om**
  Zet de zaken op een rijtje en ken er prioriteiten aan toe, zodat je niet te heftig reageert op een klein probleem. We reageren namelijk niet op wat er in ons leven gebeurt, maar op de waar-

den en de filters die we gebruiken bij onze perceptie van wat er is gebeurd. Zoals ik eerder al zei, bestaat er volgens mij geen goed nieuws of slecht nieuws, maar alleen nieuws. Het is aan de ontvanger hoe hij dat interpreteert. Wanneer je een kleine ergernis via je perceptie opblaast tot iets groots, wordt het groter dan het zou moeten zijn en kan je stressniveau tot ongekende hoogten stijgen. Nogmaals: de woorden die je gebruikt hebben ook invloed op je stressniveau. Wanneer je zegt: 'Er is op het werk een ramp gebeurd,' of: 'Mijn leven is een nachtmerrie,' dan reageert je lichaam daar navenant op. Je verhoogt je stressniveau, omdat we, zoals ik eerder opmerkte, geneigd zijn onszelf te geloven.

- **Neem regelmatig lichaamsbeweging**
  Volgens de Amerikaanse Centers for Disease Control and Prevention[23] houdt 'regelmatige lichaamsbeweging' in dat je elke dag minstens twintig minuten intensieve lichamelijke activiteit onderneemt, en dat drie keer per week, of dertig minuten matig intensieve lichamelijke activiteit per dag op de meeste dagen van de week. Door lichaamsbeweging komt het 'gelukshormoon', de zogeheten endorfine, in je bloedbaan vrij, en dit verlaagt de bloeddruk, ontspant je spieren en maakt je hoofd helder.[24] Bovendien kan lichaamsbeweging helpen om extra calorieën te verbranden wanneer je door alle stress zo veel hebt gegeten dat je een paar kilo bent aangekomen.

- **Doe ontspanningsoefeningen zoals visualisatie en oefeningen waarbij je je spieren ontspant**
  De meeste mensen hebben er baat bij om naar een ontspannings-cd te luisteren, omdat die kan helpen bij de techniek om de spieren te ontspannen. Soms is het makkelijker wanneer iemands stem je door de oefeningen heen praat dan wanneer je zelf alle stappen uit je hoofd moet kennen. Dit vergt concentratie, hoewel het je na enige oefening gemakkelijker af zal gaan. Je kunt bijvoorbeeld als volgt beginnen:
  Concentreer je op je voeten en ontspan een voor een je tenen, waarbij elke spier alle spanning in je voeten loslaat. Drijf de stress naar buiten op je ademhaling en voel hoe de spanning uit je voeten wegtrekt. Concentreer je vervolgens op je

benen en laat alle spanning op je volgende ademhaling uit je benen wegvloeien.

Ga dan naar je heupen en laat eventuele stress, pijn of ongemak die je daar voelt los. Adem uit en laat los terwijl je je steeds dieper ontspant...

Een heleboel mensen bedenken hun eigen script voor ontspanning, en dat is ook goed. Waar het om gaat, is dat je stressniveau al daalt wanneer je dit soort ontspanningsoefeningen een paar keer per dag een kwartiertje doet. Je denkt misschien: 'Oké, tijdens dat kwartiertje voel ik me goed, maar hoe moet het daarna?' Het antwoord is dat de effecten van de ontspanning uren kunnen aanhouden. Vergelijk het met een emmer die het water opvangt dat van het plafond druppelt: als de emmer vol is en je gooit hem leeg, duurt het uren voordat hij weer vol is. Hetzelfde gaat op voor stress. Wanneer je je stressemmer leeggooit, kan het uren duren voordat die weer volgelopen is.

- **Adem ten minste één keer per dag diep door**
  Vaak gaat dit het makkelijkst wanneer je je hand op je onderbuik legt en die kunt voelen rijzen en dalen – een teken dat je ademhaling diep genoeg is om stress te laten wegvloeien. Een van de beste manieren van effectief ademhalen om je van stress te ontdoen is: bij elke in- en uitademing tot zeven tellen. Gestaag ademhalen in een regelmatig ritme zal je lichaam en geest helpen zich tegen stress te weren. Herhaal dit ten minste een kwartier achter elkaar. Een van de tekenen van stress is de 'konijnenademhaling' waar ik het eerder over had, waarbij er stressboodschappen naar de hersenen worden gezonden. Door regelmatig te ademen geef je je lichaam in plaats daarvan een harmoniserende boodschap. Onderzoek toont aan dat dit ademhalingspatroon de genezing kan bevorderen van patiënten die een operatie hebben ondergaan.[25]

- **Herhaal een paar keer per dag een krachtige affirmatie voor jezelf**
  Positieve affirmaties kunnen negatieve zelfspraak, die een voedingsbodem is voor toenemende ontevredenheid en stress, tegengaan. Wanneer je geen aandacht besteedt aan alle mooie

dingen die er op dit moment in je leven zijn, zul je je die nog moeilijker kunnen herinneren wanneer er nare dingen gebeuren. Dat kan ertoe leiden dat je je alleen voelt staan en zelfmedelijden krijgt, wat nog meer stress oplevert. Ik raad je aan je eigen reeks affirmaties te bedenken, maar een paar van mijn favorieten zijn: 'Ik kan alles aan,' 'Ik ben goed zoals ik ben,' en: 'Ik ben er klaar voor.' Zoek naar een uitspraak die voor jou goed werkt en herhaal die minstens honderd keer per dag bij jezelf. Je zult zien dat je stress ervan afneemt.

- **Vermijd overmatig gebruik van alcohol, cafeïne, vetten en suiker**
  Deze stoffen kunnen tot stress in je stofwisseling leiden en je energiepeil en stemming alle kanten op doen schieten.[26] Of je je energiepeil kunt handhaven en of je de kracht hebt om positief in het leven te blijven staan, is voor een groot deel afhankelijk van de brandstof die je je lichaam toedient. Eiwitten en meervoudige koolhydraten zijn de beste voedingsstoffen tegen stress.[27] Van vis en eieren is aangetoond dat ze het vermogen om stress te hanteren kunnen verbeteren,[28] terwijl water een onmisbare voedingsstof is om helder te kunnen denken. Fruit en groenten zitten boordevol vitamines en voedingsstoffen, die er ook voor kunnen zorgen dat je beter met stress om kunt gaan.

- **Zorg dat je goed slaapt**
  Als je goed uitgerust bent, is het makkelijker om je te concentreren en heb je de energie om alles te doen wat je moet doen. Zorg dat je minstens zeven uur per nacht de ogen kunt sluiten. Heb je er moeite mee om in slaap te komen, ga dan na wat je voor het slapengaan hebt gegeten en of er misschien te veel lawaai of licht in je slaapkamer is (gek genoeg kan zelfs het lichtje van een digitale wekker of video de slaap verstoren). Maar meestal hebben problemen met inslapen te maken met niet goed kunnen ontspannen en een onvermogen om de stress van de dag van je af te laten glijden. Ook dan kun je een ontspannings-cd gebruiken om je lichaam te helpen ontspannen, of je eigen methode bedenken om stress los te laten. Ga naar een psycholoog wanneer je door je stress nog steeds niet

naar dromenland af kunt reizen en door kunt slapen. Het kan raadzaam zijn een slaapdeskundige in te schakelen, die kan nagaan of je slaapproblemen misschien een lichamelijke oorzaak hebben.

- **Sta minstens één keer per week stil bij een doelstelling die je hebt gehaald, en prijs jezelf daarom**
  Volgens mij is dit heel belangrijk om een positief gevoel over jezelf te houden. Maar al te vaak blijven alleen de fouten die we maken ons bij, en veel mensen hebben er moeite mee zichzelf een schouderklopje te geven. Zelfs als niemand anders de prestatie ziet, doe je er goed aan om er toch iemand over te vertellen en daarmee een gezonde respons uit te lokken. Op die manier wapen je je tegen opgehoopte stress en krik je je zelfvertrouwen op.

- **Lach minstens één keer per dag**
  Onderzoek wijst uit dat lachen je bloeddruk kan verlagen en je kan helpen ontspannen.[29] Kijk naar een komische film, bezoek een cabaretvoorstelling of doe gewoon iets leuks met je kinderen. Maak tijd voor de lach in je leven, en het zal je verbazen hoeveel beter je je daardoor voelt. Onderzoek toont aan dat mensen zichzelf van ernstige ziektes hebben genezen door alleen maar urenlang naar grappige films en televisieprogramma's te kijken.[30]

- **Neem een warm bad**
  Sauna's en thermaalbaden worden al eeuwenlang gebruikt om stress tegen te gaan. Dus ga in een warm bad zitten, neem een hete douche of ga zwemmen.

- **Ga na welke dingen je in de hand hebt en welke niet**
  Leer jezelf om te accepteren dat het domweg niet in je macht ligt om sommige dingen te veranderen. Het is tijdverspilling om je blind te staren op of om je te laten obsederen door mensen en gebeurtenissen waar je geen zeggenschap over hebt of misschien niet eens enige invloed op hebt. Ten aanzien van de dingen die je wél in de hand hebt, zoals je innerlijke reacties en je handelingen, is rationele focus een krachtige en effec-

tieve keus, aangezien je reactie op stress een innerlijke reactie is en vaak voortvloeit uit wat je jezelf over de wereld en jouw plaats daarin voorhoudt. Wanneer je je bewust bent van je innerlijke reacties, beschik je over een enorme kracht om jezelf te veranderen, dus werk daaraan. Zodra je dat doet, zullen andere mensen en gebeurtenissen minder overweldigend zijn.

Misschien spreken sommige van deze ideeën je helemaal niet aan. Als je ze doorleest, denk je wellicht: 'Nah, ik dacht het niet. Wat een simplistisch gedoe, zeg! Ik was op zoek naar iets nieuws en exotisch, misschien een wondermiddel of zoiets.' Maar neem van mij aan: als je dat denkt, heb je het mis. Stressmanagement kan wel degelijk bij deze simpele stappen beginnen. Het mooie is dát ze zo simpel zijn, zo goed te doen, en dat je juist niét je toevlucht hoeft te nemen tot iets moeilijks, exotisch of duurs!

Tot slot

Dat ik ervoor heb gekozen om algemene, zich opstapelende 'dagelijkse' stress en stressoren te bespreken voordat ik overga tot de bespreking van de zeven grote levenscrises heeft een belangrijke reden. Elke keer dat je tegenover een grote uitdaging komt te staan, zul je namelijk in topvorm willen zijn, geestelijk optimaal toegerust en in staat om de meeste hulpbronnen die je ter beschikking staan in te schakelen. Maar wanneer je je laat uitputten en je van je energie laat beroven door een eindeloze reeks dagelijkse stressoren in je huwelijk, in je gezin, op je werk, in je financiën en in je algehele levensstijl, ben je in je verweer tegen een van de grote zeven crises al achteropgeraakt voordat die zich voordoet. Wanneer je echter actief je leven ter hand neemt en tegemoetkomt aan de eisen die het stelt op het moment dat ze zich voordoen, terwijl je tegelijkertijd tijd en energie vrijmaakt om je lichaam en geest liefdevol te verzorgen, zul je een crisis sterk en vitaal tegemoet kunnen treden. Zorg nu goed voor jezelf, want straks heb je alles wat je in je hebt hard nodig!

Verlies: wanneer je hart breekt

Meet je verlies niet af aan zichzelf; dan zal het ondraaglijk lijken. Maar als je het ziet in het licht van alles wat mensen kan overkomen, zul je daar enige troost uit kunnen putten.
– Sint-Basilius

In zijn simpelste vorm spreek je van verlies wanneer iets waar je grote waarde aan hecht, iets waar je veel energie in hebt gestoken, van je af wordt genomen. Het eerste waaraan de meeste mensen denken bij dit woord, is de dood, maar verlies van liefde en veiligheid door een echtscheiding, of verlies van andere banden met iets of iemand die heel hartstochtelijk zijn, tellen hierbij ook mee, want ook dan kan verlies van liefde en geïnvesteerde energie veel pijn doen. Verlies kan je zo diep raken omdat je er zo enorm in hebt geïnvesteerd, en de ernst van alles wat er gebeurt wordt daardoor nog uitvergroot. Een complicerende factor is verder dat ons gevoel van eigenwaarde vaak sterk samenhangt met onze relaties, onze carrière en de mate waarin we door de maatschappij geaccepteerd worden; als we op een van deze fronten met verlies te maken krijgen, kan dat heel verwoestend zijn.

Misschien is een van de droevigste aspecten van deze jammerlijke crisis wel dat die zich hoogstwaarschijnlijk op verschillende momenten en in verschillende fases van ons leven zal herhalen. Tenzij je heel jong overlijdt, kun je de dag dat je hart wordt gebroken niet uit de weg gaan. Hoe meer mensen je in deze wereld dierbaar zijn, en hoe meer zaken je na aan het hart liggen, op hoe meer plekken je kwetsbaar bent. Als gevolg daarvan zul je dit traject waarschijnlijk meerdere keren afleggen. De vraag is dus niet óf je verlies zult ervaren, maar hoe je ermee omgaat wannéér dat gebeurt.

Met het risico open deuren in te trappen: het aloude adagio

'niemand van ons verlaat deze wereld levend' is maar al te waar. Iedereen die is geboren, gaat dood. Ik moet nog meemaken dat het anders gaat – en toch willen we niets liever dan dit gegeven zo lang mogelijk ontkennen, omdat het zo'n pijnlijke realiteit is. Kijk, ik weet ook wel dat niemand het leuk vindt om te praten over het verlies van een dierbaar iemand of iets. Het is niet leuk om over zoiets na te denken, en het is nog veel moeilijker om er ook nog eens over te praten. Wie heeft daar nou zin in als je ook het laatste Harry Potterboek kunt gaan zitten lezen, kunt gaan joggen of een balletje kunt trappen met je kinderen? De meeste mensen zouden misschien zelfs veel liever een uur bij de tandarts in de stoel zitten dan een gesprek voeren over het verlies van een dierbare of iets waar we grote waarde aan hechten. Maar helaas is het een feit dat veel dingen in het leven, inclusief het leven zelf, niet eeuwig duren. Het leven is begrensd. Dus kunnen we stellen dat verlies een van de steilste heuvels is die we ooit zullen beklimmen.

Je kunt liefhebben, verliezen en toch doorleven.

Niets van wat ik je in dit boek aanreik kan deze onvermijdelijkheid ombuigen, maar met een beetje nadenken en plannen kun je er wel soepeler en evenwichtiger doorheen komen wanneer het verdriet bij je aanklopt. Je kunt liefhebben, verliezen en toch doorleven. Je kunt op je knieën vallen en het uitschreeuwen van pijn. Je kunt een afschuwelijke, verlammende leegte voelen, en toch herstellen en jezelf weer vullen. Het ziet ernaar uit dat we het allemaal over- leven – althans de meesten. Maar ik wil je graag helpen je voor te bereiden, zodat jij straks zelfs je dierbaren kunt helpen wanneer ook zij een dierbaar iemand of iets hebben verloren.

Wat verstaan we onder verlies?

Wat de aard van je verlies ook is, bij deze crisis wordt je hart ge- broken omdat iemand of iets waar je heel dol op bent er niet meer is. Eén manier om de onvermijdelijke pijn daarvan te begrijpen (ook al is dat een ongebruikelijke manier om ertegen aan te kij- ken) is te onderkennen dat verlies, zelfs de dood van een dierbare, in zekere zin voelt als afwijzing, iets waar de meeste mensen in het leven erg bang voor zijn. Hoewel we het in theorie misschien eens zijn met de uitspraak van de Engelse dichter Alfred Lord Tennyson – 'het is beter te hebben liefgehad en verloren dan nooit te hebben liefgehad' – doen we er in de praktijk meestal alles aan om ons hart te beschermen tegen de pijn van teleurstelling en verlies. Eerlijk gezegd hoor ik dat citaat altijd uit de mond van iemand die een ander in diens verdriet probeert te troosten; ik hoor het vrijwel nooit iemand zeggen die zojuist een verlies heeft geleden.

Toch geloof ik in wat Tennyson zegt. In mijn ogen is het meest tragische leven dat je zou kunnen leiden een leven waarin je niet genoeg om iemand of iets geeft om pijn te voelen als die- of datgene er niet meer zou zijn. Een van de grootste overwinningen in het leven is om je hartstochtelijk betrokken te voelen en verbondenheid met iets of iemand te ervaren. Wanneer je daarin slaagt, kunnen die hartstochtelijke verbondenheid en betrokkenheid diep zijn en ver reiken, soms zelf zo ver dat een deel van wie en wat je bent erdoor wordt bepaald. Een dergelijke investering kan een van de mooiste hoogtepunten uit je hele leven zijn, maar zoals voor alles geldt, heeft die medaille ook een keerzijde. Hoe hoger je gaat, hoe dieper je kunt vallen: als je diepe liefde voelt, als je vol passie energie in iets steekt en dat iets of die emotionele investering gaat verloren, dan lijd je daar domweg onder. Dat is nou eenmaal zo.

Wees op het ergste voorbereid

Natuurlijk kan niemand voorkomen dat je hart een slag overslaat op de avond dat je tienerkind op stap is met vrienden en om kwart voor twee de telefoon gaat en een vreemde aan de andere kant van de lijn vraagt: 'Bent u de moeder van…?' Of wanneer er vlakbij een sirene begint te loeien en je man al een uur te laat is voor het eten, of wanneer je hoort van een vliegtuigcrash, een kettingbotsing waarbij tien auto's betrokken zijn, of een beroving bij een plaatselijke benzinepomp, en de mensen van wie je houdt allesbehalve dicht bij je zijn. Ik denk dat iedereen die knoop van angst in z'n maag weleens heeft gevoeld, en waarschijnlijk wel meer dan eens.

Maar wat ik zo verbazingwekkend vind, is dat ondanks het feit dat we er veel tijd en energie aan besteden om ons over zulke zaken zorgen te maken, ondanks het feit dat verlies een van de grootste uitdagingen is waar we ooit mee te maken zullen krijgen, en ondanks het feit dat verlies deel uitmaakt van de natuurlijke levenscyclus, de meeste mensen zich er toch niet op voorbereiden om ermee om te gaan. Het is een van de dingen waar we het minst klaar voor zijn. Ik ben ervan overtuigd dat we de dialoog over verlies moeten openbreken, omdat het op dit moment bijna als een taboe geldt. We moeten nadenken over het ondenkbare. Met het probleem kan al deels worden afgerekend voordat het zich voordoet.

Geschonden verwachtingen

Een van de moeilijkste onderdelen van alle crises waar we het in dit boek over hebben, is dat ze onze verwachtingen geweld aandoen. Als je A verwacht en A krijgt, of als je daar met B of C bij in de buurt komt, ben je niet zo van je stuk gebracht. Je zit nog steeds op de rails, ook al heb je de pijnlijke gebeurtenis niet in de hand. Je kunt zeggen: 'Oké, ik wist dat dit eraan zat te komen, ik wist dat ik dit kon verwachten, dus ja: het doet pijn. Maar ik raak niet in paniek. Ik overleef dit wel en kom er wel doorheen. Het moet eerst erger worden voordat het beter wordt, en om eerlijk te zijn is het nog erger dan ik had verwacht, maar ik ben niet helemaal van mijn stuk, dus ik kan er wel in geloven dat het goed komt.' Maar als je A verwacht en Z krijgt, zal het niet meevallen om je volgende stap te bepalen.

Ik zal nooit de situatie vergeten waarin een kennis van me verkeerde. Charlie was net thuisgekomen van zijn werk en besefte dat er iets mis was toen hij de deur opendeed en versgebakken koekjes rook. Hij liep de keuken in, en ja hoor: er stond een briefje tegen een schaal met zijn lievelingskoekjes: 'Ga niet de badkamer in. Bel alleen het alarmnummer. Ga dan zitten en wacht af. Het spijt me. Ik hou van je.'

Hij belde het alarmnummer niet. Hij belde niet naar de buren. Hij belde mij. Ik kon hem amper volgen, want zijn stem klonk helemaal verstikt en sloeg over van de angst en paniek. Hij kreeg geen adem. 'Mijn vrouw heeft iets vreselijks gedaan, dat weet ik heel zeker. Ik weet niet wat ik moet doen. Ik weet niet waar ik het zoeken moet.' En hij had gelijk. Zijn vrouw, met wie hij al zevenentwintig jaar was getrouwd, was naar de badkamer van hun prachtige huis op een Californische heuvel gegaan, had een handdoek om haar hoofd gebonden en zich door het hoofd geschoten.

Het afschuwelijke van dat moment was niet de enige reden waarom deze crisis Charlies leven op zijn grondvesten deed schudden. Hij moest niet alleen zien klaar te komen met de schok van de gewelddadige en onverwachte zelfmoord, maar ook nog eens met de lange, koude en meedogenloze werkelijkheid van haar dood en de afwezigheid van zijn levenspartner, de moeder van zijn kinderen en de vrouw met wie hij had gedacht oud te worden. Hij bracht haar stoffelijk overschot naar haar geboorteplaats, en na de begrafenis bleef hij twee weken bij haar familie. Toen ik op het kerkhof afscheid van hem nam, was ik weliswaar bang dat hij behoorlijk in de problemen zou komen, maar hij zou tenminste een poosje bij familie zijn. Omdat hij niet was voorbereid op zo'n schok, of op de donkere dagen die nog zouden komen, duikelde Charlie echter onmiddellijk in een zwart gat van verdriet en diepe somberheid. Hij voelde een storm van woede, verwarring, schuldgevoel, pijn en spijt. Toen ik hem twee weken later terugzag, twee weken waarin hij telefoontjes van mij en van een heleboel andere bezorgde vrienden niet had willen aannemen, wist ik zeker dat hij in de nesten zat. We probeerden hem allemaal weer op te beuren en hem door deze nachtmerrie heen te helpen, maar het was al te laat. Hij was niet meer te redden. Hij zat zo diep in zijn depressie, shock en paniek dat het net was of je tegen een muur praatte. Hij kapte alle contact met mij, met zijn familie en met zijn vrienden af, en hij nam ontslag bij zijn baas. Hij maakte zichzelf onbereikbaar voor zijn kinderen en liet hen aan hun lot over.

Ik weet nog goed hoe hulpeloos ik me voelde toen ik moest aanzien hoe deze man – iemand voor wie ik veel respect had – met de dag verder afgleed. Op dat moment nam ik me heilig voor dat, als ik ooit de kans zou krijgen om mensen voor te bereiden op wat voor verwoestend verlies of welke tragedie ook, voordat ze daar daadwerkelijk mee te maken zouden krijgen, ik die zeker zou grijpen.

En toen was ik aan de beurt...
Ik heb zelf deze crisis diverse keren in mijn leven ervaren, maar nooit zo hevig als toen twaalf jaar geleden mijn vader overleed.

Om eerlijk te zijn dacht ik dat ik er klaar voor was. Ik dacht dat ik was voorbereid. Dat bleek echter niet zo te zijn. Toegegeven: het ligt in de lijn der verwachting dat je op een gegeven moment je ouders ten grave moet dragen, maar als het zo ver is, heb je niets aan logica. Het is nog steeds ontzettend pijnlijk; het overvalt je, en het is moeilijk te accepteren. Het kan net zo moeilijk zijn wanneer je een hechte band met je ouders hebt als wanneer je die niet hebt – misschien dan wel meer, omdat er dan mogelijk een heleboel emotionele zaken nog niet zijn afgehandeld. Mijn vader en ik hadden enorme ups en downs, maar toen deze realiteit zich aan me voordeed, deed dat er allemaal niet meer toe. In feite kan zulk verlies vaak juist harder toeslaan als je een moeizame relatie hebt gehad met degene die overlijdt, zeker als het een ouder is. Ook al hoort het bij de cyclus van het leven om je ouders te verliezen, toch heb je misschien wel zojuist degene verloren die je altijd het hardst aanmoedigde, een van de weinig mensen die tegen je konden zeggen: 'Het is goed zo,' en die je dan geloofde. Toen mijn vader overleed, weet ik nog dat ik dacht: nu is er één iemand minder in deze wereld die mij de allerbeste vindt.

Vaak heb ik mensen aangeraden ervoor te zorgen om niets ongezegd en niets onaf te laten tussen hen en de mensen van wie ze houden. Dat doe ik omdat ik weet dat we ons leven en dat van onze dierbaren maar al te vaak vanzelfsprekend vinden. Op de een of andere manier is er een mechanisme in ons brein dat zich niets aantrekt van logica en ons de gedachte ingeeft dat we hen voor altijd bij ons hebben. Ik weet wel beter. Mijn vader kreeg te horen dat hij aan een hartaandoening leed, en we wisten dat hij binnenkort zou overlijden. Ik geloof dat ik al om zijn dood begon te treuren voordat het zo ver was, omdat ik wist dat het eraan zat te komen. De raad opvolgend die ik anderen zo vaak had gegeven, zorgde ik ervoor dat er niets tussen ons onuitgesproken bleef. Interessant is dat het daarbij zowel om negatieve als om positieve dingen ging. Het leven lijkt altijd een zekere symmetrie te vertonen. Hij was geen ideale vader geweest, en ik zeer zeker geen ideale zoon. Hij had jarenlang zwaar gedronken, zoals alleen een chronisch alcoholist kan, en dat had een grote afstand tussen ons geschapen. Ik wilde hem vertellen over dingen die hij had gezegd of gedaan en die voor mij pijnlijk waren geweest, maar net zozeer wilde ik hem laten weten hoezeer hij in positieve zin had bijgedragen aan mijn leven en hoeveel hij voor me had betekend. Ik had er ook behoefte aan dat hij mij vertelde over de frustraties en pijn die ik hem had opgeleverd, over zijn hoop en zijn dromen voor mij, en over zijn kijk op de rest van mijn leven. We lachten, we huilden, we praatten en we luisterden naar elkaar.

Ik vond dat ik een goede 'emotioneel soldaat' was geweest. Het hielp. Het was belangrijk werk. Ik zou dolgraag tegen je zeggen dat dit het magische antwoord is om de pijn van verlies te verzachten en dat het genoeg was. Maar dat was het niet. Ik had me niet voorbereid op wat er na het moment van zijn overlijden zou gebeuren. Ik had de lucht tussen ons geklaard, en we hadden de kloof van communicatie en delen tussen ons gedicht. Hij en ik hadden dat samen gedaan, als vader en zoon. Maar toen hij de laatste adem had uitgeblazen, stond ik alleen. Ik had nog niet zo ver vooruitgedacht dat ik me een voorstelling had kunnen maken van mijn eigen kwetsbaarheden en gevoelens over het feit dat ik voor het eerst zonder vader in de wereld zou staan. Nu ons gezinshoofd er niet meer was, en ik de enige man was bij ons thuis, kreeg ik opeens een hele reeks nieuwe taken en verantwoordelijkheden. Ik ervoer later die dag in het rouwcentrum een geheel nieuwe emotionele 'zwaarte'. Mijn ouders waren vijftig jaar getrouwd geweest, en mijn moeder en vader waren vanaf de tweede klas onafscheidelijk. Mijn moeder had gevraagd of ze even alleen mocht zijn in de kamer waarin hij was opgebaard. Ik bleef op de gang wachten, en ineens deed ze de deur open en kwam naar buiten wankelen; ze leunde tegen de muur en keek me volkomen verward en verbijsterd aan, zoals ik haar nog nooit had gezien. Ze huilde en herhaalde maar steeds hetzelfde zinnetje, dat ik nooit zal vergeten: 'Hij wordt niet meer wakker. Hij wordt niet meer wakker.' Ik moet zeggen dat ik op dat moment echt niet het gevoel had de zaken in de hand te hebben. Ik wist niet wat ik moest zeggen, ik wist niet wat ik moest doen terwijl ik mijn moeder zag afglijden in shock, ontkenning en pijn. Dat had ik niet zien aankomen. Terwijl ik daar in die gang naar mijn moeder stond te kijken, die in tranen almaar datzelfde zinnetje zei, besefte ik dat ik me niet zo goed had voorbereid als ik had kunnen en moeten doen op datgene waarvan we allemaal wisten dat het eraan zat te komen – en snel ook. Weer, voor waarschijnlijk de duizendste keer in mijn leven, kwam mijn vrouw Robin me te hulp; zij voelde aan dat ik tot over mijn oren in de problemen zat.

Was mijn advies aan anderen en aan mezelf – om het leven niet als vanzelfsprekend te beschouwen, en de zon nooit te laten ondergaan zolang er nog dingen ongezegd of ongedaan waren gebleven – een slechte raad? Zeker niet. Het was geen verkeerd advies; het was alleen niet compleet. Je zou kunnen zeggen dat dit hoofdstuk mijn poging is om, zoals Paul Harvey het zou noemen, 'de rest van het verhaal' te vertellen.

Hoe bied je steun aan rouwende vrienden en familieleden?

Wanneer een dierbare een verlies heeft geleden, valt het niet mee te bedenken wat je wel of niet moet doen. Hieronder volgen een paar tips die je kunnen helpen een dierbare door deze moeilijke tijd heen te helpen.

- *Praat wanneer het moment zich ervoor leent over het verlies dat de ander heeft geleden. Misschien denk je dat je daar beter over kunt zwijgen – mogelijk omdat jij je daar zelf ongemakkelijk onder voelt – maar praten over verdriet is wellicht precies wat de ander nodig heeft.*
- *Wees een goede luisteraar.*
- *Neem vaak even contact op per telefoon of per mail.*
- *Steun de ander non-verbaal: houd hem of haar vast, of ga in stilte bij hem of haar zitten. Het kan al helpen te weten dat jij er bent.*
- *Laat de ander zijn of haar verdriet voelen. Doe de pijn niet af of bagatelliseer die niet door te zeggen: 'Je moet door.'*
- *Als het zo uitkomt, vertel dan over je eigen ervaring met verlies, zonder de aandacht af te leiden van degene die lijdt.*
- *Kom in actie. Grote gebaren zijn niet nodig. Meestal hebben mensen behoefte aan hulp met kleine dingen, zoals de kinderen ophalen van school, boodschappen doen en huishoudelijke taken zoals de verzorging van huisdieren.*

Andere vormen van verlies

Ik zou graag willen dat alleen de ervaringen met de dood moeilijk en verlammend pijnlijk zouden zijn – die doen immers al pijn genoeg. Maar helaas is overlijden maar één manier om iemand van wie je houdt kwijt te raken. Het kan gebeuren op een avond wanneer je met je man zit te eten. De kinderen zijn al klaar en spelen in de tuin of zitten aan hun huiswerk. Je moet de tafel afruimen, net zoals je dat de afgelopen tien jaar elke avond hebt gedaan. Maar deze keer hoor je, als je je hand uitsteekt naar het bestek, dat je man iets zegt wat je in geen duizend jaar uit zijn mond dacht te zullen horen: 'Ik wil scheiden. Ik hou niet meer van je. Eigenlijk heb ik nooit van je gehouden.' Opeens schudt je wereld op zijn grondvesten. Maar ja, misschien loopt het al jaren niet zo lekker tussen jou en je partner. Jullie hebben geprobeerd daar samen uit te komen. Je hebt zelfhulpboeken gelezen en bent in therapie geweest, of jullie hebben relatietherapie gevolgd. Maar het feit dat uit elkaar gaan een bewuste beslissing was die jullie samen hebben genomen, en dat het misschien wel het beste is voor jullie allebei en voor jullie gezin, betekent nog niet dat het minder pijnlijk is. Opeens heb je die partner voor het leven niet meer, degene met wie je, als jullie oud en grijs zouden zijn, op de veranda in een schommelstoel dacht te zullen zitten. Je kijk op je leven is veranderd. Ook al is het het beste zo, de onzekerheid over wat voor je ligt en het gapende gat in je leven kunnen je doen beven als een rietje.

Zoals ik eerder al opmerkte, zijn scheiding en dood misschien de grote items en het eerste waar de meeste mensen aan denken bij het woord 'verlies'. Maar helaas zijn er nog een heleboel andere manieren waarop het hart van mensen aan stukken kan worden geslagen. Er bestaan ook afwijzing, falen, uitsluiting en isolement. Maar je moet niet vergeten dat er geen verlies bestaat waarvan je je niet kunt herstellen. Als je iets hebt verloren wat kan worden vervangen, zoals een baan, dan kun je (misschien met hulp) een strategie bedenken om datgene wat verloren is gegaan opnieuw te krijgen. Ben je iets kwijtgeraakt wat je níét opnieuw kunt krijgen, dan bestaat je uitdaging eruit die waarheid te integreren in je werkelijkheid en te leren leven met het blijvende van dat verlies. Maar in elke verliessituatie moet je leren hoe je je kunt richten op de dingen die nog uit je leven van vóór het verlies over zijn.

Ik had een vriendin die al tien jaar bij hetzelfde bedrijf werkte. Ze had een fraai hoekkantoor en een mooie functieomschrijving, waar ze hard voor had moeten knokken. Toen kondigde haar werkgever ineens aan dat alle managers op haar niveau een test moesten doen om hun Series 7-akte te halen (voor handel in obligaties) of konden worden gedegradeerd, overgeplaatst of zelfs ontslagen. Plotseling raakte het leven van deze vrouw in rep en roer, omdat ze dag en nacht moest studeren. Uiteindelijk brak de testdag aan, en al een paar minuten na het examen kreeg ze te horen dat ze was gezakt. Ze schrok zich wild en was er kapot van. Van het ene moment op het andere had haar score op deze test – zo ervoer zij het althans – al haar jaren van ervaring, succes en hard werken uitgewist. Ze voelde zich alsof haar wereld op zijn kop was gezet – en ook nog eens op een oneerlijke manier! Ik wil maar zeggen dat er een heleboel manieren van verliezen bestaan, te veel om op te noemen, maar ze hebben allemaal te maken met dingen waar we in ons leven grote waarde aan hechten.

Wat verlies niet is

Nu we het over verlies hebben gehad, en – belangrijker – hoe je reactie op verlies er waarschijnlijk uit zal zien, wil ik het hebben over hoe het kan aanvoelen. Iedereen reageert anders op verlies, en er bestaat geen goede of foute manier. Maar ik wil een paar dingen aanstippen die je reactie niét zullen zijn, zodat je moeilijke tijden niet nog moeilijker maakt door jezelf of anderen verkeerd te interpreteren of te beoordelen.

- **Het is geen psychose.** *Je wordt niet gek, ook al voelt het misschien alsof dat wel zo is. Je bent in de rouw. Je hebt verdriet, en alles wat er door je heen gaat maakt daar deel van uit. Je zit misschien met je handen in het haar en maakt geen contact met anderen, maar zo reageren mensen nu eenmaal wanneer ze van iets of iemand houden, daar energie in steken en het vervolgens kwijtraken.*

- *Het is niet per se het begin van een langdurige klinische depressie.* Je kunt symptomen van depressie vertonen, zoals gebrek aan eetlust, concentratieproblemen, slaapproblemen, verminderde belangstelling voor dingen die je altijd leuk hebt gevonden, vermoeidheid of energiegebrek, en prikkelbaarheid. Maar dit zijn elementen van een reactieve depressie die verband houdt met een bepaalde gebeurtenis, te weten je verlies. Als deze symptomen langer aanhouden dan enkele maanden en je er echt door beperkt wordt in je functioneren, een morbide preoccupatie aan den dag begint te leggen met gevoelens van waardeloosheid of zelfmoordgedachten, of wanneer je psychotische symptomen vertoont, is het wél raadzaam om professionele hulp en steun in te schakelen.

- *Als je twee weken, of zelfs twee jaar later nog steeds gevoelens van woede, verdriet en allerlei andere emoties hebt, zegt dat niet dat er iets mis met je is.* Het is normaal om die gevoelens te hebben. Het is niet te zeggen wanneer je je er weer klaar voor voelt de draad van je leven op te pakken. Ieder mens is uniek en moet door een andere reeks barrières heen om verlies te verwerken of zich eraan aan te passen. Je hebt niet alleen recht op je gekwetstheid en huilbuien, of andere pijnreacties, het is zelfs gezond om die te vertonen. Veel mensen spreken van een 'catharsis' of loutering: het loslaten van opgepotte emoties om de emotionele pijn te doen afnemen.

- *Verdriet is geen pijn die de rest van je leven hetzelfde zal blijven.* Je hebt niet levenslang (ook al voelt het misschien soms wel zo). Je moet kunnen geloven dat je door deze verlammende tijd heen zult komen en hoop houden dat de pijn zich zal ontwikkelen en zal afnemen. Je moet geduld met jezelf hebben, terwijl je er tegelijkertijd van bent doordrongen dat jij degene bent die er uiteindelijk voor moet kiezen om voor jezelf en de rest van je leven op te komen, en die er bewust voor moet kiezen de ene voet voor de andere te zetten en verder te gaan. Jij bent er verantwoordelijk voor dat je mensen in je leven toelaat *en dat je de andere onderdelen van je leven die je vóór je moeilijke verlies dierbaar waren vast te houden.*

- **Het is geen straf van God of de duivel.** *Het is niet persoonlijk bedoeld. Verlies maakt deel uit van de cyclus van het leven. Het overkomt alle mensen, los van ras, geloof en opleiding, en komt in de hele wereld voor. Dat is ook precies de reden waarom elke cultuur speciale rituelen voor verlies door dood heeft ingesteld. Verlies dat te maken heeft met afwijzing en falen is helaas ook alomtegenwoordig, en ook dit is niet persoonlijk bedoeld.*

- **Verlies hoeft geen einde te zijn, maar kan ook een begin zijn.** *Misschien kun je het je nu moeilijk voorstellen, maar als je je verlies eenmaal hebt verwerkt of je er althans aan hebt aangepast, of het nu gaat om overlijden, afwijzing of falen, zul je inzien dat het leven dat voor je ligt nog meer te bieden heeft.*
  Ook al hebben alle vormen van verlies iets gemeen als het om pijn gaat, toch zijn er, zoals ik eerder opmerkte, duidelijke verschillen aan te wijzen in althans de mate van invloed en zwaarte van verschillende soorten verlies. Daarom verschillen ook de strategieën om er weer van te herstellen. Wanneer we te maken krijgen met verlies door overlijden, kan onze uitdaging eruit bestaan het verlies te accepteren, het te helen en de kracht vinden om verder te gaan. Bij verlies van materiële zaken, een bepaalde manier van leven of een bepaalde positie kan het deel uitmaken van de strategie om het verloren gegane te herwinnen of te vervangen, of je kompas bij te stellen en je te richten op een andere vorm van succes.

Wat kun je verwachten?

Wanneer je een groot verlies ervaart, kun je een heleboel gevoelens en emoties verwachten, en een paar van die reacties zal ik hieronder bespreken. Emoties zoals woede, paniek en angst zijn enorm pijnlijk. Maar – en dat is een heel belangrijk maar – hoeveel van deze moeilijke of pijnlijke gevoelens je in het begin ook kunt verwachten, blijf geloven dat er in de toekomst een dag zal aanbreken dat ze een beetje minder pijn doen. Wat voor soort verlies je ook te verwerken krijgt, je kunt ervan uitgaan dat er een dag zal komen waarop je weer hoop krijgt. Je kunt het echt overleven. Je hebt echt de kracht in je om hier doorheen te komen. Ook al verlies je iemand aan de dood, die persoon is voor je geest en je ziel niet zomaar verdwenen. Je kunt erop rekenen dat je mislukkingen in je leven meemaakt en toch de draad weer kunt oppakken en trots zijn op je prestaties.

Wanneer je verlies betrekking heeft op het overlijden van een dierbare, weet dan dat de dood alleen een verandering en geen einde is. Ik ben er heilig van overtuigd dat jullie relatie van het fysieke zal overgaan naar het spirituele. Voor mij is dat een waarheid en niet zomaar een gemeenplaats om je op het moment zelf een beter gevoel te geven. Je kunt nog steeds de lach van je overleden vader 'horen' wanneer er in je leefwereld iets gebeurt wat hij grappig zou hebben gevonden. Je kunt met je vader of moeder 'praten' zoals je zou doen wanneer ze hier in levenden lijve aanwezig zouden zijn. Je kunt hun aanwezigheid voelen en hun wijsheid horen in je hoofd. Je draagt je dierbare – of het nu een ouder, een kind, een vriend(in) of een ander familielid is – bij je. De geest en de aanwezigheid van die persoon leven in jou en in je herinneringen voort. Je zult leren om op een andere manier te 'luisteren'. Je zult leren dat jullie verstandhouding veranderd is. Zul je zijn of haar lichamelijke aanwezigheid missen, de warmte van een omhelzing? Natuurlijk zul je dat. Ik probeer absoluut niet om het verlies te bagatelliseren. Maar je moet jezelf ook uitdagen om blij te zijn met wat je nog wel hebt, al is het dan niet alles wat je zou wensen. Martha Tousley, raadsvrouwe bij verlies (en ruim vijfendertig jaar psychiatrisch verpleegkundige), brengt het mooi onder woorden: 'Verdriet is net een lange, kronkelende tunnel waarvan de ingang achter je dichtgaat en waar je alleen uit kunt komen door erdoorheen te lopen.'[1]

Krijg je te maken met een verlies waarbij het niet om overlijden gaat, dan kun je verwachten dat de afwijzing en de wanhoop als gevolg van een scheiding, een droom die op niets is uitgelopen, een verbroken vriendschap of andersoortig verlies er diep in hakken. Maar ook daar kun je overheen komen. Misschien in het begin niet van harte, maar je moet voor ogen houden dat je tot zo ver bent gekomen en de dag van morgen ook nog wel zult halen. Je moet onderkennen dat er nog hoop is zolang jij springlevend bent. Mensen zeggen niet voor niets: 'Het is pas voorbij als het voorbij is.'

Het is belangrijk dat je je gevoelens en gedachten formuleert in termen van 'wat mensen zoal doen in een dergelijke situatie', in plaats van ervan uit te gaan dat dit het begin van het einde is.

Hoe je verlies er ook uitziet, ik zou graag willen dat je zo goed mogelijk op de hoogte bent van wat er kan gebeuren, zodat je als het jou overkomt kunt zeggen: 'Dit is precies waar dr. Phil het in dat boek over had. Dit lijkt wel heel veel op hoe deze ervaring er volgens hem uit zou kunnen zien. Ik raak de controle niet kwijt. Hoe naar het nu misschien ook voelt, toch geloof ik dat deze pijn en verwarring minder zullen worden, en dat ik hier doorheen kan komen.' Betekent dit dat je verlies geen probleem is? Nee. Maar het stelt je wel in staat om te zeggen: 'Ik hoef mezelf niet ter discussie te stellen. Ik hoef me niet af te vragen of ik een slappeling of een huilebalk ben, of gek of gestoord.' Dat laatste is cruciaal. Het is belangrijk dat je je gevoelens en gedachten formuleert in termen van 'wat mensen zoal doen in een dergelijke situatie', in plaats van ervan uit te gaan dat dit het begin van het einde is. Dat is het namelijk niet. Het is het begin van een moeilijk, maar noodzakelijk proces van rouw, helen en herstel. En ja, je kunt 'rouwen' om het verlies van een carrière, van een bepaalde levensstijl of van een huwelijk. Ook hier geldt: het gewicht ervan is anders, maar het is net zo pijnlijk.

Veel deskundigen hebben reacties op verlies (met name wanneer er sprake is van de dood van een dierbare) betiteld als 'fases van rouw', en er bestaan diverse theorieën over hoeveel dat er zijn. Maar we zijn onvoorspelbare wezens, zeker als het om onze emoties gaat. Hoewel de ervaring van rouw in welke vorm dan ook universeel is, lopen onze reacties binnen dat hele proces sterk uiteen. Nieuw onderzoek en mijn eigen ervaring hebben me duidelijk gemaakt dat er niet echt 'stadia' van rouw bestaan, maar dat er eerder allerlei verschillende gevoelens naar boven komen.[2] Die komen niet in een speciale volgorde bovendrijven, en het gebeurt maar zelden dat de ene reeks emoties volledig ten einde is voordat de andere begint. Waarschijnlijker is dat je allerlei emoties zult ervaren – misschien één tegelijk, misschien drie tegelijk. Er bestaat geen vaste formule voor, al zou dat wel een stuk makkelijker zijn. Maar de realiteit is dat er geen 'standaardmanier' van rouwen bestaat. We hebben allemaal onze eigen tijd nodig en vertonen onze eigen reacties. Ik herhaal dat nog maar eens, omdat het zo belangrijk is: *we hebben allemaal onze eigen tijd nodig en vertonen onze eigen reacties.* Je hoeft je niet aan een schema te houden, en je wint geen prijs als je een record probeert te vestigen voor de kortste hersteltijd. Door sneller te willen gaan dan het natuurlijke proces, kun je het zelfs vertragen, en veel deskundigen stellen dat het juist heel heilzaam kan zijn om het rouwproces volledig te doorvoelen.[3] Is zes maanden genoeg voor een weduwe voordat ze de persoonlijke bezittingen van haar echtgenoot opruimt, of misschien met een andere man begint om te gaan? Goede antwoorden bestaan niet. Je moet reëel en eerlijk tegen jezelf zijn, en pas dan zul je weten wat goed is – goed voor jóú.

Verlies door overlijden

Het is vreselijk als er een dierbare overlijdt. Dat vliegt je naar de strot. Het is zo definitief. Iedereen is ervan doordrongen dat de dood onomkeerbaar is. Je wilt misschien zeggen: 'Ik zal het uitleggen. Ik zal me hieruit praten. Dit kun je niet doen.' Je kunt in paniek raken omdat je niet klaar bent voor het definitieve van de dood, en het kan lijken of alles instort. Je wordt met je rug tegen de muur gedrongen en het is net of er een gewicht van duizend kilo op je borst drukt en je er niet onder vandaan kunt komen.

Aanvankelijk kun je het gevoel hebben dat je in een waas leeft en op de automatische piloot je dagelijkse programma afwerkt. Wanneer vrienden of familieleden je vragen stellen over wat er allemaal voor jullie dierbare geregeld moet worden, kan zelfs de kleinste beslissing je zwaar vallen, zeker wanneer je je amper kunt concentreren of je aandacht erbij kunt houden. Je vraagt je af of je soms in een nachtmerrie zit waar geen einde aan komt. Toen mijn schoonmoeder op middelbare leeftijd overleed, kwam dat volkomen onverwacht. Ik weet nog dat ik me toen ik de volgende morgen wakker werd die eerste brakke minuten afvroeg of deze pijnlijke werkelijkheid misschien niet alleen maar een nare droom was. Je kunt de ogen uit je kop janken, of verbaasd zijn dat je helemaal niet hoeft te huilen. Beide reacties zijn goed noch fout, ze zíjn er gewoon. In het laatste geval kun je je schuldig voelen en je afvragen waarom je geen traan laat om iemand om wie je zo veel hebt gegeven. Het spectrum aan emoties dat je kunt ervaren is enorm. Het kan variëren van shock en verdoving tot angst, paniek en wrok. Dat laatste is misschien een verrassende emotie – zeker tegenover iemand die is overleden – maar het is vrij normaal om je af te vragen: 'Hoe kun jij nu bij me weggaan? Hoe kun jij me nu verlaten?' Aan welke kant van het emotionele spectrum je ook zit, de pijn gaat diep.

Zoals ik al zei, kan die nog harder aankomen wanneer je dingen niet hebt afgemaakt met degene die is overleden. Wanneer je niet hebt kunnen zeggen wat je wilde zeggen, of het 'het spijt me' of 'ik hou van je' waar je zo op zat te wachten niet hebt kunnen horen. Of misschien hebben jullie wel afscheid kunnen nemen, maar alleen niet op de manier waarop je dat had gepland. Veel mensen gaan ervan uit dat we op het laatst nog een betekenisvol moment zullen meemaken waarop we onze gevoelens voor de ander kunnen uitspreken en de zaken kunnen afronden. Maar een relatie voor een overlijden beëindigen door er een mooie strik omheen te binden is meer Hollywood dan werkelijkheid. Zoals ik al zei, voerden mijn vader en ik voor zijn overlijden intense gesprekken. We dachten waarschijnlijk dat we wel voor 110 procent zeiden wat we wilden zeggen, maar na zijn overlijden besefte ik dat we in het beste geval niet verder waren gekomen dan tachtig procent. We brachten het er niet slecht van af, maar toch is het blijvende van de dood moeilijk te bevatten. Wat mijn vader betreft, viel het niet mee om erin te berusten dat ik hem nooit meer zou zien, nooit meer zou aanraken, nooit meer met hem zou kissebissen, nooit meer leuke dingen met hem zou doen en nooit meer met hem zou lachen.

Jij hebt momenteel misschien net zulke gedachten. Het is niet makkelijk om te accepteren dat een toekomst zonder je dierbare nu je nieuwe realiteit is; het idee alleen al kan je een verbijsterend leeg en alleen gevoel geven. De hunkering naar de aanwezigheid van de ander kan je volkomen verteren, zo lijkt het. Als gevolg daarvan heb je misschien helemaal geen zin om je bed uit te komen, of wil je ergens naartoe waar je in je eentje je wonden kunt likken. Ook als je niet letterlijk van de aardbodem kunt verdwijnen of opgekruld onder de dekens kunt blijven liggen, probeer je misschien toch om je emotioneel terug te trekken door anderen van je af te duwen. Je denkt dat alleen-zijn de pijn verzacht, maar dat is zelden het geval.

Je kunt een gevoel van spirituele leegte ervaren, of je verraden voelen door je geloof, of misschien voel je je bitter, woedend en teleurgesteld in je geloof. Want als de God in wie jij gelooft zo goed is, hoe kon Hij dan iemand wegnemen van wie jij zo veel hield? Hoe kon Hij een zinloze of gewelddadige dood laten gebeuren? Dit is pijnlijk en verwarrend, en iets wat heel veel mensen meemaken, zeker wanneer onschuldige kinderen het slachtoffer zijn.

Je denkt dat alleen-zijn de pijn verzacht, maar dat is zelden het geval.

Kijk niet raar op als je je in de komende dagen en weken gestrest en gespannen voelt en als je relaties met vrienden, familie en collega's onder druk lijken te staan. Wanneer je zenuwen aan flarden liggen en je je emotioneel uitgeput voelt en er alles aan doet om met dit verlies klaar te komen, kan het voor de mensen om je heen moeilijk zijn om met jou om te gaan. Hoe goed hun bedoelingen ook zijn, hun woorden en daden maken je soms alleen maar meer van streek of irriteren je.

Neem Judy, een moeder die op tragische wijze een van haar tweelingzoontjes van dertien maanden oud verloor doordat het kind in een babyzwembad verdronk. Vrienden en familieleden probeerden haar te troosten door dingen te zeggen als: 'Je hebt gelukkig nog een kind over,' of: 'Gelukkig ben je jong genoeg om nog een baby te krijgen.' Ze wist wel dat dat allemaal goed bedoeld was, maar ze kon er niets aan doen dat ze in haar hart kwaad werd en pijn voelde elke keer dat iemand haar op die manier probeerde te troosten, want voor Judy leek het net of die mensen wilden beweren dat haar dierbare zoontje zomaar vervangen kon worden.

Als je getrouwd bent, kan het verlies van een dierbare de relatie sterk onder druk zetten, en het komt vaak voor dat echtparen dan problemen krijgen. Hoewel sommige trage-dies de partners nader tot elkaar kunnen brengen, kunnen andere hen van elkaar vervreemden, zeker als ze allebei op een andere manier rouwen. Het verlies van een kind is iets wat echtparen erg zwaar kan vallen, want de ene partner geeft algauw de andere de schuld of reageert anders op de dood van een kind – iets wat toch al zinloos lijkt en moeilijk te bevatten is. Zoals we eerder al bespraken, hebben twee of meer mensen die onder druk staan de instinctieve neiging elkaar aan te vallen, wat bekendstaat als 'reflexief vechten in reactie op een aversieve prikkel'. Daarom is het in dergelijke situaties van het grootste belang dat beide partijen apart van elkaar een therapeut raadplegen om goed met elkaar te blij-ven communiceren en te voorkomen dat de relatie er schade van ondervindt.

Je merkt misschien dat de mensen in je leven – van intieme vrien-den tot oppervlakkige kennissen – je ongevraagd raad geven of hun mening ventileren. Sommige adviezen kunnen helpen, maar pas op dat mensen je niet hun eigen tijdschema's en verwachtin-gen in de maag splitsen en proberen jou hun definitie van 'gepast' voor een bepaalde situatie op te dringen. Werkgevers kunnen met je meeleven, maar vinden algauw dat je eroverheen moet zijn bin-nen de drie tot vijf dagen die je vrij krijgt voor een sterfgeval in de familie. Na die tijd hebben ze niet echt meer clementie met je; sommige mensen verwachten dat je een knop omdraait en ge-woon weer aan het werk gaat. Dat is echter makkelijker gezegd dan gedaan, dus stel jezelf niet aan die druk bloot. Je moet goed begrijpen dat jouw emotionaliteit voor anderen ongemakkelijk kan zijn, en om eerlijk te zijn komt die waarschijnlijk ook… nou ja, ongelegen. Dat klinkt hard, maar het is wel zo.

Wanneer mensen na het overlijden van een dierbare in je leven op je af stappen en vragen: 'Hoe gaat het ermee?' kun je natuurlijk gewoon antwoorden: 'Prima, hoor.' Maar ik heb me vaak afgevraagd hoe diezelfde mensen zouden reageren als je de wedervraag zou stellen: 'Vergeleken waarmee?' of: 'Naar welke maatstaf gemeten?' Ik durf te wedden dat de meesten dan met hun mond vol tanden zouden staan. Ik wil niet zeggen dat het hun niet zou kunnen schelen hoe jij je voelt, maar ik denk wel dat mensen door het antwoord 'goed, hoor' vaak denken dat je geen heftige emoties zou hebben. Anderzijds kan 'goed, hoor' ook duiden op het feit dat je je longen uit je lijf schreeuwt en huilt tot het snot over je gezicht loopt, en dat je al je emoties er op een gezonde en louterende manier uit gooit. Een dergelijke reactie zou een heleboel mensen niet zo best uitkomen, maar hoe jíj je voelt en wat jíj doet is alleen jóúw keus, en je hebt er alle recht toe die te maken. De enige beperking – of waarschuwing – daarbij is dat je beter niet kunt kiezen voor iets wat zelfdestructief, gevaarlijk of ongezond is. Ik raad je echter niet aan mensen die naar je welzijn informeren een bot antwoord te geven, want de kans is groot dat ze écht veel om je geven en dat ze alleen maar proberen te helpen. Maar vooropstaat dat je zelf kiest op welke emotionele plek je wilt zijn en hoe lang je daar wilt vertoeven.

Het moment waarop je je meest persoonlijke verlies ervaart, zal zeker een van de eenzaamste momenten zijn die je ooit zult meemaken. Het verlies van een dierbare kan een heel persoonlijke pijn zijn. Wat het gevoel van isolement nog erger kan maken, is dat – en kijk daar niet raar van op – degenen die je het meest na staan zich terug lijken te trekken. Na een poosje kan het zelfs lijken alsof je door vrienden en familie in de steek bent gelaten. Ze maken zich van je los, geleidelijk of plotseling, niet omdat ze niet met je meeleven, maar omdat ze niet weten wat ze moeten zeggen of doen. Als ze je zien, weten ze niet of ze er nou wel of niet over moeten beginnen. Ze vragen zich af of ze de naam van de overledene wel mogen noemen, en als ze dat doen, of dat voor jou niet als een 'dolkstoot' in je hart is. Ze zijn bang dat als jij een goede dag lijkt te hebben, zij je er weer aan herinneren of je stemming bederven door een opmerking te maken over je verlies. Ze realiseren zich misschien niet dat ze door de overledene ter sprake te brengen diens nagedachtenis in ere houden, of dat een vriendelijk gebaar dat er niets mee te maken heeft beter jouw hart kan helpen helen dan vermijdingsgedrag. Ze onderschatten hoe belangrijk het is om eten te komen brengen, of aan te bieden de carpoolauto een week te besturen, wat een enorm verschil kan maken om jouw last te verlichten.

Afleiding zoeken

Vaak proberen we onszelf af te leiden van de pijn die we voelen door onze aandacht te verleggen. Eén manier om dat te doen is door je uren te gaan zitten afvragen waaróm iemand is gestorven, of waar jij dit aan hebt verdiend. Dat kan betekenen dat je je bezighoudt met de ins en outs van de ziekte waar de overledene aan leed, of alle details van een ongeluk telkens weer de revue laat passeren. Je draait in gedachten de film van deze afschuwelijke gebeurtenissen keer op keer af, en kwelt jezelf met de gruwelijke en pijnlijke beelden.

Na een lang ziekbed of lijden kun je opluchting voelen wanneer degene die je dierbaar is uiteindelijk overlijdt. Dat was het geval bij Maddy, toen haar moeder in een hospice kwam te liggen nadat ze eerst thuis de strijd had aangebonden tegen kanker. Het kostte Maddy veel tijd en energie om voor haar moeder te zorgen. Het was ook een zware emotionele belasting om iemand van wie ze zo veel hield en die ooit zo sterk, zelfstandig en vitaal was geweest te zien lijden en achteruitgaan. Toen haar moeder eenmaal was overleden, was Maddy opgelucht – zowel omdat haar moeder geen pijn meer hoefde te lijden als omdat zij ontheven was van haar zware taak als verzorger. Dit riep een enorm schuldgevoel in haar op, want hoe kun je nou blij zijn dat je moeder, je man, je kind of je vriend(in) is overleden?

Schuldgevoel kan ook de kop opsteken in de weken en maanden na een verlies: schuld omdat je je dierbare niet hebt kunnen redden, of alleen maar omdat jij nog wel een leven hebt. Op een gegeven moment zul je jezelf erop betrappen dat je lacht of je ontspant. Het is een natuurlijke gang van zaken dat je weer opknapt nadat je hebt gerouwd om een verlies. Het is ook natuurlijk om je daar schuldig over te voelen. Je denkt misschien: 'Hoe kan ik hier nu staan te genieten, terwijl mijn zoon dood is?' Als je beseft dat er een dag voorbij is gegaan waarop je níét hebt gedacht aan degene die je dierbaar is (wat na verloop van tijd al dan niet gebeurt), voel je je mogelijk schuldig dat je diegene zou 'vergeten'. Maar het feit dat jij je herstelt van een verlies wil nog niet zeggen dat je maar een klein beetje van de overledene hebt gehouden. De diepte, de breedte en de duur van je verdriet weerspiegelen niet hoeveel je hebt gegeven om degene die dood is. Er bestaat hier geen 1:1-verhouding. Mensen denken vaak: 'Als ik echt zo veel van Joe hield, zou ik wel lang(er) en diep(er) lijden.' Maar dat is gewoon niet waar. Het is een misvatting dat als je twee in plaats van één jaar verdriet hebt, dat zou betekenen dat je meer zou hebben gehouden van degene die je hebt verloren. Zo werkt het niet, en de kans is groot dat Joe helemaal niet zou hebben gewild dat jij blijft zitten kniezen om iets wat je toch niet kunt veranderen. In plaats daarvan zou hij vast graag hebben gezien dat je hem zou gedenken en goede gedachten zou hebben over alle dagen van zijn leven, in plaats van je te laten obsederen door die ene dag waarop hij overleed.

Verlies door scheiding

Wanneer je een scheiding meemaakt, kun je veel van de emoties ervaren die ik zojuist heb besproken in verband met overlijden. Je relatie is tenslotte overleden, en nu rouw je daarom. Het kan zijn dat er een intense woede in je opborrelt; dat is één manier waarop we gekwetstheid, angst of frustratie uiten. Woede kan een beschermingsmechanisme zijn wanneer je je kwetsbaar voelt, want wie in de aanval gaat, wordt tenminste niet afgewezen. Wanneer je partner je heeft bedrogen of jou in de steek laat voor een ander, is het een understatement om te zeggen dat je je verraden voelt.

Je kunt een totale shock verwachten. Stel je maar eens voor hoe Shari zich voelde toen haar man niet alleen aankondigde dat hij bij haar wegging, maar dat hij bovendien een ander had. Ze kon haar oren niet geloven. Zijn lippen bewogen nog, maar het was net alsof iemand het geluid had uitgezet. Shari keek hem uitdrukkingsloos aan, want ze had de klap waarmee hij het gesprek had geopend nog niet kunnen verwerken: 'Nu de kinderen het huis uit zijn, wil ik verder met mijn leven. Brianna en ik houden van elkaar.' Welke aanwijzingen had ze al die tijd over het hoofd gezien? Ze moest vechten tegen de misselijkheid toen deze bekentenis van twee minuten tweeëntwintig jaar huwelijk veranderde in een lugubere grap. Of jouw verhaal nou een drama is of eindigt met weinig meer dan een briefje of telefoontje, als je te horen krijgt dat je leven er van nu af aan anders uit zal komen te zien heb je waarschijnlijk het gevoel dat iemand je een stomp in je maag heeft gegeven.

Bij een scheiding kunnen gevoelens van afwijzing hoog oplopen, omdat we het resultaat van onze inspanningen vaak afmeten aan de mate waarin de buitenwereld ons accepteert of afwijst. Soms kan de reactie van een ander een barometer zijn voor onze waarde en waardigheid (althans voor ons eigen gevoel), en wanneer de liefde van ons leven bij ons vertrekt, kunnen afwijzingen uit het verleden daardoor worden uitvergroot. We voelen ons onwaardig, niet goed genoeg en volkomen inadequaat. Die gevoelens kunnen nog sterker zijn wanneer je partner jou laat zitten voor een ander. Dat kan betekenen dat je je een soort 'beschadigde waar' gaat voelen, en dat als deze partner niet van je hield, anderen dat ook vast niet zullen doen.

Je kunt je gebrandmerkt voelen en gaan denken dat er iets mis is met je omdat het je niet is gelukt je huwelijk te laten slagen. Als je uit een gezin komt dat zich erop beroemt dat er in hun geschiedenis geen scheiding voorkomt, kan het feit dat jij een streep door de rekening haalt een enorme druk zijn.

Een verbijsterend aantal vrouwen heeft tegen me gezegd dat het veel makkelijker zou zijn als de echtgenoot die hen in de steek liet niet was weggegaan, maar was overleden, dus kijk er niet vreemd van op als jij ook zulke gedachten hebt. Wanneer je ex is overleden, hoef je hem immers niet met een ander te zien of nog iets met hem te maken te hebben. Zeker als er kinderen bij betrokken zijn, is het onvermijdelijk dat je na een scheiding nog geregeld contact hebt, en dat kan betekenen dat je duizend doden sterft en nog maanden- of zelfs jarenlang de pijn van je verlies telkens opnieuw zult moeten voelen.

Er kan je een grote angst overvallen, en je kunt bang worden om alleen te zijn – vooral wanneer jullie huwelijk zo lang heeft geduurd dat je niet goed meer weet hoe het was om alleen te zijn. Dit is vaak nog erger wanneer jullie kinderen hebben, want dan gaan er eindeloze vragen over jullie nieuwe leven door je hoofd: 'Hoe moet ik zowel moeder als vader zijn? Hoe moet ik in hun levensonderhoud voorzien? Bij wie moeten ze wonen? Hoe kan ik hen hier zo doorheen helpen dat ze er geen emotionele schade van ondervinden?' Het kan een angstaanjagende gedachte zijn om de kinderen nu alleen groot te brengen en te onderhouden;

als ze niet bij jou komen te wonen, kan het heel veel pijn doen om van een gezin weer vrijgezel te worden.

Het is moeilijk om van een hectisch, druk huishouden met kinderen over te stappen op een leven in je eentje. Het kan je zwaar vallen om in plaats van uitgebreide gezinsmaaltijden nu 's avonds alleen een bakje muesli naar binnen te werken en om maar een half pakje melk en een enkel bakje boter in je koelkast te hebben staan. Het is ook griezelig om te beseffen dat je financiële situatie hoogstwaarschijnlijk zal veranderen. Alles wat jullie bezitten, moet worden verdeeld – en voor sommige stellen is de manier waarop dat gebeurt een bron van onenigheid en een langdurige strijd. Vaak ontstaat er ongelijkheid tussen het levenspeil van de ene partner en dat van de andere; vrouwen zijn in economische zin vaak slechter af dan mannen.[4]

Echtscheiding: kinderen van de rekening?*

Het leven na een echtscheiding is niet makkelijk, en vaak hebben de kinderen eronder te lijden. Om te voorkomen dat zij de kinderen van de rekening worden, is het belangrijk om inzicht te hebben in en tegemoet te komen aan de diepste behoeften van je kinderen in die moeilijke periode. Dat zijn vooral de behoeften aan:

- *Acceptatie en goedkeuring. Dit zal de grootste behoefte zijn die je kinderen voelen, zeker als ze nog jong zijn, want hun gevoel dat ze bij het gezin horen, is aan het wankelen gebracht. De kinderen moeten acceptatie en goedkeuring van beide ouders ervaren en de tijd krijgen om zich aan te passen aan een nieuw leven, waarbij hun twee ouders niet meer in hetzelfde huis wonen.*

- *Veiligheid. Het leven van je kinderen is flink overhoopgegooid, dus is het belangrijk hun te laten weten dat de veiligheid die het gezin altijd heeft geboden ook nu nog geboden wordt, ondanks deze grote verandering.*

- **Geen schuldgevoel.** *Kinderen geven zichzelf er vaak de schuld van dat het huwelijk van hun ouders spaak is gelopen. Ze denken algauw dat het een straf is omdat zij zich hebben misdragen, dus is het van het grootste belang hun duidelijk te maken dat zij nergens schuld aan hebben.*

- **Structuur en regels.** *Zorg voor een regelmatige dagindeling en gewoontes, en houd je aan je regels. Het is nu belangrijker dan ooit dat het leven van je kinderen in alle opzichten hetzelfde blijft als voorheen.*

- **Een stabiele ouder die de kracht heeft om zakelijke leiding te bieden.** *Misschien voel je je allesbehalve dapper en sterk, maar toch moet je je best doen om dat voor je kinderen te zijn. Zij maken zich zorgen en zijn bang, dus kan het een hele geruststelling zijn wanneer jij ze laat zien dat je nog steeds alles doet wat nodig is.*

Je kinderen mogen niet met de taak worden belast om jouw pijn te helen. Zadel ze niet op met situaties die ze niet aankunnen en verlang niet van ze dat ze dingen oplossen die door volwassenen moeten worden opgelost. Maar vergeet niet om je te bekommeren om wat hén bezighoudt. Zij kunnen jouw emotionaliteit voelen, je spanning, je pijn, je angst (of het verlies nu te maken heeft met een sterfgeval, met echtscheiding of met je carrière). Praat met hen over gevoelens die zij hebben en die met de jouwe verband houden. Dat betekent niet dat je maar raak zou moeten kletsen, maar wel dat je laat zien dat je openstaat voor wat hen emotioneel bezighoudt en dat je hen helpt om daarmee in het reine te komen.

* Dr. Phil McGraw, *Gezin eerst*. Het Spectrum, 2004, 2008.

Om diverse redenen is het heel gebruikelijk dat je 'een ritje maakt in de bitterbus', zoals ik het noem. Je kunt bitter gestemd raken doordat je partner die fraaie constructie heeft neergehaald en het ideaal van 'leuk gezinnetje' waar je zo in geloofde kapot heeft gemaakt. Je kunt bitter zijn omdat hij je leven overhoop heeft gegooid, en – als hij bij je weggaat omdat hij een ander heeft – omdat híj verdergaat met zijn leven terwijl jíj overeind probeert te blijven. Als je geen werk buitenshuis hebt, word je misschien wel gedwongen om een baan te gaan zoeken, waardoor je het moeilijk vindt dat je niet thuis bij je kinderen kunt zijn. Het idee alleen al om weer aan het werk te moeten kan je angstig maken, omdat je er al een hele poos uit bent geweest. Kun je met die kantoorvaardigheden van jaren geleden nog steeds de kost verdienen, of zijn ze misschien achterhaald?

Ook kun je het gevoel hebben dat je alles kwijt bent wat jullie als stel hadden. Denk bijvoorbeeld aan vrienden – wanneer jullie uit elkaar gaan, raak je die soms kwijt. Wanneer je je een weg probeert te banen door de puinhopen van jullie relatie, kan het een schok zijn om te zien welke vrienden aan jouw kant staan en welke niet. Het kan zelfs gebeuren dat niet al je eigen familieleden achter je staan, en dan is het leed helemaal niet te overzien.

Na een scheiding kun je ook een 'selectief geheugen' ontwikkelen, zoals ik het noem. Het is maar al te makkelijk om je alleen goede dingen te herinneren en je uitsluitend daarop te richten wanneer je alleen achterblijft als er geen andere uitweg blijkt te zijn. Na enige tijd, en wanneer je wat afstand hebt genomen, vergeet je tenslotte maar al te makkelijk dat je partner de gewoonte had om rekeningen niet te betalen of om tegen je te liegen, en richt je je selectief alleen op de goede en leuke dingen die hij of zij voor je heeft gedaan, ook al waren dat er maar weinig. Je denkt bijvoorbeeld aan jullie verkeringstijd, aan de goede momenten, of je stelt je je ex zelfs voor zoals je had gewild dat hij of zij zou zijn geweest (in plaats van zoals hij of zij écht was). Op die manier kun je jezelf maar al te makkelijk wijsmaken dat je je relatie weer terug zou willen hebben, vanuit de rationalisatie dat het toch allemaal zo beroerd niet was. Maar in werkelijkheid is de kans helaas groter dat er sinds jullie uit elkaar zijn niets is gebeurd dat de situatie had kunnen verbeteren of de echte problemen had kunnen oplossen. Als je je weer met je partner zou verzoenen zonder dat er serieus werk wordt verzet, met aan beide kanten steun van professionals, dan is dat waarschijnlijk eerder omdat je niet alleen durft te zijn dan omdat je hem of haar nou echt mist. Als jullie weer bij elkaar zouden zijn, zou de kans groot zijn dat je na een paar dagen zou zeggen: 'O ja, dat was precies de reden waarom ik hem de afgelopen drie jaar elke dag wel kon wurgen!' Ga zeker niet terug naar je ex op een moment dat je je zwak en eenzaam voelt. Of jij nou degene was die is vertrokken of je partner, als jullie uit elkaar zijn kun je maar beter uit elkaar blijven, tenzij een van beiden, of jullie allebei, er bewust moeite voor doet om weer bij elkaar te komen.

Verlies kent vele vormen

Zoals we allemaal weten, bestaan er vele vormen van verlies in het leven, die, hoewel ze misschien niet zo pijnlijk zijn als iemand verliezen door overlijden of scheiding, toch pijn kunnen doen, en flink ook. Het verlies van een vriendschap, het verlies van de voogdij over een kind, het verlies van een carrière of droom, of het verlies van sociale acceptatie, om maar een paar dwarsstraten te noemen, kan je volkomen lamleggen. Om die reden zijn veel van de emoties die je dan kunt ervaren heel vergelijkbaar, althans tot op zekere hoogte, met wat ik hierboven heb besproken.

Bij veel van deze vormen van verlies, die ik 'van een andere categorie' noem, heb jij zelf niks in te brengen, en ze kunnen gevoelens van hopeloosheid, hulpeloosheid en verwarring bij je oproepen. In sommige gevallen kun je het gevoel krijgen dat je iets onrechtvaardigs is overkomen. Je voelt je volkomen machteloos, een slachtoffer, en bent kwaad op iedereen die zeggenschap lijkt te hebben over deze afschuwelijke situatie, zoals een rechter die jou de voogdij over je kind niet heeft toegewezen, of een vriend(in) die je op onverklaarbare wijze heeft verraden. Het kan lijken alsof je aan hen bent overgeleverd, en je weet niet hoe je volgende stap eruit zal zien. De toekomst is duister en onzeker, omdat je helemaal niets meer in de hand lijkt te hebben. Kortom, we kunnen om allerlei soorten verlies rouwen, om sommige meer dan om andere, maar de pijn kan voelen alsof hij niet meer overgaat. Zoals ik echter al eerder heb gezegd, zullen die gevoelens niet altijd blijven duren. In wat voor situatie je ook zit, je hebt over één ding wel degelijk controle: in hoeverre je door dit alles je leven laat beïnvloeden.

Zie voor meer informatie over rouwverwerking en verlies het naslaggedeelte achter in dit boek.

Terug naar betere tijden

Een van de belangrijkste dingen die ik je wil meegeven, is dat hoop altijd weer terugkomt. Er is altijd een volgende dag. Zoals ik eerder al zei, moet je geduld met jezelf hebben. Geef jezelf tijd om te aanvaarden wat er is gebeurd. Kies ervoor om voor jezelf en de rest van je leven op te komen, en kies ervoor verder te gaan. Soms hoeven we alleen het 'hier en nu' maar zien door te komen. We hoeven niet per se antwoord te geven op de vraag hoe we de rest van ons leven zullen invullen. We hoeven alleen dit moment maar te overleven, in het spel te blijven, ons te richten op zin en betekenis om ons leven voort te zetten.

De zon zal zeker weer opkomen, en hij zal zeker op jouw gezicht schijnen. Ademhalen zal je weer makkelijk afgaan. Je gaat dit redden, omdat je het altijd hebt gered, of je dat nu zelf beseft of niet. Je bent zo ver gekomen omdat je dat kunt. Op basis van de resultaten tot nu toe kun je zeggen dat je over de kracht beschikt om uitdagingen aan te gaan. Ikzelf ben ervan overtuigd dat je die al in je had op het moment dat je werd geboren. Je antwoorden en je innerlijke wijsheid hebben je in staat gesteld om te komen waar je nu bent, en je zult ook verder kunnen komen. Je bent geen robot. Je mag best huilen. Je mag best pijn voelen. Ik verwacht niet anders dan dat je down bent, of zelfs depressief. Maar weet wél dat al die dingen normaal zijn. Ondanks dat alles zul je dit overleven. En hoewel het je veel zal kosten, kom je er waarschijnlijk wijzer en sterker uit. Maar je moet de ene voet voor de andere blijven zetten. Je kunt je niet zomaar in foetushouding oprollen en erop rekenen dat een jaar later alles beter is. Je moet opstaan, onder de douche stappen, je haar fatsoeneren. Maak je op of scheer je. Ga naar je werk. Ga naar de kerk. Je moet door met je leven, omdat wanneer je het bijltje erbij neergooit en steun van vrienden en familie afwijst, dat je verdriet alleen maar zal vergroten.

**De zon zal zeker weer opkomen,
en hij zal zeker op jouw gezicht schijnen.
Ademhalen zal je weer makkelijk afgaan.**

Ik zal niet beweren dat het verlies dat je nu doormaakt makkelijk is of dat je leed op de een of andere manier best een schappelijke prijs zou zijn voor wat je mogelijk van deze ervaring leert, maar aangezien je het toch niet uit de weg kunt gaan, kun je net zo goed proberen er iets mee te winnen. Iets wat je kunt gebruiken om beter met verlies om te gaan wanneer je het opnieuw moet doormaken. Iets wat je kunt doorgeven aan je kinderen, zodat zij er beter tegen bestand zijn wanneer zij zelf met deze uitdagende crisis in hun eigen leven te maken krijgen.

Dus laten we het eens hebben over je actieplan en de manier waarop je de klippen van deze wildwatertocht denkt te omzeilen, zodat je zo goed mogelijk verder kunt. Zoals ik eerder zei, kun je ofwel jezelf deel maken van het probleem en voor de slachtoffer-rol kiezen, ofwel deel zijn van de oplossing. Hieronder zet ik acht basisstappen uiteen die voor dat laatste nodig zijn.

Kom in actie

- **Stel je verwachtingen bij**

    Ik heb een paar dingen genoemd die je waarschijnlijk zult ervaren als gevolg van een verlies: je moet huilen en voelt je beroerd, moe, lethargisch en kwaad. Je volgende stap bestaat eruit te accepteren dat dat van nature deel uitmaakt van rouw. Een overlijden, een echtscheiding of een ander soort verlies waardoor je je afgewezen en alleen voelt, is echter geen ver-oordeling tot een leven lang verdrietig zijn, en ja, je zult het achter je kunnen laten. Maar stel geen algemene verwachtin-gen aan jezelf en sta ook niet toe dat anderen dat doen. We-derom geldt: accepteer voorlopig alleen dat je eerst door deze moeilijke emoties heen moet en dat dat tijd kost. Het verrast je misschien dat je niet in staat bent een traan te laten of iets anders te voelen dan verdoofdheid, ook al hield je nog zoveel van degene die is overleden. Het kan gebeuren dat je totaal niet bij je emoties kunt, en dan opeens, op een ogenschijnlijk onverwacht moment waarop er eigenlijk niets aan de hand is, stort je helemaal in. Nogmaals: vergeet niet dat verdriet ten gevolge van een verlies geen lineair proces is met een begin, een midden en een definitief einde. Je krabbelt overeind in je eigen tijd; zorg alleen wel dat je dat doet voordat je de weg helemaal kwijtraakt.

- **Accepteer wat je niet kunt veranderen**

Een van de meest voorkomende problemen waar je mee te maken krijgt wanneer iemand van wie je veel houdt overlijdt of bij je weggaat, of wanneer je hart aan stukken is geslagen door een ander verlies, is het gevoel geen enkele controle meer te hebben. We willen altijd graag controle hebben over de manier waarop mensen en dingen uit ons leven verdwijnen, omdat we de dingen die we het allerbelangrijkst vinden graag bij ons willen houden. Ook al ligt bij verlies die controle op geen stukken na binnen ons bereik, toch zijn we geen slachtoffers – of dat hoeven we althans niet te zijn. In dit proces is er een punt waarop je kunt – en moet – kiezen hoe je op deze harde klap wilt reageren. Dit is dan misschien niet wat je wilde, maar je zult er actief, welbewust voor moeten kiezen je te concentreren op wat je wél kunt veranderen. Je kunt nu je reactie kiezen én kiezen hoe je in de toekomst zult denken, voelen en leven; en even belangrijk is dat je er bewust voor kiest te accepteren wat je niet kunt veranderen. Dat houdt in dat je mentaal, emotioneel en spiritueel de werkelijkheid van je verlies accepteert en een verleden loslaat dat je niet terug kunt brengen of kunt veranderen.

Je vindt het waarschijnlijk helemaal niks dat je iemand of iets waarvan je hield kwijt bent, maar helaas heb jij daar geen zeggenschap over. Of je het nu leuk vindt of niet, de meeste dingen in het leven – hoe je er ook van geniet – blijven niet eeuwig duren. En of je het nu leuk vindt of niet, de dood is waarschijnlijk de enige zekerheid in deze wereld. Niemand blijft eeuwig leven, en we hebben er niets over te zeggen wanneer het onze tijd is.

Die kijk op de dingen houdt ook in dat je ervoor kiest de waardevolle dingen die nog in je leven zijn koestert. De timing kan variëren, maar uiteindelijk is het aan jou om je verlies te accepteren en verder te gaan. De filosoof Friedrich Nietzsche zei al: 'Groei in wijsheid houdt gelijke tred met een afname van bitterheid.'

- **Vind kracht bij anderen**

Hierboven heb ik opgemerkt dat je de werkelijkheid beter vroeger dan later kunt accepteren en dat je ook je eigen verantwoordelijkheid moet blijven dragen, maar daarnaast is het ook raadzaam om kracht bij anderen te zoeken. Hoewel het kan lijken alsof je helemaal alleen staat en niemand anders zich een voorstelling kan maken van wat jij moet doorstaan, is het toch goed om te proberen met iemand te praten die een vergelijkbaar verlies heeft geleden, of met iemand wiens aanwezigheid een bron van troost en kracht is. Soms kan iemand die met je meeleeft je erg helpen, ook als diegene zelf níét een verlies als het jouwe heeft geleden. Het feit alleen al dat die persoon zoiets nog niet heeft meegemaakt, kan wat broodnodige objectiviteit brengen in jouw ellende.

En vergeet alsjeblieft niet om geduld te hebben met anderen die niet hebben meegemaakt wat jij nu meemaakt. Zoals ik eerder opmerkte, zullen sommige mensen, hoe goed hun bedoelingen ook zijn of hoe dicht ze ook bij je staan, ongevoelige of ongepaste dingen zeggen, zoals: 'Het is maar beter zo,' of: 'Je kunt wel weer een ander bedrijf opzetten.' Probeer dan diep adem te halen en voor ogen te houden dat de meeste mensen gewoon niet weten wat ze zeggen. Hun woorden kunnen je enorm irriteren, maar de kans is groot dat ze alleen maar wilden laten blijken dat ze om je geven.

- **Voorkom dat je vastloopt**
Het is maar al te makkelijk om 'vast te lopen' in deze negatieve ervaring en alle emoties die ermee samengaan. Doe wat je moet doen om dan uit het slop te komen. Hoe dat werkt, is voor iedereen anders, maar het kan best zijn dat je datgene weg moet geven wat je zelf het hardst nodig hebt, zoals er voor anderen zijn, of achtergestelde kinderen of oude mensen gaan helpen. Het kan om zoiets simpels gaan als een nieuwe interesse ontwikkelen, een nieuwe hobby oppakken, in therapie gaan of je dokter raadplegen over mogelijke behandelingen, zoals met antidepressiva of medicijnen tegen angst. Sommige mensen willen niets van medicijnen weten, uit angst dat hun persoonlijkheid daarvan verandert of dat ze er hun leven niet meer vanaf komen. Door je verdriet kan er echter een biochemische disbalans in je lichaam zijn ontstaan, en dan kunnen medicijnen je op korte termijn weer vlottrekken. Je kunt jezelf ook helpen door je voor de geest te halen wat de redenen zijn

om morgen je bed uit te komen en wie je was in de tijd vóór dit verlies. Soms kan het helpen jezelf aan je levensdoel te herinneren door te zeggen: 'Ik ben niet van plan mezelf te verliezen, omdat er een heleboel mensen van mij afhankelijk zijn, niet alleen degene die zojuist van me afgenomen is.' Talloze keren zijn er moeders naar me toe gekomen die een kind hadden verloren. Begrijpelijkerwijs gaan die vaak als robots of zelfs als zombies door het leven, maar het punt is wel dat ze nog andere kinderen hebben. Dié kinderen raken hun moeder kwijt, en dat kun je niet maken. Je moet je best doen om een balans te vinden; soms mag je alleen maar niet vastlopen omdat je nodig bent, en dat is een goede zaak.

Je kunt jezelf ook helpen door je voor de geest te halen wat de redenen zijn om morgen je bed uit te komen en wie je was in de tijd vóór dit verlies.

Wat ook weleens wil helpen om een nieuwe periode te markeren, is aan iets heel nieuws beginnen. Ga bijvoorbeeld poëzie lezen, sporten, spirituele steun zoeken, naar muziek luisteren, je aanmelden voor een praatgroep, of maak de reis waar je altijd al van hebt gedroomd. Het gaat er maar om dat je op zoek gaat naar gezonde manieren om je pijn te verzachten. Besef echter wel dat je momenteel kwetsbaar bent, dus pas op als je in het verleden verslaafd bent geweest. Grijp niet naar alcohol, drugs of etenswaren om jezelf tot rust te brengen. Dat gaat niet lukken. Val niet terug in een verslaving. Wees je ervan bewust dat je nu voor zulke dingen nog extra vatbaar bent en wijzig je koers als je merkt dat je die weg dreigt in te slaan. Als je hulp nodig hebt, schakel dan een hulpverlener, vriend(in) of praatgroep in om je te helpen je destructieve verlangens om te buigen. Verantwoordelijkheidsgevoel kan in tijden van crisis de grootste bescherming bieden.

- **Erken dat tijd iets is wat begrensd is**
  De meeste mensen staan er niet bij stil wat ze allemaal zouden kunnen verliezen. In plaats daarvan denken we dat we alle tijd van de wereld en het eeuwige leven hebben. We gaan ervan uit dat liefde eeuwig duurt en dat mensen pas sterven of bij ons

weggaan als ze oud zijn. Dat is echter niet zo. Het aloude ada-gio 'leef alsof elke dag je laatste is' is zo gek nog niet. Dat wil niet zeggen dat je roekeloos of zorgeloos zou moeten zijn, al je geld erdoorheen zou moeten jagen en geen toekomstplannen zou hoeven maken. Het betekent alleen maar dat je de hou-ding 'die dingen overkomen alleen andere mensen' niet kunt volhouden.

Vaak koesteren mensen niet wat ze liefhebben wanneer het voor hen binnen handbereik ligt. De song 'Cat's in the Cradle' van Harry Chapin drukt dat heel sprekend uit. De vader had geen tijd voor de zoon toen die klein was, en dan groeit de zoon op en heeft hij geen tijd voor de vader. Je moet wakker worden en goed begrijpen dat je niet door dit leven heen kunt wandelen terwijl je er voetstoots van uitgaat dat jou geen on-verwachte dingen zullen overkomen. Tijd moet je zien als een betaalmiddel dat je nu moet uitgeven, in plaats van te wach-ten op een dag die misschien nooit komen gaat. Waarom zou je niet, in plaats van te denken 'ik heb volgend jaar ook nog, ik heb de volgende zomer ook nog', die vakantie nú nemen? Waarom zou je niet nú dat team coachen, waarom zou je je ouders niet déze zondag gaan opzoeken? Wat ik van mensen die dierbaren hebben verloren het vaakst te horen krijg, is: 'Ik had nog zo veel willen zeggen. Ik had nog zo veel willen doen.' Maar je loopt niet eeuwig op deze wereld rond, en de mensen van wie je houdt ook niet.

- **Beschouw deze ervaring als iets waardevols**
Dit is waarschijnlijk wel het laatste waar je nu aan wilt denken, maar toch is het belangrijk om je af te vragen wat je van deze ervaring hebt geleerd. Het kan zijn dat je je dichter bij God of bij je familie voelt staan, of je waardeert elke dag meer omdat je beseft hoe onvoorspelbaar het leven is. Misschien ben je in staat patronen en beperkingen die je hebben belemmerd te doorbreken. Van elke ervaring valt iets te leren; om te zien wat dan, hoef je alleen maar wat beter te kijken of er wat tijd overheen te laten gaan. Een deel van het verwerken van deze onvermijdelijke gebeurtenis en van wat je niet in de hand hebt en niet kunt veranderen, bestaat eruit dat je meer aandacht schenkt aan wat je wél kunt sturen – en een deel dáárvan be-

staat weer uit aandacht hebben voor wat deze ervaring je heeft gebracht.

- **Bedenk hoe je je op je eigen dood kunt voorbereiden wanneer je leven zich in rustige wateren bevindt**
Binnen de familie een discussie aangaan over de dood is niet eenvoudig. Maar het is wel nodig. Ik weet immers niet of ik aan het eind van deze zin nog wel leef. Dat snap ik. Dat snap ik heel goed. Ik verwacht dat ik dan nog in leven ben en ik verwacht dat ik pas overlijd als ik oud en grijs ben, en dat dat in mijn bed gebeurt, maar ik besef ook dat dat weleens niet zo zou kunnen gebeuren. Dat betekent dat het belangrijk voor me is om een plan voor mijn gezin te maken en ervoor te zorgen dat het hun financieel aan niets zal ontbreken en dat mijn twee zoons op het leven zijn voorbereid. Mijn vader deed niets van dat al. Hij werd onverhoeds door de dood getroffen en had in vele opzichten beter voorbereid kunnen zijn. Daar heb ik een belangrijke les van geleerd, en ik ben twaalf jaar geleden al begonnen regelingen te treffen voor het geval het onvermijdelijke zich voordoet. Als gevolg daarvan heb ik een uitgebreide planning gemaakt wat betreft testament en financiële regelingen, maar die planning heeft ook andere aspecten. Hoe morbide het misschien ook klinkt, ik heb nu al video's opgenomen voor mijn vrouw en twee zoons, die ze pas later, als het moment daar is, te zien zullen krijgen. Ik heb die opnames ook weer veranderd, nu ik ouder word, en eerlijk gezegd heb ik nog wel meer te zeggen dan ik daarop zeg. Het is helemaal niet leuk om zulke opnames te maken. Verre van. Maar ik zie het als een plicht tegenover mijn zoons om ze te maken, omdat ik hen ermee wil voorbereiden op een leven waarin ik er niet meer ben, wanneer dat ook moge zijn. Ik vertel wat ik in hen allebei zie, wat mijn hoop en dromen voor hen zijn, wat voor soort burgers ik hoop dat ze in het leven zullen worden. Ik heb het erover hoe ik graag zou zien dat ze voor hun moeder zullen zorgen. Ik wil dat ze die dingen aankunnen in mijn afwezigheid. Ik heb hun hier al veel over verteld, maar ik wil dat ze het allemaal nog een keer kunnen horen wanneer ze dat willen. Het zal wel mijn manier zijn om na mijn dood bij hen te komen 'spoken'!

Misschien vind jij het ook een goed idee om je familie voor te bereiden op een tijd waarin jij er niet meer zult zijn door je te focussen op de spirituele kanten van de opvoeding. In dat geval zul je moeten besluiten waar je in gelooft. Heb je een geloof? Geloof je in een leven na dit leven? Ik heb mijn zoons mijn eigen geloof niet opgelegd, ik heb alleen het goede voorbeeld gegeven, en ze weten niet anders. Ik heb ervoor gezorgd dat ze een actief spiritueel leven leiden en door middel van gebed actief in gesprek gaan met hun hemelse Vader. Ik ben ervan overtuigd dat een relatie met de hemelse Vader kan voorkomen dat kinderen zich helemaal alleen voelen wanneer ze hun ouders verliezen, omdat ze dan het gevoel hebben dat er iemand over hen waakt, voor hen zorgt en hen beschermt. Op die manier zullen mijn zoons, ook al moeten ze hun aardse vader op een gegeven moment verliezen, hun hemelse Vader nooit kwijtraken. Ik ben er altijd van doordrongen geweest dat de relatie van mijn jongens met Hem een weerspiegeling zou zijn van hun relatie met mij. Als ik ónze relatie zodanig inricht dat ze in tijden van nood en problemen naar me toe komen en er openlijk over praten, bereidt dat hen erop voor zich tot hun hemelse Vader te wenden in tijden van nood en problemen, en om Hem via gebed te vertellen wat er speelt. Ik ben alleen maar een vergankelijke stand-in voor hun echte Vader. Hij biedt hun kracht en Hij is degene tot wie ze zich zullen richten als ze mij verliezen.

En zo kunnen ook jij en je familie een plek hebben om je toe te richten. Het maakt niet echt uit wat voor geloof je aanhangt. In de een of andere vorm gaan alle religies uit van het bestaan van een Opperwezen dat niet eindig is. En dat kan voor jou een andere bron van kracht en troost zijn. Als je gelooft in de een of andere hogere macht, dan zul je begrijpen dat je dat doet met een doel – je betuigt die macht niet zomaar respect omdat het nu eenmaal zo hoort. Ik beschouw dit als een bron van troost voor als ik er zelf niet meer ben. Zo denk ik erover; als jij het anders ziet, zal dit voor jou niet het juiste instrument zijn om met deze crisis om te gaan. Ik wil je zeer zeker geen geloof opdringen. Ik wend dit instrument zelf alleen aan om me voor te bereiden op mijn eigen heengaan, maar als dit niet jouw geloof is, ga dan door naar het volgende stukje.

- **Houd het leven in ere**

  Zoals ik eerder al even aanstipte, en nogmaals wil benadrukken omdat het zo belangrijk is, ervaar je het wanneer er iemand overlijdt als een tragische onrechtvaardigheid wanneer je je alleen maar focust op de dag dat je degene die je dierbaar is hebt moeten verliezen aan een ziekte, een ongeluk of een plotselinge dood. Hetzelfde geldt voor het verlies van een droom, vriendschap of een vergelijkbare ervaring. Niet alleen is het pijnlijk, maar het brengt je niet dichter bij genezing en dóórgaan. Jazeker, je kunt om iemands heengaan rouwen, en dat moet je ook doen, maar vergeet niet om óók van diens leven te genieten.

  Ieders leven zou in ere gehouden moeten worden om wat die persoon voor de wereld en voor ons persoonlijk heeft betekend. Natuurlijk is duidelijk voelbaar dat hij of zij er niet meer is, en wordt er daarom getreurd. Het kost tijd om je daaraan aan te passen. Maar het leven is niet ten einde gekomen, en ik betwijfel of het ooit wel iemands laatste wens zal zijn dat degenen die achterblijven er het bijltje bij neergooien. Ieders leven heeft als doel dat het op een voorspoedige en genereuze manier kan worden voortgezet. Want wat voor andere zin zou er kunnen zijn?

Tot slot

Het verleden is geweest en de toekomst is nog niet aangebroken. Neem deze houding aan: 'Het enige wat telt, is het hier en nu – ik moet op het moment leven. Ik moet voor mijn kinderen zorgen, voor mijn ouders, en voor mijn huwelijk, zodat ik er altijd aan herinnerd word dat als ik die vergeet of als vanzelfsprekend beschouw of er geen aandacht aan besteed, ze van me afgenomen kunnen worden. Mijn gevoelens kunnen voorbijgaan, hun gevoelens kunnen voorbijgaan.' Dingen veranderen. Mensen sterven nu eenmaal. Ga het niet gewoon vinden dat ze er zijn. Je moet jezelf bovendien de vraag stellen: 'Heb ik wel de dingen gezegd en gedaan die ik zou willen hebben gezegd en gedaan als ik een dierbare had verloren?' Waarom? Omdat als de zon vandaag ondergaat en je bepaalde dingen ongezegd en ongedaan laat, je jezelf, je gezondheid of je toekomst niet beschermt. Als je een verlies hebt geleden, laat dat dan de nadruk leggen op het belang van de relaties die je hebt met jezelf en met degenen die in deze fysieke wereld nog bij je zijn.

5.

Angst: wanneer je beseft dat je verraad aan jezelf hebt gepleegd

Als je geen uitdrukking geeft aan je eigen oorspronkelijke idee-
en, als je niet luistert naar wie jijzelf in je diepste wezen bent,
pleeg je verraad aan jezelf. Het tegenovergestelde van moed is
in onze maatschappij niet lafheid, maar je conformeren.
– Rollo May

Het verrast je misschien dat ik een van de zeven grote crises in het leven op deze manier omschrijf. Maar als ik het heb over 'verraad', heb ik het over het moment waarop je, zoals zo veel anderen, tot het besef komt dat je hebt toegestaan dat angst – een grote kracht die veel keuzes die je elke dag maakt kan voorschrijven – je manier van leven beheerst, bepaalt waarom je doet wat je doet, en zelfs waar je dat doet. Het moge duidelijk zijn dat ik hier niet doel op dagelijkse angsten zoals de angst voor spinnen, voor grote hoogtes en voor spreken in het openbaar. Ik bedoel maar, we ervaren allemáál verschillende soorten angsten die ons met onze neus op het feit drukken dat wij ook maar mensen zijn. Sommige angsten zijn goed en dienen om ons te beschermen; zo kan angst je leven redden door je ervan te weerhouden midden in de nacht een donker steegje in te slaan, of risico's te nemen die emotioneel, financieel of fysiek gesproken te groot zijn. Nee, ik heb het hier over iets groters: over het moment waarop je, alsof iemand je een stomp in je maag heeft gegeven, realiseert dat angst je leven heeft gedomineerd, en nóg domineert. Dat zo ongeveer elke grote beslissing die je ooit hebt genomen alleen maar heeft gediend om anderen te behagen, te sussen, of op andere wijze in andermans behoeften te voorzien – behalve in de jouwe. Het is het moment waarop je tot het inzicht komt dat je jezelf, je leven en je dromen in de uitverkoop hebt gedaan, omdat je bang was dat je zou falen of mensen zou teleurstellen wier mening je op prijs stelt. Nu moet je uiteindelijk dan toch toegeven dat je jezelf, en je eigen behoeften, permanent hebt opgeschort.

Wanneer je je leven hebt laten regeren door angst, en dat nu toegeeft, zul je een heleboel van de onderstaande scenario's onder ogen moeten zien. Laten we eens kijken of de schoen je past. Het kan zijn dat je tot de ontdekking komt dat je beslissingen hebt genomen omdat je doodsbang was voor wat er zou gebeuren als je niet de veiligste weg zou kiezen. Je hebt genoegen genomen met wat je níét wilt in plaats van te gaan voor wat je wél wilt, omdat je bang bent dat je het niet krijgt en dat dat veel pijn zou doen. Je kunt bang zijn dat als je niet gaat voor 'één vogel in de hand', je die tien in de lucht nooit zult krijgen. Ik heb het hier over keer op keer 'nee' tegen jezelf zeggen, omdat je niet het risico wilt nemen plat op je bek te gaan, zodat mensen om je heen kunnen zeggen: 'Had ik het niet gezegd?' Liever dan dat je mogelijk alleen zou komen staan (of zou moeten vechten) voor wat je echt wilt of waar je echt van hebt gedroomd, heb je met de massa meegelopen of heb je iemand anders – misschien je partner, je ouders, je vriend(inn)en, of je werknemers – je laten vertellen wat je leuk zou moeten vinden of zou moeten willen of doen.

De lijst van mogelijke vormen van verraad is eindeloos en loopt van de belangrijkste beslissingen die je in je leven kunt nemen – zoals ja zeggen tegen een promotie die je niet wilt (niet alleen zie je die nieuwe functie helemaal niet zitten, maar je moet er ook voor naar een afgelegen plek verhuizen waar je geen trek in hebt, en je vrouw zet je onder druk om toch ja te zeggen, omdat haar zus daar woont) – tot wat je elke dag aantrekt, met wie je omgaat, of zelfs het geld dat je uitgeeft om de schijn op te houden. Druk van leeftijdgenoten is helaas niet een verschijnsel dat alleen aan jongvolwassenen is voorbehouden. Ook volwassenen conformeren zich elke dag aan een groep, vaak omdat ze niet goed 'nee' tegen die groep of de maatschappij durven te zeggen en niet de dingen durven te doen die ze echt denken, die ze voelen en waar ze in geloven. Het gevaarlijke van een houding die op angst stoelt, is dat die je verlamt en je in een zogeheten comfortzone of 'groef' doet belanden, die veilig aanvoelt en voorspelbaar is, maar waarmee je kostbare tijd in je leven verdoet, omdat je je dan inspant voor wat je níét in plaats van voor wat je wél wilt.

Het is net of je een groot, prachtig, nieuw cruiseschip in een haven ziet liggen dat nooit uit zal varen naar zee, waar het hoort. Het blijft op die manier misschien wat schoner en glimmender dan de schepen die er wél op uitvaren en door de stormen op zee heen en weer worden geslingerd en gebeukt, maar wat is de zin van zijn bestaan? Het is niet gebouwd om in de haven te blijven liggen – zoals ook jij niet ter wereld bent gekomen om de beste jaren van je leven voor een ander te leven dan voor jezelf. Je weet vast wel over wat voor soort mensen ik het heb; ze hebben een heleboel meningen over hoe je zou moeten leven, maar aan het eind van de dag gaan zij naar hun éígen huis. Waar denk je dat ze blijven wanneer zo'n nepbestaan uit de bocht vliegt en alles instort? Ik durf te wedden dat er van hun grote mond niets meer overblijft.

Ik wil niet beweren dat jij de enige bent die op zo'n manier door het leven gaat. Dat ben je namelijk niet. Als je het mij vraagt, wordt tachtig procent van alle beslissingen door angst ingegeven. Daarom heb ik dit onderwerp ook uitgekozen als een van de zeven grote levenscrises. Denk er eens over na: we zijn een maatschappij van conformisten – conformisten die geprogrammeerd zijn door de bemoeizuchtige generatie die ons is voorgegaan en door een marketingmachinerie die ons vertelt wat we moeten eten, bezitten en dragen, in wat voor auto we moeten rijden en wat we moeten consumeren om 'oké' te zijn. Misschien doen we er goed aan al die input in overweging te nemen, maar uiteindelijk moeten je beslissingen dóór en vóór jou zelf worden genomen – want anders hebben we het over 'verraad'. Misschien trap ik al mijn lezers nu op de tenen, maar de titel van dit boek luidt niet voor niets Het echte leven, en daarom moeten we deze gesprekken ook echt zien te voeren. Ik propageer hier geen egoïsme; daar is de wereld al ruim van voorzien. Ik heb het hier over trouw zijn aan jezelf wanneer het erom gaat te kiezen hoe je je leven wilt inrichten, zonder dat je daarmee anderen kwetst of uitbuit. In de loop van dit hoofdstuk zul je zien dat het heel goed mogelijk is om zo te leven.

Hoe ziet een door angst bepaald leven eruit?

Wanneer je ontdekt (of uiteindelijk toegeeft) dat angst weleens de basis zou kunnen zijn van je beslissingen en interacties met anderen, kun je erachter komen dat dat komt door een verstoorde verbinding tussen wie je denkt dat je zou moeten zijn en je zogeheten 'authentieke zelf'. Het authentieke zelf is het deel van 'jou' dat de kern van je wezen uitmaakt – het is de optelsom van jouw unieke gaven, vaardigheden, interesses, talenten, inzichten, wijsheid, sterke punten en normen en waarden, die allemaal uitgedrukt willen worden. Dit staat in direct contrast met de dingen waartoe je door anderen geprogrammeerd bent om ze te geloven of te doen.

Het authentieke zelf is de 'jij' die zonder zich van zichzelf bewust te zijn opbloeide op die momenten in het leven waarop je je het gelukkigst en het meest vervuld voelde. Het is de jij die er al was voordat je de 'coole kids' achter je rug hoorde smoezen en die je op school buitensloten, of voordat je er mensen grapjes over hoorde maken dat jij 'dik' zou zijn. Het is de jij die er al was voordat je klappen opliep van de scheiding van je ouders, of voordat je in de steek gelaten werd door je partner of je volwassen kinderen – voordat je pogingen deed en mislukte, of uitreikte en werd afgewezen. Het is de jij die bestond voordat je ging beseffen dat het leven een *full-contact* sport is, en dat wanneer je je nek uitsteekt de kans groot is dat je een klap op je hoofd krijgt – en niet zo zuinig ook. Het is de jij die zich ertegen verzet om van jezelf te vragen meer te zijn dan je bent, die niet weet wat het inhoudt om je maar te schikken of jezelf te verraden. Ergens diep in je binnenste ligt je authentieke zelf te wachten tot je de weg ernaartoe terugvindt – tot je er weer contact mee maakt en je leven gaat leiden vanuit eerlijkheid en zonder angst. Leven zonder angst is hartstochtelijk, niet roekeloos; het is richtinggevend, niet onverantwoordelijk.

Je authentieke zelf is de jij die zich ertegen verzet om van jezelf te vragen meer te zijn dan je bent, die niet weet wat het inhoudt om je maar te schikken of jezelf te verraden.

Tekenen van een door angst verbroken contact met je authentieke zelf

Misschien weet je nog hoe het was om volgens je eigen levensagenda te leven – toen je nog je hart volgde in de liefde, besloot weer een opleiding te gaan volgen, of de baan van negen tot vijf waar je zo'n hekel aan had opgaf om serieus werk te maken van je droom om te acteren of te schrijven of een bedrijfje te beginnen. Waarschijnlijk was je toen dolenthousiast over je toekomst, omdat je bezig was met doelstellingen en contacten die je vervulden en je het gevoel gaven dat je leefde. Maar ergens onderweg heb je de boel laten versloffen. Om wat voor reden dan ook is jouw eigen script ingeruild voor het idee over wie jij zou moeten zijn van iemand anders. Vanaf dat punt is het bergafwaarts gegaan.

Mogelijk stelden de eerste tekenen niet zo veel voor. Op de gebieden van je leven waarop je niet in lijn was met je ware aard, begon je innerlijke onvrede te bespeuren. Je vond het bijvoorbeeld maar niks dat je baas je zo controleerde, maar was niet bij machte hem erop aan te spreken, dus met de stress die het oplevert heb je leren leven. Het kan zijn dat je gevoel dat je jezelf verraadde door niet eerlijk te zijn maar niet overging – het nam de vorm aan van jezelf 'genezen' met alcohol, of te veel eten, of glasharde ontkenning, of andere zelfdestructieve gewoontes die je tijdelijk verlichting brachten.

Een slaaf zijn van de marketingmachine en geloven dat 'oké' zijn betekent dat je de juiste designerkleding moet dragen, in de juiste auto moet rijden, in de juiste gelegenheden moet gaan eten, en moet omgaan met de juiste mensen, hebben de plaats ingenomen van je werkelijke normen en waarden. Misschien heb je besloten dat de waarde die jij als persoon hebt en de beslissingen die je neemt door iemand anders goedgekeurd moeten worden, en ben je gaan leven met een angst om betrapt te worden of als 'inferieur' beoordeeld te worden. Door je diepste verlangens te ontkennen, ook in kleine dingen, ben je veranderd; degene die jij onder dat alles was, is ondermijnd geraakt. Dat kan geleidelijk zijn gegaan, omdat het steeds makkelijker werd om je eigen stem te negeren, om de moed om jezelf te zijn in te ruilen voor de weg van de minste weerstand in je relaties, op het werk, en zelfs in de dromen die je ooit over je leven koesterde. Kleine leugens zijn levensgrote leugens geworden, totdat je alleen maar bezig was het imago dat je had neergezet vol te houden en één grote uitverkoop bent gaan houden.

Misschien kun je je niet eens meer herinneren wanneer je authentiek leefde. Je leeft al zo lang op deze manier dat je je niet kunt voorstellen dat je wat dan ook ter discussie zou stellen – van je partnerkeus, de baan die je hebt gekozen, je vriendengroep, je geloof, je kleding, je persoonlijkheid, je hobby's, je auto, je leefomgeving, je kapsel, je politieke ideeën, je normen en waarden, je moraliteit en je gedrag, tot en met de stad waarin je woont. Misschien ben je grootgebracht in een beschermde, veilige omgeving, doodsbang dat je afgewezen zou worden, dat je zou falen, teleurstellen, kwetsen, of te veel problemen zou opleveren als je zou zeggen: 'Wacht eens even, en ík dan? Hoe zit het met wat ík wil of nodig heb?'

In plaats van de trots en het gevoel dat je iets hebt gepresteerd die je op dit moment in je leven zou moeten ervaren, heb je diep in je hart eerder het idee dat je met een noodvaart tegen het verkeer in over de snelweg rijdt zonder dat je kunt uitwijken. Het probleem is: zo ben je verkeerd bezig. Dagen zijn overgegaan in weken, weken in maanden, maanden in jaren – als je nú niets doet, kijk je straks over je schouder en is het voorbij voordat je het weet.

De reden waarom je je zo verloren voelt, is dat je je persoonlijke waarheid geweld hebt aangedaan – dat wil zeggen: datgene wat je echt over jezelf gelooft wanneer er niemand anders kijkt of luistert – en jezelf op de diepst mogelijke niveaus hebt verraden. Je leven voelt zo leeg omdat elke keus die je in al die jaren hebt gemaakt en die niet klopte met wie je was en wat je geloofde, ertoe geleid heeft dat er weer een stukje van de échte jij in je binnenste is doodgegaan. Dan slaat de paniek toe. Op een dag kijk je in de spiegel en zeg je: 'Ik bak er niks van, en daar kan ik alleen maar mezelf de schuld van geven.'

Ik kan je niet eens bij benadering vertellen hoeveel mensen wel niet tegen me hebben gezegd dat hun grootste angst in het leven is om te moeten toegeven dat wat ze hebben niet is wat ze willen. Dat vinden ze zo eng, omdat er als je dat toegeeft een enorme druk kan ontstaan om er iets aan te doen. Maar dat diept alle angsten weer op waardoor ze staan waar ze nu staan, zoals angst voor mislukking en afwijzing, en het haalt er ook nog eens een paar nieuwe bij, zoals de angst om fouten uit het verleden nogmaals te begaan, of de angst dat ze te lang met dingen hebben gewacht, zodat het nu allemaal toch niks meer uitmaakt. Ze zitten opgescheept met de werkelijkheid dat ze niet alleen niet hebben wat ze willen, maar daar bovendien in vastzitten. Er staat dan een heleboel op het spel, en met elke dag die verstrijkt, verlamt de kans om te falen hen nog meer.

Angst kan je op vele manieren lamleggen. Als je toegeeft aan door angst ingegeven besluitvorming, herken je jezelf hoogstwaarschijnlijk wel in een paar van de scenario's waarin twee van de meest voorkomende vormen van niet-authentiek leven uitmonden: 'een schijnleven leiden' en 'scheppen waar je bang voor bent'.

Een schijnleven leiden

Bij deze eerste 'nepmanier' van leven heb je het gevoel dat je de schijn ophoudt en elk moment betrapt kunt worden. Je beslissingen neem je niet om te groeien of om het leven te verkennen, maar ze hebben alles te maken met een vals gevoel van zelfhandhaving en een vals gevoel van zekerheid. Je richt je niet op winnen; je doel wordt simpelweg om niet te verliezen. Ik heb een heleboel meisjes met wie ik ben opgegroeid zien trouwen met een of andere ouwe sok alleen maar omdat ze hun ouderlijk huis wilden ontvluchten: 'Het kan me niet echt schelen wie hij is, hij is in elk geval mijn vader niet. Hij mag dan wel niet de ware zijn, maar voor dit moment is hij waar genoeg.' Andere mensen kiezen in hun werk de weg van de minste weerstand: 'Ik wil ontzettend graag uit deze baan weg. Ik pak alles aan wat zich voordoet. Heb ik een plan? Alleen in die zin dat ik hier weg wil komen!' Hun besluitvorming is eerder gebaseerd op vermijding dan op verlangen. Het probleem daarbij is dat dat meestal tot gevolg heeft dat de plannen en dromen die deze mensen ooit hebben geïnspireerd uit beeld raken.

In mijn eigen leven heb ik dezelfde keuzes moeten maken. Omdat ik het na het behalen van mijn bachelorsdiploma behoorlijk moeilijk had met mijn mastersgraad, stapte ik naar mijn studieadviseur, die ik vrij goed had leren kennen (belangrijker nog: hij had mij leren kennen) en ik vroeg hem op de man af of hij dacht dat een PhD-graad er voor mij in zat. Ondanks het feit dat ik over het algemeen goede cijfers had gehaald, keek hij me aan en zei, zonder ook maar even met zijn ogen te knipperen: 'Daar twijfel ik ernstig aan. Je gaat het denk ik niet redden.' Ik wist niet wat ik hoorde! 'Waarom dan niet? Ben ik soms niet slim genoeg? Heb ik niet in huis wat daarvoor nodig is?' Hij schudde zijn hoofd en zei: 'Dat is het niet. Maar jij bent niet iemand die zich snel zal kunnen verenigen met wat de opleiding van je vergt. Eerlijk gezegd heb jij te veel mogelijkheden en zul je nooit overweg kunnen met al die onzin die ermee samengaat.' Watte? Wat je noemt stof om over na te denken. Hoewel hij zei dat ik het niet zou halen, zou dat om de juiste redenen zijn, namelijk omdat het niet met mijn persoonlijkheid overeen zou komen. Of toch niet? Ik wist niet wat ik ervan moest denken.

Ik had me die dag uit het veld kunnen laten slaan door wat andere mensen misschien als een goede raad zouden beschouwen – en neem maar van mij aan dat het achteraf gezien helemaal niet zo'n slechte raad was. Een heleboel mensen en dingen leken met elkaar samen te spannen om mij van die PhD-graad af te houden, en het zou een stuk makkelijker zijn geweest om mijn droom te laten varen dan om de prijs te betalen die nodig was om het voor elkaar te krijgen. Maar ik zette mijn tanden erin en voltooide de reis, omdat ik het zo ontzettend graag wilde. Dat was een moment in mijn leven waarop ik niet terugdeinsde. Ik heb die graad gehaald en de rest is geschiedenis, zou je kunnen zeggen.

Voor mij maakte het niet uit dat het een van de moeilijkste dingen zou worden die ik ooit zou doen, of dat nog geen één procent van de bevolking ooit een PhD-graad haalt. Het kon me niets schelen dat anderen die ook die graad wilden halen daar misschien hun ziel voor moesten verkopen. Wat wel telde, was dat ik het haalde, hoewel ik me als ik 's ochtends wakker werd geregeld afvroeg of al dat gedoe de prijs wel waard was – ik bleef trouw aan wie ik was en aan hoe ik dingen wilde aanpakken zonder me door het systeem van de wijs te laten brengen. De waarheid is dat ik het zwaar te verduren kreeg omdat ik anders was, omdat ik een individu was, maar ik kan je zeggen dat ik er geen moeite mee had om mezelf elke ochtend in de spiegel aan te kijken.

Begrijp me niet verkeerd. Ik wil niet beweren dat ik niet óók op angst gebaseerde beslissingen heb genomen. Er zijn momenten geweest waarop ik groot verraad heb gepleegd, vooral ten aanzien van situaties waarbij familieleden en mijn vader betrokken waren. Zoals ik al herhaaldelijk heb opgemerkt, ben ik veel langer in de particuliere praktijk blijven hangen dan ik wilde (en had moeten doen), en om de verkeerde redenen – voor mijn vader, voor mijn gezin, voor een maatschappij die wegloopt met jonge, succesvolle dokters die er een bloeiende praktijk op na houden. Daar zat ik dan, precies te doen wat ik had gezworen nooit te doen – en lang ook. In die tijd begon ik stappen te zetten om mijn praktijk te sluiten en een adviesbureau voor rechtszaken te beginnen, dat (hoewel uiterst riskant) veel leuker bleek te zijn!

Ik wil niet zeggen dat het makkelijk was, en ik zeg ook niet dat het allemaal van de ene op de andere dag tot stand kwam – ik had tenslotte een vrouw en twee kinderen om rekening mee te houden. Maar ik maakte wel een begin met het proces. Ten eerste moest ik mijn angsten onder ogen zien en mezelf een paar moeilijke vragen stellen: 'Geloof ik voldoende in mezelf om iets nieuws te proberen en te denken dat dat me zou kunnen lukken? Ben ik bereid mijn inkomen, mijn huis, mijn levensstijl – alles waar ik de afgelopen twaalf jaar hard voor heb gewerkt – op het spel te zetten, alleen maar voor een kans op geluk door te doen wat ik volgens mij echt zou moeten doen?' Ik besloot dat het het risico waard was. En daar heb ik geen moment spijt van gehad.

Bijna vijftien jaar later, toen ik het tijd vond worden voor iets nieuws, deed ik het weer. Ik deed het niet vanuit een isolement en ook niet vanuit egoïsme. Ik ging er met mijn gezin eens goed voor zitten en was blij te horen dat ze mijn wens ondersteunen om naar Hollywood te gaan en werk te maken van een eigen televisieprogramma. Zeven jaar later was het allemaal een feit. De tweede keer was ik misschien een tikje wijzer, omdat ik geen tijd verloren liet gaan om mijn nieuwe passie te volgen.

Interessant aan integriteit en zelfacceptatie is dat wanneer je lekker in je vel zit, andere mensen dat aanvoelen en meestal veel meer respect voor je kunnen opbrengen dan wanneer je de hele tijd alleen maar bezig bent hen ten koste van alles te behagen.

Zoals ik eerder al zei, zijn er momenten geweest waarop ik in de spiegel keek en degene die terugkeek wel oké vond, maar ook andere – zoals die jaren in mijn privépraktijk – waarop ik helemaal niet zo blij was met wie ik zag. Belangrijk is dat ik uiteindelijk inzag wat er aan de hand was en besloot daar iets aan te doen. En dat is nou net het punt: degene die je in de spiegel ziet, wéét of je hem of haar trouw bent, en zolang je die persoon zonder gêne recht in de ogen kunt kijken, maakt het niet uit of anderen niet snappen wie je bent of waar je mee bezig bent. Interessant aan integriteit en zelfacceptatie is dat wanneer je lekker in je vel zit, andere mensen dat aanvoelen en meestal veel meer respect voor je kunnen opbrengen dan wanneer je de hele tijd alleen maar bezig bent hen ten koste van alles te behagen.

Misschien heb jij ook van die grote beslissingen moeten nemen zoals ik, niet per se over een carrièreverandering, maar over iets wat op een andere manier zwaar woog. Je hebt mogelijk de moed moeten opbrengen om te verhuizen naar een nieuwe stad, of iets moeten veranderen in een belangrijke relatie, of je bent op een ander geloof overgestapt. En trouwens, als het voor jou belangrijk was of is, dan telt het hoe dan ook mee. Hoe triviaal of simpel het anderen misschien ook voorkomt, als het voor jóú van belang is, dan ís het ook van belang.

Je bent misschien verkeerd behandeld door een afwijzende moeder of door andere mensen in je leven die je emotioneel hebben leeggezogen, omdat je dacht dat ze niet van je zouden houden als jij niet van hen hield, en je hebt wellicht besloten dat het nog altijd veel beter is om hen te accepteren dan om alleen te zijn. Of je bent voor je man een plichtsgetrouwe echtgenote geweest: je bent naar de juiste stad verhuisd, hebt de gastvrouw gespeeld voor mensen met wie je niets gemeen had en bent lid geworden van een countryclub die je vreselijk vindt – allemaal om hém vooruit te helpen. Of je was de gehoorzame werknemer of het gehoorzame kind en hebt er net als de anderen moeite voor gedaan om de lieve vrede te bewaren en bent gaan geloven dat je alleen maar 'mag blijven' zolang je niet te veel vraagt (als je al iets vraagt) van de mensen in je leven – zoals jou een stem geven in wat er met jóú gebeurt, je met waardigheid en respect behandelen, en gevoelig zijn voor wat jij wilt of nodig hebt.

Het probleem is dat dit alles in zekere zin goed voor je moet hebben gewerkt: misschien was het het wel waard om in een leugen te leven, omdat dat je in je huwelijk of baan een vals gevoel van zekerheid heeft gegeven, of misschien heb je al zo lang zo goed gedaan alsof, dat je zelf in de leugen bent gaan geloven. Maar omdat leugens verraad betekenen aan je eigen vertrouwen en aan je eigen waarheid over jezelf, goed of fout, is het alleen maar een kwestie van tijd voordat dat spaak loopt.

Tot nu toe heb je, althans aan de oppervlakte, misschien niet het idee gehad dat je iets verkeerd deed – je speelde gewoon net als iedereen het spel mee. Maar vandaag is de grens bereikt en kun je niet langer de schijn ophouden – een oud gezegde luidt: 'Je kunt wel rennen, maar dan kom je alleen maar doodmoe aan je eindje.' Misschien heb je je Lexus wel moeten verkopen omdat je de afbetalingstermijnen niet meer kon ophoesten. Of je hebt via de blog van je puberkind toevallig te horen gekregen wat die echt denkt over jouw fakeleven. Of misschien kun je er gewoon niet langer omheen; niet omdat je door iemand anders bent 'betrapt', maar omdat jijzelf wakker bent geworden en de zaken nu onder ogen ziet. Wat de aanleiding ook is, uiteindelijk word je ertoe gedwongen eerlijk tegen jezelf te zijn over je eigen oneerlijkheid en kun je jezelf niet langer verraden door een op leugens gebaseerd leven te leiden.

Jessica wist daar alles van. Haar man, Ken, was manager in de computerindustrie en verdiende een vet jaarsalaris, terwijl zij huismoeder was en voor hun drie kinderen zorgde. Zij was degene die de financiën van het gezin beheerde, hoewel 'beheren' een groot woord is. Ze gaf elke maand honderden dollars uit aan hippe kleren, de kapper en de nagelstudio, gaf grote feesten voor de verjaardagen van haar kinderen, en dronk en at elke dag smoothies en muffins in de trendy sapbar om de hoek. Omdat ze met haar eigen creditcard niets meer kon kopen, nam ze stiekem contant geld op met de creditcards van haar man. Minstens één keer in de week ging ze met haar kinderen naar het winkelcentrum om voor hen te kopen wat ze maar wilden hebben, waarna ze thuis de bonnetjes verstopte en de kinderen waarschuwde dat ze niet aan papa mochten vertellen wat ze hadden gekocht. Ze richtte haar huis in met nieuwe meubels van duizenden dollars, kostbare tapijten en kunstwerken. Geen moment vroeg ze zich af of ze dat allemaal wel konden betalen; voor haar stond vast dat ze al die dingen gewoon moesten hebben.

Nog erger dan geleend geld uitgeven aan een huis in een gewilde woonbuurt, drie auto's, een zwembad en alle kleren en elektronisch speelgoed die de kinderen maar wilden hebben, was dat haar gezin ondertussen geen ziektekostenverzekering had. Ze had drie kleine kinderen, en die waren alle drie in geen jaren voor een controlebezoekje bij de dokter geweest! Toen haar zoon een ongeluk kreeg op school en naar de eerste hulp werd gebracht, stortte Jessica's kaartenhuis in.

Het ging slechts om een gebroken arm, maar ze besefte dat als het iets ergers was geweest, haar gezin het geld niet zou hebben gehad om hem beter te maken. Hun fraaie auto's, hun meubels en iPods zouden hen niet kunnen redden, en ook de façade van deze volmaakte, luxueuze levensstijl niet. Ze durfde het nieuws over hun financiële situatie niet goed met Ken te bespreken, maar die wilde graag de boeken eens bekijken.

Jessica's 'dag der vergelding' was gekomen, en ze zag in dat ze met de prioriteiten die ze stelde de financiële zekerheid van haar gezin in gevaar had gebracht. Ze was bang geweest om een bepaald imago niet vol te kunnen houden, om níét de designerkleren of statusgadgets te kunnen hebben die ze nodig had om in haar vriendenkring geen gezichtsverlies te lijden. Ten slotte rekende ze uit hoeveel schuld ze hadden en ze was verbijsterd toen dat een bedrag van meer dan zes cijfers bleek te zijn. Elke maand had ze bijna drie keer zo veel uitgegeven als haar man verdiende!

Maar al gaf ze uiteindelijk toe dat ze een leven van leugens had geleid, toch vond ze het nog veel enger om dat op te geven. Het was de enige wereld die ze kende, en haar identiteit was er volkomen van afhankelijk. Zonder de nieuwste trendy kleren, zonder gemanicuurde nagels, zonder keurig geklede kinderen, de nieuwste auto's en een gerenoveerde keuken voelde ze zich naakt en bang. Wie was ze zonder dit luxeleventje? En zou er, nu ze alles eerlijk aan haar man had opgebiecht, nog wel iets van hun relatie overblijven, omdat die immers voor zo'n groot deel gebaseerd was geweest op leugens en bedrog? De angst om niet genoeg te zijn had haar op een zelfdestructief spoor gezet, en nu was de angst om de zaken onder ogen te zien zo overweldigend dat Jessica het gevoel had dat ze geen adem meer kreeg. Haar leven stortte letterlijk in.

Scheppen waar je bang voor bent

Van de tweede veelvoorkomende manier om een door angst bepaald leven te leiden is volgens mij sprake wanneer je angst zo sterk wordt dat je in feite precies datgene wat je het meest vreest in het leven roept. Dit werk je in de hand door toe te staan dat de angst dat het zal gebeuren verandert wie je bent, wat je denkt en wat je doet. De angst en zorgen die je ervaart, houden je dusdanig bezig dat je in feite jezelf in het nauw brengt, waardoor datgene waar je bang voor bent zich ook werkelijk voordoet. In je hoofd werkt het zo: wanneer je geobsedeerd raakt met een bepaald eind-resultaat, vooral als dat negatief is, kun je zo overgevoelig wor-den voor dingen die in die richting wijzen en je er zo veel zorgen over maken, dat het wel verkeerd móét uitpakken door de focus op dat negatieve en door het getob. Daarom raad ik je ook aan bij jezelf te rade te gaan en met je 'innerlijke oor' goed te letten op wat je tegen jezelf zegt, op hoe je jezelf programmeert. Zoals een zogeheten black box alle informatie bevat over de redenen waarom vliegtuigen crashen, zo kan je niet-aflatende zelfspraak je duidelijk maken waarom je in het leven ofwel grote hoogten zult bereiken, ofwel zult neerstorten en verbranden.

Dat je juist datgene voortbrengt waar je bang voor bent, klinkt misschien enigszins als een autosticker met een filosofische spreuk, maar het is veel meer. Ik heb keer op keer in de praktijk kunnen aanschouwen dat het zo werkt. Als je bijvoorbeeld bang bent dat je partner van je wil scheiden of bij je weg zal gaan, ge-loof ik dat je die werkelijkheid in je leven kunt en zult creëren door over die potentiële uitkomst te gaan lopen tobben. Wanneer je bang bent je te bezeren op het sportveld, zul je aarzelend gaan spelen, waardoor je cadans en reflexen niet goed zijn, zodat je jezelf kwetsbaar maakt. Wanneer je bang bent om af te gaan tij-dens een spreekbeurt in het openbaar, zul je jezelf van de wijs laten brengen door een door angst beheerste innerlijke dialoog die zeker de helft tenietdoet van je intellect, je vindingrijkheid en je efficiency, zodat je jezelf inderdaad voor schut zet. Ga maar na: als je een IQ van 120 hebt en daar de helft van gebruikt om je druk te maken over wat het publiek van je vindt, houd je maar de helft over om je mee op je spreekbeurt te concentreren. Je wordt zo afgeleid door de schreeuwerige, zelfondermijnende dialoog in je hoofd dat het publiek nu naar een spreker met een IQ van 60 zit te luisteren. Misschien is dit wat kort door de bocht, maar je snapt vast wel wat ik bedoel. In feite is het simpele wetenschap: zoals ik eerder al zei, roept elke gedachte die je hebt een fysiologische reactie op, en je ziet dan alleen de dingen waarop je gespitst bent, en verder niets.

Tammy is een klassiek geval van iemand die in haar leven precies datgene opriep waar ze het bangst voor was. Dan, een investeringsbankier, leerde haar via een vriend kennen en viel onmiddellijk voor haar prachtige blauwe ogen en gevatte humor. Kort daarna trouwden ze, en ze verhuisde met deze verbazingwekkende man naar New York om aan een nieuw leven te beginnen waarvan zij had gedacht dat het niet binnen het bereik van de 'echte' Tammy zou liggen. Ze maakte zich erg druk over de verschillen in opleiding en sociale achtergrond – zij had alleen maar middelbare school, terwijl hij twee mastersgraden had en een muur vol oorkondes en prijzen op het gebied van economie. Vanaf dag één was ze van mening dat ze haar kersverse man en alle anderen in haar nieuwe wereld had laten denken dat ze iets was wat ze helemaal niet was. Ze was bang dat mensen zouden ontdekken dat ze niet half zo slim, mooi, geestig of evenwichtig was als ze zich voordeed. Vanaf de dag dat ze was getrouwd was ze bang dat ze uiteindelijk aan de kant zou worden gezet; het was alleen maar een kwestie van tijd, zo dacht ze, voordat haar droom in een nachtmerrie zou veranderen. Zou het een week duren? Een maand? Of misschien zou er morgen al wel een einde aan deze maskerade komen?

Tammy raakte in paniek over haar onvolkomenheden en had het gevoel dat ze 'boven haar stand' getrouwd was. Haar angst om betrapt te worden liet niets van haar zelfbeeld overeind, en ze werd een volkomen ander iemand dan de lachgrage, levendige meid met wie Dan was getrouwd. In plaats van enthousiast te zijn over haar prachtige leven hielden Tammy's angsten en zorgen haar zo bezig dat ze helemaal niet meer uit de verf kwam, en het enige waar ze aan kon denken was hoe stom ze wel niet moest overkomen in de ogen van deze intelligente man. Ze ging in de verdediging en werd strijdlustig, en ze nam een houding aan van 'pak ze voordat ze jou pakken'.

Tammy, ooit de levenslustige van het stel en een krachtige levenspartner, die echt iets voor haar man betekende, leek in de simpelste situaties haar zelfvertrouwen te verliezen. Ze ontwikkelde een angst om naar bedrijfsfeestjes te gaan. Als ze met vrienden van haar man uit waren, kon ze zich geen moment ontspannen en was ze er altijd van overtuigd dat ze straks iets doms zou zeggen en zichzelf, of hen allebei, in verlegenheid zou brengen. Van haar ooit zo bruisende persoonlijkheid bleef niets over. Ze zag er ook niet meer zo goed uit, wat haar zelfrespect nog verder aantastte, totdat Dan er niet meer tegen kon en het opgaf. Hij was haar negatieve en verdedigende houding meer dan zat. Op de kop af elf maanden nadat Dan en zij naar het altaar waren geschreden, liep ze het bordes van de rechtbank op voor haar eerste zitting voor een echtscheiding. Het duurde bijna een jaar, maar ze kreeg het voor elkaar: ze bracht precies de werkelijkheid voort waar ze het meest bang voor was.

Wat kun je verwachten?

Het kan zijn dat je jezelf grote verwijten maakt omdat je zo diep in een door angst beheerst leven verzeild bent geraakt dat je er niet meer uit lijkt te kunnen komen: 'Is het spel niet te ver gevorderd om nog iets te veranderen? Ik ben tenslotte op dit punt aanbeland omdat ik geen lef en ruggegraat heb, dus hoe kan ik nou in vredesnaam verwachten dat ik nú voor mezelf opkom?' Het lijkt soms op trekken aan een los draadje van een gebreide trui: probeer dit valse, door angst beheerste leven ook maar een beetje te veranderen, en de hele boel rafelt uiteen. Je ziet het totaal niet zitten om nog één dag langer – of zelfs maar één seconde langer – dit door angst beheerste leven te leven, maar je moet er anderzijds niet aan denken je leven zoals jij dat kent op te geven. Je hebt het gevoel dat je bent vastgelopen: het gaat mis als je ermee doorgaat en het gaat ook mis als je ermee stopt. Boven op de angst die je zo lang op de been heeft gehouden, voel je nog meer angst voor wat komen gaat.

Er kunnen allerlei emoties door je heen gaan, van wrok dat je tijd hebt verspild met proberen iemand te zijn die je niet bent, tot woede op degenen die je onder druk hebben gezet om op deze manier te leven. Je kunt het gevoel hebben dat je in de val bent gelopen. Wat ga je nu doen? Je kunt naarstig op zoek gaan naar andere rollen die je keurig kunt vervullen, maar dat gaat waarschijnlijk ook niet werken. Hoe zou dat ook kunnen zolang je nog steeds niet weet wie je bent? Of misschien schiet je door naar het andere uiterste en word je, als je voorheen behoudend was, nu een hippie, of word je juist behoudend als je een vrijgevochten type was. Je kunt op zoek gaan naar de 'nieuwe jij' door te experimenteren met een andere groep mensen, een ander geloof of een andere seksuele voorkeur. Je zult echter hoe dan ook moeten bepalen wie je bent en wat er voor jou toe doet, wat doodeng kan zijn. Als je hebt geleerd te leven met leugens, kan het idee om andere mensen te vertellen dat je deze schijnvertoning niet langer trekt heel traumatisch zijn.

Je moet goed oppassen, want als je eenmaal uit de veiligheid van je valse leven bent gestapt, kun je extra ontvankelijk zijn voor gedrag en verslavingen waardoor je gevoel van verlorenheid en eenzaamheid wordt verlicht. Je denkt misschien dat bepaalde middelen je angsten en pijn zullen wegnemen, maar neem maar van mij aan dat dat niet zo is.

Waar ben je bang voor?

Een van de beste manieren om los te komen uit een door angst bepaalde levenshouding is de gedragingen en attitudes (die samenhangen met de angsten) te benoemen waardoor je de meeste kansen in het leven hebt laten liggen. Hoewel er een heleboel verschillende angsten bestaan, noem ik hieronder de zeven meest voorkomende en destructieve angsten die invloed hebben op het proces van besluitvorming. Deze oefening zal je helpen na te gaan welke angsten jouw beslissingen het meest hebben gekleurd en welke groep de meest intense emoties bij je oproept.

De gedachte achter het benoemen van de angsten is dat je je meer bewust wordt van hun invloed, zodat je kunt voorkomen dat ze je beslissingen en contacten sturen. Deze oefening is kort, maar ik hoop dat je erdoor gaat bedenken waarom je doet wat je doet, en inzicht krijgt in de terreinen van je leven die het meest door angst worden bepaald.

Deze gedragingen en attitudes weerspiegelen de corresponderende onderliggende angsten die je mogelijk hebt en die je moet leren oplossen. Geef aan hoe vaak je ze ervaart: nooit, soms of vaak.

	Nooit	Soms	Vaak
1. Ik raak geïrriteerd en word boos wanneer mensen met gezag me corrigeren.			
2. Ik wil niet horen dat ik iets aan mijn leven zou moeten veranderen.			
3. Ik doe toch lekker wat ik wil, ook als ik te horen krijg dat ik het niet zou moeten doen, want ik laat me niet de wet voorschrijven.			
4. Ik verberg mijn wrok voor anderen, omdat ik mijn gevoelens niet openlijk durf te tonen.			

Score

Wanneer je drie keer 'vaak' hebt ingevuld of vier keer 'soms', loopt de angst om de controle te verliezen als een rode draad door je leven. Als deze angst een groot deel van je beslissingen bepaalt, kun je op destructieve manieren proberen de touwtjes in handen te houden om je minder kwetsbaar te voelen. De prijs die je daarvoor betaalt, is helaas dat de mate van vrede en vreugde die je in je leven ervaart er ook door afneemt.

	Nooit	Soms	Vaak
5. Ik trek me snel terug wanneer ik ergens op word aangesproken, ook al heb ik geen enkele schuld aan vergissingen of verkeerd gedrag.			
6. Ik ben voor sturing en leiding afhankelijk van anderen.			
7. Ik maak me erg druk om details om goedkeuring te krijgen.			
8. Ik val niet graag op, omdat ik niet voor gek wil staan.			

	Nooit	Soms	Vaak
9. Ik vermijd elke vorm van gezag.			
10. Ik doe in het openbaar geen uitspraken over mijn gedachten of meningen.			
11. Ik stem met iedereen in, om niemand te beledigen of te ontrieven.			
12. Als iemand moeite doet om mijn prestaties of gedrag te observeren of te superviseren, word ik heel zenuwachtig en angstig.			

	Nooit	Soms	Vaak
13. Ik hecht sterk aan goede manieren en een verzorgde uiterlijke verschijning.			
14. Ik geef makkelijk beslissingen of verantwoordelijkheid uit handen voor gebeurtenissen die invloed hebben op mijzelf of anderen.			
15. Ik probeer altijd anderen te behagen en mijn eigen pleziertjes op de laatste plaats te stellen.			
16. Wanneer ik gestraft of bekritiseerd word, probeer ik een glimlach te laten zien.			

	Nooit	Soms	Vaak
17. Ik grijp kansen om mezelf te verbeteren of om in mijn werk vooruit te komen niet aan.			
18. Ik benijd anderen om hun succes, maar geniet van de anonimiteit omdat ik niet met anderen concurreer.			
19. Ik kan slecht lof voor successen accepteren.			
20. Ik wil positieve aandacht, maar probeer daar onderuit te komen wanneer ik die krijg.			

	Nooit	Soms	Vaak
21. Ik heb in mijn zoektocht naar relaties een heleboel seksuele partners gehad.			
22. Ik kan niet makkelijk uitdrukking geven aan genegenheid en liefde.			
23. Ik accepteer een strikte mannelijke of vrouwelijke rol die me door anderen wordt toegekend.			
24. Ik kijk geregeld naar pornosites en naar expliciet seksuele lectuur.			

	Nooit	Soms	Vaak
25. Ik beschouw mezelf als een slachtoffer.			
26. Ik toon met opzet mijn zwakte.			
27. Ik laat me niet met anderen vergelijken, ook niet in positieve zin.			
28. Ik heb spijt van pogingen die ik in het verleden heb gedaan om beter te presteren dan anderen.			

Laten we eens samen naar het eerste gedeelte kijken. Alle gedragingen in die groep vragen hebben betrekking op angst om de
controle te verliezen. Wanneer je die angst hebt en getrouwd bent,
kan die op verschillende manieren in je huwelijk tot uitdrukking
komen. Wat het financiële vlak betreft, kun je bijvoorbeeld stiekem een bankrekening openen, ook al hebben je partner en jij
samen afgesproken om jullie financiën te delen en geld op te nemen van één bankrekening. Het probleem is niet dat jij je eigen
geld wilt hebben, maar dat je angst om de controle te verliezen je
ertoe aanzet op een oneerlijke manier met de situatie om te gaan.
Hoogstwaarschijnlijk ben je op meer levensterreinen dan alleen
het financiële stiekem. Je loopt een grote kans op problemen met
intimiteit, aangezien je behoefte om de zaken in de hand te houden je zal belemmeren om je in emotionele zin volledig met je
partner te verbinden, en mogelijk ook in lichamelijke zin. Op je
werk kan je angst voor controleverlies zich manifesteren in de

manier waarop je met je baas omgaat – je krijgt je werk misschien wel altijd af, maar alleen na een heleboel weerstand of discussie over hoe het gedaan moet worden. De spanning die die voortdurende strijd oplevert (die passief agressief gekleurd kan zijn als je je tegenstand tegen samenwerking niet al te openlijk laat blijken), kan tot gevolg hebben dat je minder energie hebt, dat er minder vertrouwen is tussen jou en je baas, en dat je de naam krijgt een slechte teamspeler te zijn. Snap je nu hoe diep de gevolgen van angst in je leven kunnen inhakken?

Zoals ik eerder al opmerkte, heeft deze oefening betrekking op de zeven meest voorkomende angsten die beslissingen kunnen kleuren. Je kunt tot de ontdekking komen dat je aan één of meer van die angsten lijdt. Maar als je nadenkt over wat je te weten bent gekomen (of bevestigd hebt gezien) over jezelf en je persoonlijke strijd met angst, zul je je waarschijnlijk meer bewust worden van de manier waarop je op mensen en situaties reageert, en zul je merken dat afrekenen met je angsten op één terrein je met ál je angsten zal helpen. Bedenk dat, aangezien je een groot deel van je leven niet in contact hebt gestaan met je ware gevoelens, of geen objectief oordeel hebt kunnen vellen over je eigen gedrag, het waarschijnlijk goed is om feedback van anderen te vragen op terreinen waar je niet helemaal zeker van bent.

Terug naar betere tijden

Nu je je grootste angsten hebt benoemd, kunnen de onderstaande actiestappen je helpen om dieper te graven naar de incongruentie tussen het leven dat je tot nu toe hebt geleid en het leven waartoe je bent voorbestemd. Geef jezelf voordat je begint toestemming om helemaal eerlijk te zijn, zodat je de gebieden die verantwoordelijk zijn voor het grootste gebrek aan overeenstemming ook echt kunt blootleggen.

Voordat je verder leest, kan ik je melden dat de negen onderstaande stappen allemaal gebaseerd zijn op één onderliggende bouwsteen: je moet inzien dat jij nu aan de beurt bent en dat je angst om het pad dat je tot nu toe hebt gevolgd verder af te lopen veel groter is dan je angst om te veranderen. Dat houdt in dat je zult moeten besluiten dat je het waard bent en dat je níét van plan bent het spel des levens nog langer met het zweet in je handen te spelen. Zal dat voornemen je makkelijk afgaan? Vast niet, maar dat maakt weinig uit, want je 'andere' leven verliep ook niet zo soepel. Op deze manier span je je tenminste in voor wat je wél wilt, in plaats van voor wat je niét wilt – en neem maar van mij aan dat je echt niet bang hoeft te zijn. Nogmaals: het ís niet egoïstisch om je sterk te maken voor jezelf en voor je eigen behoeften. Je kunt niet weggeven wat je zelf niet bezit. Als je jezelf bedriegt, ben je niet 'heel' en bedrieg je iederéén in je leven.

Kom in actie

- **Ga op zoek naar 'het echte noorden' in je leven (met andere woorden: bepaal wat je echt graag wilt)**
  Bedenk wat je echt wilt in het leven, en waar je om geeft. Hoe zou je leven eruitzien in een ideale wereld – waarin je met niemand en niets rekening zou hoeven houden? Houd het voor nu even simpel. Vel er geen oordeel over. Ga geen redenen of excuses zitten verzinnen waarom je leven van nu er niet zo uitziet. Maak je er in grote lijnen een voorstelling van en haal die elementen naar voren die je ideale leven het best representeren. Schrijf ze op, te beginnen met de belangrijkste; ga alles af: je relaties, je carrière, je manier van kleden, je auto, de plek waar je woont, je vrijetijdsbesteding en je persoonlijkheids- of karaktertrekken. Vergeet daarbij niet dat het moet gaan om wat jíj echt waardevol en wenselijk vindt, niet om wat je denkt dat je volgens anderen zou moeten willen, doen of voelen. Maak daarna een tweede lijst, waarop je noteert wat je hebt en waar je nu staat ten opzichte van diezelfde levensgebieden.

- **Ga na waar je nu staat (oftewel: hoe ver ben je uit de koers geraakt)?**
  Als je bij de vergelijking van de lijstjes van wat je echt wilt en van hoe je leven er nu uitziet het gevoel krijgt dat je nu op de goede weg bent, is de volgende stap: nagaan hoe breed de kloof is tussen waar je nu staat en waar je wilt zijn.
  Stel jezelf de volgende moeilijke vragen: 'Heb ik deze baan aangenomen omdat ik er niet op vertrouwde dat ik een betere zou kunnen krijgen? Ben ik met deze man getrouwd niet omdat hij de ware was, maar omdat hij er wel mee door kon?

Heb ik mijn vrienden gekozen omdat ik hen echt aardig vind en het leuk vind om met hen om te gaan, of omdat ze deel uitmaken van het imago dat ik mezelf wilde aanmeten? Ben ik een goede vriend(in) voor mezelf geweest in die zin dat ik heb gezorgd voor mijn mentale, emotionele, lichamelijke, spirituele en intellectuele gezondheid? Vind ik mijn dagelijks leven bevredigend en houd ik echt van de dingen waar ik mijn tijd aan besteed?'

- **Neem een levensbeslissing**
  Een 'levensbeslissing', zoals ik het noem, is een basis voor je psyche en je gedrag; het gaat hierbij om de fundamentele normen en waarden die je je tot in de kern van je wezen eigen hebt gemaakt. Zo'n beslissing is veel meer dan een voorbijgaande gril of een terloopse verbintenis, maar wordt genomen vanuit het hart, en wel met een krachtige emotionele overtuiging. Het gaat verder dan denken; die overtuiging is de leidraad in je leven, niet voor een deel van de tijd, maar voortdurend. Die beslissing gaat helemaal alleen over jou. Meestal sta je er niet lang bewust bij stil; zoiets zit bij je ingebakken. Of heb je soms níét besloten dat je niet zult stelen? Weigeren een dief te zijn is een levensbeslissing die diep bij je geworteld is. Je hoeft je hierover niet elke dag opnieuw het hoofd te breken, en je maakt er ook geen woorden aan vuil, want voor jou staat dit gewoon vast. Blijk je te weinig geld bij je te hebben als je op weg bent naar de bioscoop, dan denk je niet: 'Goh, zal ik nou even gaan pinnen of zal ik de avondwinkel beroven?' Sommige dingen staan niet ter discussie; daar heb je een levensbeslissing over genomen. Ze maken deel uit van wie je bent. Misschien zijn deze crisis en de verpletterende realiteit van de erkenning dat je een door angst beheerst leven hebt geleid wel precies wat je nodig hebt om de levensbeslissing te nemen je terug te trekken uit wat onwerkelijk, maar wel vertrouwd is. Misschien, heel misschien wordt het tijd om in actie te komen en naar heel andere resultaten te streven.

- **Wees jezelf trouw**
  Wanneer je werkt aan het conflict tussen wat je níét wilt en wat je wél wilt, moet je realistisch zijn over de zaken die het

echt verdienen om op je lijstje te komen. Soms gebeuren er dingen die niet ongedaan of overgedaan kunnen worden, simpelweg omdat doelen veranderen of omdat de tijd nu eenmaal verstrijkt. Er kunnen relatiekwesties spelen die niet zo makkelijk te ontwarren zijn, zeker niet als het om mensen gaat die verder zijn gegaan met hun leven. Zo is het bijvoorbeeld niet slim om je een ideaal leven voor te stellen waarvan de man deel uitmaakt die van je is gescheiden, is hertrouwd en een bij een andere vrouw nog een kind heeft gekregen. Dat is gewoon niet realistisch, hoezeer je er wellicht ook naar verlangt.

Er is een verschil tussen je niet door angst laten beheersen en roekeloos zijn. Als je altijd danseres hebt willen worden, maar klein van stuk bent en zwaar astma hebt en artritis in je knieën, om nog maar te zwijgen van het feit dat je een man en twee kinderen thuis hebt zitten, zal ik je niet snel voorstellen naar New York te gaan met niets anders dan een vliegticket en een droom. In plaats daarvan kun je je beter richten op dingen waarvan je altijd al het gevoel hebt gehad dat je daarin niet goed uit de verf komt en die je op een verantwoorde manier kunt veranderen.

Wanneer je eenmaal hebt benoemd op welke terreinen er een conflict is tussen je authentieke zelf en jouw persoonlijke waarheid – dat wil zeggen: wie je bent en wat je ten diepste van het leven verlangt – zul je een besluit moeten nemen waarmee je duidelijk maakt: 'Ik ben bereid om alle noodzakelijke risico's te nemen om voor mijn eigen normen, waarden en overtuigingen op te komen, met het doel vrede met mezelf te sluiten. Ik ben niet van plan mezelf te overladen met schuldgevoel of me door anderen een schuldgevoel te laten aanpraten, omdat ik opkom voor mijn wensen, behoeften, wil, normen, waarden en moraal.' En vergeet niet: je streeft niet naar een tournee langs de grote schouwburgen, maar slechts naar het gevoel dat die ervaring je volgens jou zal geven. Neem maar van mij aan dat er een heleboel manieren bestaan om dat gevoel op te roepen. Misschien komt dansles geven aan kinderen in een theatergroep in je woonplaats wel dicht in de buurt. Daar kom je pas achter als je het probeert.

- **Laat het gebeuren (neem zelf de verantwoordelijkheid door een plan op te stellen)**
Het verschil tussen dromen en doelen bestaat uit een tijdslijn en een actieplan. Of je nu je voortgang bijhoudt op een week-, een maand- of een kwartaalschema, waar het om gaat, is dat je een manier moet zien te bedenken om te voorkomen dat de dagen ongemerkt overgaan in weken, en de weken in maanden en jaren. Stel een haalbaar plan op dat je steun biedt en dat je dichter bij je ideale leven brengt, en overweeg (als je kunt) om iemand die je na staat in te schakelen om je ter verantwoording te roepen.

Als je man en jij er altijd al van hebben gedroomd de koude winters in jullie contreien te ontvluchten en in een zonnig oord een knus pensionnetje te beginnen, wat doe je dan om die droom werkelijkheid te maken? Surf je in je vrije tijd op internet, ga je na wat de beste plekken zijn voor zo'n pension, speur je naar een goede makelaar die je kan helpen dat ideale plekje te vinden, en zoek je misschien uit of je voor subsidie in aanmerking komt? Neem je jullie financiële situatie onder de loep en breng je daar veranderingen in aan, zodat voortaan niét meer 98 procent van je bescheiden inkomen aan jullie huidige levensstijl wordt besteed?

Als je je de afgelopen tien jaar elk jaar opnieuw hebt voorgenomen om af te vallen en gezonder te gaan leven, luidt mijn vraag aan jou: 'Hoe ziet je leven er nu uit?' Je vertelt dat je drie kinderen hebt, dat je werkweken maakt van zeventig uur en dat je als je niet aan het werk bent thuis voor de buis zit, met de was bezig bent of aan de telefoon hangt met je moeder, terwijl je frites en cheeseburgers voor de kinderen staat klaar te maken. Ik zeg: 'Oké, maar in welke zin werk je op die momenten aan je doelen? Doe je überhaupt wel iets om het leven dat jij zegt te willen leiden dichterbij te brengen?' Mogelijk luidt het antwoord 'nee'. Wanneer je in geen twee jaar iets aan sport hebt gedaan (en je niet eens een kwartiertje per week lichaamsbeweging hebt genomen), en als je een halfjaar geleden twee dagen lang hebt geprobeerd om gezonder te koken, maar dat hebt opgegeven en hebt besloten dat het veel makkelijker was om weer te eten zoals iedereen gewend was, dan ben je verkeerd bezig en verspil je tijd terwijl je je dat niet kunt permitteren. Als jij ook op deze of een vergelijkbare manier met je doelen omgaat, klinkt dat mij in de oren alsof je ontzettend je best doet voor iets wat je níét wilt.

Erken dat er risico's zijn, maar dat je die moet nemen om het conflict helemaal te kunnen oplossen.

Houd voor ogen dat het erom gaat de kloof tussen je huidige werkelijkheid en je gewenste werkelijkheid te dichten. Het kan wat financiële en/of emotionele offers van je vragen om je leven in overeenstemming te brengen met wat je echt wilt. En het zal ook niet van de ene dag op de andere gerealiseerd zijn. Maar je kunt wel nu beginnen met nieuwe keuzes maken die je op een gegeven moment op de gewenste plek zullen brengen. En maak niet de fout om te denken dat verandering alleen uiterlijke dingen betreft. Je verandert misschien niet waar je bent of met wie, maar wel hoe je in het leven staat dat je nu hebt, en hoe je met degene bent met wie je samen bent. Heb je een slecht huwelijk, dan ga ik je niet vertellen dat je daar per se een einde aan moet maken. Dit is niet het moment om weg te lopen voor problemen – wel om de gelegenheid aan te grijpen daar eens met nieuwe ogen naar te kijken.

Wanneer je samenleeft met een dominante en emotioneel niet-beschikbare echtgenoot en je er genoeg van hebt je emotioneel en mentaal kapot te laten maken, dan is dit het moment om daar iets aan te doen. Of als je een vrouw hebt die almaar spelletjes met je speelt en weigert te veranderen, dan is dit het moment om te besluiten dat je zo'n behandeling niet verdient. Maar het kan ook zijn dat je, als je de tijd neemt om na te gaan waar de pijn nou echt vandaan komt, tot de ontdekking komt dat ontevredenheid met jezelf je ervan heeft weerhouden om je echt gelukkig met iets of iemand te voelen. Dus denk goed na en pak eerst de noodzakelijke veranderingen van binnen aan voordat je alles om je heen overhoophaalt.

Erken dat er risico's zijn, maar dat je die moet nemen om het conflict helemaal te kunnen oplossen. Wees bereid dingen op te geven om te kunnen hebben wat zich aan de andere kant bevindt; en vergeet nooit dat je er al een hoge prijs voor hebt betaald om niet-authentiek te zijn.

- **Onderken je angsten**
  Als je aan de slag gaat, is het handig als je begrijpt hoe je het best met angst op zich om kunt gaan, zodat je je er niet meer door hoeft te laten beheersen. Het onderstaande kan je helpen om te voorkomen dat je terugvalt in dezelfde patronen waarmee je jezelf in het verleden hebt verraden en waarmee je het schijnleven hebt gecreëerd dat je nu achter je laat.
  Zoals ik vaak zeg, moet je eerst het bestaan van iets onderkennen voordat je er iets aan kunt doen. Dus nu je je persoonlijke 'angstdemonen' hebt benoemd, is het waarschijnlijk makkelijker om ze terug te zien in de beslissingen die je neemt. Wees niet te hard voor jezelf; je bent je in het begin misschien niet bewust van de invloed van sommige angsten, omdat je er al zo lang mee leeft. Het gaat er echter om dat je je steeds een stukje meer bewust wordt van je gedragingen en attitudes, en dieper doordringt naar de angsten waardoor die zijn ingegeven.

- **Stel je irrationele angsten ter discussie**
  We houden er allemaal overtuigingen over onszelf en onze levens op na. Die weerspiegelen onze ideeën over de plek die we op de wereld innemen, en omdat ze elke keer zijn herhaald, beschouwen we ze als feiten. We stellen ze niet ter discussie en we zijn niet bereid er iets aan te veranderen, omdat we nauwelijks kunnen geloven dat het anders zou kunnen. Irrationele angsten vormen een onderafdeling van irrationele overtuigingen. Hier volgt mijn lijstje van de grootste irrationele angsten die mensen als hun persoonlijke waarheid kunnen gaan beschouwen, terwijl ze niet waar zijn:

Irrationele angsten over mezelf
Ik ben bang dat ik geen positieve aandacht van anderen verdien.
Ik ben bang om anderen met mijn problemen of angsten lastig te vallen.
Ik ben bang dat als ik ook maar om het minste of geringste vraag in mijn relaties met andere mensen, ik eruit word geknikkerd.
Ik ben bang dat ik niet creatief ben, niet productief, niet effectief en niet getalenteerd.
Ik ben bang dat ik waardeloos ben.

Ik ben bang dat ik niet de kracht heb mijn problemen op te lossen.
Ik ben bang dat ik zo veel problemen heb dat het voor iedereen, inclusief mezelf, onbegonnen werk is om er iets aan te doen.
Ik ben bang dat ik zo stom ben dat ik iets wat zo ingewikkeld is als dit nooit kan oplossen.
Ik ben bang om fouten toe te geven of om te falen, omdat dat een teken van zwakte is.
Ik ben bang dat ik de lelijkste, onaantrekkelijkste, oninteressantste figuur ben die er op twee benen rondloopt.
Ik ben bang dat ik elk moment als bedrieger ontmaskerd kan worden.

Irrationele angsten over anderen
Ik ben bang dat niemand echt om een ander geeft.
Ik ben bang voor alle mannen (of vrouwen); die zijn niet te vertrouwen.
Ik ben bang voor relaties, en ik heb niet het idee dat ik ooit enige zeggenschap heb over hoe die uitpakken.
Ik ben bang voor hoe anderen oordelen over mijn waarde als mens.
Ik ben bang voor de pijn in een relatie; het maakt niet uit hoe hard ik mijn best doe om daar verandering in te brengen.

Realiseer je goed dat al deze gedachten invloed kunnen hebben op elke keus die je maakt. Sommige van deze overtuigingen hebben de angst in het leven geroepen waar je nu mee leeft, en ze zullen niet wijken als je ze niet ter discussie stelt. Wanneer je het gevoel hebt dat je met deze angsten te kampen hebt en besluit een deskundige te raadplegen, zullen de meesten van hen irrationele angsten aanpakken met **desensitisatie**, waarbij je leert er niet zo sterk op te reageren, of cognitieve psychotherapie, waarbij je leert je om diepste zelfspraak in de hand te houden. Wil je meer weten over deze twee benaderingen, kijk dan in bijlage A.

- **Stel je in op toekomstig succes (handhaaf je pasgevonden vrijheid)**
Wanneer je het bovenstaande proces doorloopt, moet je beseffen dat dit nog maar het begin is van alle veranderingen. Al die verwrongen gedachten, die je in al die jaren hebben gebracht waar je nu bent, moeten vervangen worden door nieuwe ge-

dachten die bedoeld zijn om je te brengen waar je zijn wilt.

Je hebt een heleboel middelen ter beschikking, te beginnen bij informele mogelijkheden zoals een goede vriend(in) of een liefdevolle partner die je terzijde kan staan bij het onderkennen van de angsten met de grootste invloed en die je kan helpen je besluiten en beslissingen helder voor ogen te houden. Of je kunt een stapje verdergaan en de hulp inschakelen van een counselor, psychotherapeut of pastor. Soms is er niet meer voor nodig om je te steunen in je nieuwe leven dan er even tussenuit gaan naar een kuuroord, waar je je kunt laten masseren, een gezichtsbehandeling kunt krijgen, naar muziek kunt luisteren of in een klasje ontspanningsoefeningen kunt doen.

- **Weet dat je niet alleen staat**
  We leven in een maatschappij die angst aanwendt om ons gedrag te sturen. De media maken er gebruik van om onze aandacht te trekken, de samenleving maakt er gebruik van om ons spullen aan te smeren, en politici stellen de wereld voor als een oord vol verschrikkingen om jouw stem te winnen. Met angst kun je iedereen achter je aan krijgen. Mensenmenigten zijn ermee te sturen, een land is ermee te sturen, en kleine kinderen ook. Sommige ouders, religies en leraren dreigen je met de boeman, met hel, verdoemenis en demonen om te zorgen dat je in het gareel blijft. Naarmate we ouder worden, kunnen angsten voor de boeman omslaan in angsten om te mislukken op school, om ziek te worden, om voor gek te staan, om een baan kwijt te raken, om intiem met een ander te zijn... De lijst is eindeloos. Deze angsten werken allemaal in de hand dat mensen na verloop van tijd het contact verliezen met wie ze diep in hun hart zijn, ze verliezen immers hun vertrouwen om zonder angst beslissingen te nemen. Het goede nieuws is dat je, zolang je nog ademhaalt, de kans hebt om daar verandering in te brengen.

  Je kunt de kracht die daarvoor nodig is en de manieren om beter gebruik te maken van de energie die je aan bang zijn besteedt in jezelf vinden. Door te erkennen op welke punten je kwetsbaar bent en jezelf copingstrategieën aan te leren, kun je jezelf beginnen te bevrijden van de enorme hoeveelheid bagage die je jarenlang hebt meegezeuld – bagage die je leven beperkingen oplegt. Achter je angsten schuilt een enorme hoeveelheid emotionele energie. Stel je eens voor dat je die zou besteden aan de dingen die je vreugde brengen in plaats van narigheid!

Tot slot

Realiseer je goed dat een niet-authentiek leven een situatie is waarbij je niets te winnen hebt. Zelfs als je niet beseft dat je jezelf niet trouw bent, is je onderbewuste zich daar toch volledig van bewust en staat het je niet toe met leugens te leven. Ofwel je leidt een leven vol zelfsaboterend gedrag (als je ervoor kiest de kwesties waar het echt om gaat niet onder ogen te zien), ofwel je staat toe dat deze crisis je naar een plek brengt waar je de verschillen rechttrekt en uiteindelijk vrede met jezelf sluit. Op deze nieuwe plek beschik je misschien niet over alle antwoorden, maar je weet nu tenminste wel welke vragen je moet stellen.

6.

Aanpassingsvermogen: wanneer je niet langer kunt voldoen aan wat het leven van je vraagt

Pas je aan of ga ten onder,
zo luidt steevast het onverbiddelijke gebod van de natuur.
– H.G. Wells

Met wat ik een 'instorting van het aanpassingsvermogen' noem, doel ik op wat er gebeurt wanneer je op een dag wakker wordt en je volkomen overweldigd voelt en in paniek raakt, omdat je je ineens realiseert dat je niet meer tegen het leven opgewassen bent. Het leven komt snel op je af gestormd, veel te snel, en je hebt het gevoel dat je ruggelings van een heuvel af rolt en niets kunt sturen. Je weet waarschijnlijk niet goed wanneer of hoe dit heeft kunnen gebeuren – je weet alleen dat je niet in staat bent te voldoen aan de eisen die het leven aan je stelt, of die nu denkbeeldig zijn of niet, en dat je pijlsnel kopje-onder dreigt te gaan. Je bent je zelfvertrouwen en je vermogen om ook maar de eenvoudigste problemen op te lossen helemaal kwijt. Misschien raak je volkomen van de kook door de hoeveelheid problemen waar je mee worstelt, of misschien doordat de uitdagingen zo ingewikkeld zijn, maar je voelt je hoe dan ook volkomen machteloos. Je zit diep in de nesten en daar ben je zo mee bezig dat je, zo besef je, de zaken niet meer op een rijtje krijgt. Een hele tijd heb je je weten voor te doen als een competent, zelfverzekerd iemand – misschien dacht je wel dat je het best goed redde, ook al liep het dan niet allemaal even gladjes.

Maar op de een of andere manier zijn de 'regels' veranderd. Je merkt dat je spirituele overtuiging het laat afweten en je voelt je verraden, of zelfs een ontzettende stommeling, omdat je zo veel energie hebt geïnvesteerd in een systeem dat je kennelijk in de steek laat. Je morele kompas lijkt niet langer te werken, en al je ideeën over beloond worden als je je maar aan de regels houdt, blijken ineens op leugens gebaseerd. Nu stort dat allemaal ineens in, en je vraagt je af waar je in vredesnaam het geld, de tijd, de energie, het verstand of de kracht vandaan moet halen om hier doorheen te komen. Je denkt misschien dingen als: 'Wie houd ik nou eigenlijk voor de gek? Ik heb geen antwoorden. Ik heb mijn best gedaan om alle ballen in de lucht te houden, maar dat red ik nu domweg niet meer.' Je zou er nog van staan te kijken als ik je zou vertellen hoe vaak ik dit heb zien gebeuren in de ruim dertig jaar dat ik nu met mensen werk. Dit kan een heel zware crisis zijn voor mensen die een hectisch leven leiden en gewend zijn altijd overal een antwoord op te hebben. Ze hebben ineens geen antwoorden meer voor hun kinderen; ze hebben het geld niet om hun rekeningen te betalen. Erger nog: ze beschikken ook niet over een strategie om deze crisis te doorstaan. Jij voelt je misschien net zo, nu je je realiseert dat je leven één grote puinhoop is en je ziet het misschien helemaal niet meer zitten om te proberen er nog iets van te maken.

Aanpassingsvermogen

Je vermogen om het in deze wereld te redden noemen we je aanpassingsvermogen. Dat heeft te maken met je mentale en fysieke vaardigheid om alle aspecten van je leven te beheersen, en wanneer je dat goed doet, ben je efficiënt en productief. Je weet zeker wie en wat je bent. Misschien is niet alles perfect, maar voor het grootste deel gaat alles toch wel de kant op die je op wilt. Je bent in staat om te voldoen aan de eisen die je leven aan je stelt zonder in te storten, ook als je te maken krijgt met problemen, groot of klein, verwacht of onverwacht.

Als mens maak je deel uit van een van de boeiendste mysteries die er maar bestaan, namelijk de manier waarop de mens door de geschiedenis heen heeft weten te overleven, ondanks het feit dat we fysiek gesproken tot de zwakste en meest weerloze zoogdieren van Gods schepping behoren. Ga maar na: we zijn in lichamelijk opzicht bepaald niet de indrukwekkendste soort. We zijn op geen stukken na de sterkste, we kunnen niet bijster hard rennen, heel goed zwemmen of vliegen. Onze zintuigen zijn veel minder scherp dan die van de meeste dieren (een havik kan van wel anderhalve kilometer afstand een konijn in het gras zien zitten, dolfijnen kunnen geluiden horen op ruim twintig kilometer afstand, en bloedhonden hebben een vele malen gevoeliger reukorgaan dan wij), we beschikken niet over een natuurlijke bewapening – hoorns, kaken, klauwen, gifzakken – en kunnen ons niet camoufleren voor roofdieren en andere dingen die onze veiligheid bedreigen, en toch lopen we nog steeds op de wereld rond, lang nadat veel andere, veel spectaculairdere soorten zijn gekomen en gegaan. Je denkt nu waarschijnlijk: 'Maar wij zijn intelligente wezens!' Dat is waar, maar er bestaan een heleboel soorten intelligentie, en de belangrijkste soort zou weleens heel goed zogeheten 'adaptieve intelligentie' kunnen zijn, oftewel de intelligentie om je aan te passen. Die heeft ons voor uitsterven behoed. Daarom zijn we, ondanks al onze beperkingen, nog steeds op de wereld.

Het geheim van onze overleving schuilt in ons vermogen om ons intellect aan te wenden om ons aan te passen – om manieren te zoeken om het te redden in een vijandige omgeving en om het onder niet-ideale omstandigheden toch goed te doen. In de loop der eeuwen hebben we onze denkkracht gebruikt om onszelf opnieuw te definiëren, en een steeds krachtigere technologie stelt ons in staat dingen sneller en effectiever te doen dan ooit tevoren.

Dus laten we het er eens over hebben waar jij en ik leven, in deze moderne wereld van druk-druk-druk. Feit is dat overleving alles te maken heeft met het vermogen om je aan te passen – niet alleen aan je omgeving, maar, nog belangrijker, ook aan verandering. Je vermogen om het er goed van af te brengen als het tegenzit en je vermogen om te reageren op veranderende omstandigheden – dat is waar dit hoofdstuk over gaat.

Hoe stabiel is je basis?

Een van de belangrijkste aspecten van je mens-zijn is je behoefte om je te midden van de ups en downs van het leven competent en capabel te voelen. Wanneer je opgewassen blijkt te zijn tegen de uitdagingen en situaties die je elke dag tegenkomt, is dat iets wat al vanaf heel jonge leeftijd bijdraagt aan een basis, want je ziét jezelf de ene uitdaging na de andere in het leven 'onder de knie krijgen'. Of je je er nu van bewust bent of niet, je slaat jezelf net zozeer gade als je anderen gadeslaat. Denk eens aan iemand in je leven die je bent gaan bewonderen en respecteren. Je hebt je over die persoon meningen gevormd door gade te slaan wat hij of zij goed kan. Op dezelfde manier leer je dingen over jezelf en vorm je je meningen over jezelf: vanaf de dag dat je als klein kind met je eigen lunchtrommeltje naar school stapte tot aan je puberteit, toen je je vader per se wilde bewijzen dat je heus oud genoeg was om op eigen kracht naar dat sollicitatiegesprek te gaan voor dat baantje waar je gouden bergen van verwachtte – en dat je ook kreeg. Op basis van observaties van jezelf ga je geloven dat je bestemd bent voor succes (welke vorm dat voor jou ook heeft), en je bent het gelukkigst wanneer je zodanig werk doet dat je je (binnen het redelijke) uitgedaagd voelt en kunt blijven leren en groeien, en je in je leven en je relaties productief kunt voelen.

Wanneer je opgewassen blijkt te zijn tegen de uitdagingen en situaties die je elke dag tegenkomt, is dat iets wat al vanaf heel jonge leeftijd bijdraagt aan een basis, want je zíét jezelf de ene uitdaging na de andere in het leven 'onder de knie krijgen'.

Je geloofssystemen, oftewel de basale 'leefregels' waar je elke dag naar leeft, vormen de sleutel tot de manier waarop je reageert op de crises die op je pad zullen komen. We hebben ook een geloofssysteem dat is gebaseerd op wat we leren van onze familietradities en voorbeelden, en op de boeken die we lezen, de televisieprogramma's waar we naar kijken en de muziek waarnaar we luisteren. Al deze invloeden verbinden ons met een grotere groep en helpen ons om te bepalen wat we van de wereld verwachten. De systemen waar we ons het meest van bewust zijn, zijn waarschijnlijk de spirituele krachten waardoor we ons verbonden weten met iets wat groter is dan wijzelf. Dit biedt een stevig fundament van waaruit we betekenis toekennen aan ons handelen. Naarmate we meer leren over de ethiek van het overleven en de morele kompassen die we gebruiken, verwachten we steeds meer dat onze daden beloond zullen worden. Ons zelfvertrouwen groeit zolang de regels die we voor ons leven leren goed blijven werken en in onze behoeften voorzien.

Wat houdt instorting van het aanpassingsvermogen in?

Deze crisis doet zich voor wanneer je op de een of andere manier je 'greep' lijkt te verliezen en je met de overtuigingen die je erop na houdt niet aan uitdagingen kunt voldoen. Misschien is je leven geleidelijk ingestort, of is alles zonder enige waarschuwing geïmplodeerd. In dat laatste geval zou het kunnen zijn dat je al een poosje je kop in het zand gestoken hebt, want hoe kun je anders je leven de ene dag niet onder controle hebben en kan het de volgende dag ineens een puinhoop zijn? In beide gevallen geldt dat wanneer je vermogen om in gebeurtenissen mee te gaan en je eraan aan te passen je in de steek laat, je daar helemaal kapot van kunt zijn en je er machteloos onder kunt voelen; je zou het liefst in de foetushouding achter de kamerplant in je slaapkamer gaan liggen. Misschien moet je constateren dat de opleiding en vaardigheden waarvan jij dacht dat je er ver mee zou komen je helemaal niet hebben gebracht waar je wilde zijn. Het lijkt wel alsof je helemaal niets van het leven hebt begrepen, of van wat dan ook.

Een heleboel verschillende dingen kunnen je over het randje duwen. Deze crisis kan zich voordoen wanneer je ineens beseft dat het met je financiën helemaal niet goed gaat. Of je hebt je best gedaan om je kinderen alles te geven wat jij nooit hebt gekregen, of om de schijn op te houden zodat je niet uit je vriendenkring werd verstoten. Of deze crisis ontstaat door het glasharde feit dat je op het randje van een faillissement balanceert en straks je huis en je auto zult kwijtraken. Je kunt het gevoel hebben dat je nog maar één acceptgiro verwijderd bent van dakloos zijn, en daar kon je best weleens gelijk in hebben. Je leeft misschien van het ene salarisstrookje naar het andere om de eindjes aan elkaar te knopen, om schoenen voor de kinderen te kopen en te zorgen dat ze een dak boven hun hoofd hebben en eten in hun buik, en ook nog wat geld over te houden voor andere dingen – maar het kan zijn dat je het desondanks allemaal niet meer trekt.

Aangezien we continu beelden krijgen opgedrongen over wat de ultieme levensstijl zou zijn, compleet met alle nieuwste snufjes, en waarin jonge, knappe mensen figureren die van het leven genieten en alles hebben wat hun hartje begeert, ben je waarschijnlijk opgegroeid met de gedachte dat met geld alle problemen op te lossen zijn. Maar jouw problemen hebben niets te maken met je banksaldo; ze hebben daarentegen alles te maken met je vermogen (of gebrek daaraan) om je aan te passen aan wat nu jouw werkelijkheid is.

Misschien is al het geld waarvoor je je hele leven hard hebt gewerkt door een of ander investeringsfiasco waar jij niet verantwoordelijk voor was verdwenen en moet je onder ogen zien dat je de rest van je leven zult moeten buffelen. Of blijk je aan de verkeerde kant te staan waar het gaat om bedrijfspolitiek. Zeg maar dag met je handje tegen je pensioen, want van nu af aan sta je weer helemaal onderaan en wordt je voormalige assistent ineens je baas. Financiële klappen zijn vooral moeilijk te incasseren wanneer je al een eind gevorderd bent op je levensweg, omdat je dan je buffers van gezondheid en tijd niet meer hebt – hoe kun je je er zo ver in het spel nog van herstellen?

Tony's hart begon te hameren en hij zocht naar houvast toen hij bij de pinautomaat naar het bonnetje stond te staren. Hij kon het papiertje bijna niet vasthouden, maar bleef ernaar turen alsof de getallen weer in de goede cijfers zouden veranderen als hij maar lang genoeg wachtte. Nu begon het hem te dagen. De lege blik toen hij haar een zoen had gegeven voordat hij op reis was gegaan. De vaste telefoon die telkens overging zonder dat er iemand opnam. De onbeantwoorde boodschappen. Haar mobieltje dat uit stond. Eerst was hij geïrriteerd, in de veronderstelling dat Maria's kwalijke gewoonte om te vergeten de rekening te betalen ertoe had geleid dat ze weer eens was afgesloten. Ze deed al een paar maanden een beetje vreemd, maar niets had Tony erop voorbereid dat zijn bankrekeningen zouden zijn geplunderd. Hij voelde zich ontzettend stom. Hoe kan iemand zoiets niet aan zien komen? Hij had van haar gehouden, hij had haar vertrouwd. En daar stond hij dan, twintig jaar later en dertigduizend dollar lichter. Alsof het niets was. Zijn vrouw had hem verraden, hem kaalgeplukt achtergelaten, en nu voelde hij zich heel alleen.

Net als Tony heb jij misschien ook gedacht dat alles in je relatie gisteren nog in orde was, terwijl je vandaag de Gouden Gids moet pakken om onder 'Relatietherapie' te kijken. Je twijfelt ernstig aan je vermogen om te blijven doen wat je doet. Ze hebben jou gepasseerd voor die promotie of nieuwe baan die jij al jouw kant op zag komen. Of bij dat grote project waardoor jij een held leek op het werk is de stekker eruit getrokken – voorgoed. Je bent niet langer die grote man of vrouw, en iedereen weet dat.

Voor veel mensen houdt dan alles op. Omdat ze geen idee hebben hoe ze dit moeten overleven, of niet gemotiveerd zijn om een manier te zoeken om zichzelf weer in het zadel te helpen, geven ze het op – of jij geeft het op als je er zo aan toe bent. In lekentermen kun je zeggen dat 'alles instort' of dat 'je het helemaal niet meer ziet zitten', en als je een stapje verdergaat, noem je het 'de controle volledig verliezen', omdat het opgeven en je vertrouwen verliezen in je vermogen om te overleven zo verpletterend kunnen zijn. De demonen die je voorheen prima in de hand had dankzij je uitstekende copingvaardigheden lijken het nu van je over te nemen. Dit is zo'n moment in het leven waarop je het meest kwetsbaar bent. (En trouwens, vaak worden mensen er op dit moment ontvankelijk voor om hun leven helemaal in handen te geven van iemand of iets waarvan ze menen dat het sterker is en hen kan redden. Vanuit deze gemoedsgesteldheid gaan sommigen zelfs bij een sekte of andere groep: om 'op zoek te gaan naar zichzelf', om te ontsnappen aan een leven dat 'in de soep gelopen is', of vanuit een verlangen naar een vorm van verbondenheid. Maar het ene geloofssysteem inruilen voor een ander, dat al helemaal voorgevormd is, is niet het antwoord. Je zult je best moeten doen om hier doorheen te komen, en wel op je eigen voorwaarden.)

Wat kun je verwachten?

Ik zal het niet mooier voorstellen dan het is zoals je je tijdens deze crisis voelt. Angst, verlamming, schuldgevoel en schaamte kunnen je helemaal in hun greep hebben. Je kunt er letterlijk misselijk van zijn en je het liefst verstoppen in je huis, zelfs in een donkere kamer, of waar je maar kunt. Door de angst om door iemand te worden gezien – zelfs door jezelf – kun je veranderen in wat mensen een 'hopeloos geval' noemen. Het is belangrijk te erkennen wat er bij deze crisis gebeurt, of het nu om je eigen leven gaat of om dat van een dierbare.

Aanvankelijk is ontkenning een gebruikelijke reactie, omdat je de omvang van de verandering die zojuist in je leven heeft plaatsgevonden niet kunt bevatten. Je doet misschien je uiterste best om vast te houden aan het gevoel dat alles normaal is en over een poosje vanzelf in orde komt. Veel mensen die hun baan zijn kwijtgeraakt, kleden zich nog steeds elke morgen netjes aan, omdat ze niet willen toegeven dat ze nergens heen kunnen. Gebroken en verloren als ze zijn, kunnen ze zich een leven zonder hun identiteit als manager, verkoper of ingenieur niet voorstellen – en soms voelen ze zich, geïsoleerd van het leven door slechts een baan die ze zijn verloren, alleen en hopeloos.

Je relaties veranderen vaak wanneer zich een crisis voordoet, zeker tijdens een crisis als deze, wanneer je aanpassingsvermogen het laat afweten en je je overweldigd voelt. Je hebt misschien geen geld meer om leuke dingen te doen met vrienden of familieleden, en je voelt je schuldig en je schaamt je. Of het nu echt waar is of niet, je kunt gaan denken dat ze je dit kwalijk nemen. De kans is groot dat je je geneert voor je statusverandering, zodanig dat je je dierbaren niet eens vertelt wat er aan de hand is. Misschien vertel je je beste vriend(in) niet dat je relatieproblemen hebt of dat je niets meer in de hand lijkt te hebben. Rollen kunnen worden omgedraaid wanneer mensen die ooit tegen je opkeken nu met je te doen hebben. Dit medelijden, dat voor veel mensen het ergste gevoel is dat er maar bestaat – zeker voor mannen – kan je nog bozer en defensiever maken. Je wilt je falen niet toegeven, dus probeer je het te verbergen.

Ontkenning kan je weliswaar even respijt geven, maar is wel gevaarlijk wanneer je voor die weg kiest bij het nemen van de moeilijke beslissingen die je zou moeten nemen om je kansen te keren.

Wanneer je leven overhoop wordt gegooid, voel je je mogelijk een slachtoffer en geef je anderen de schuld (in plaats van je erop te richten hoe je jezelf zou kunnen veranderen). Het kan zijn dat je kwaad wordt. Je kunt het gevoel hebben dat de wereld je slecht heeft behandeld, en je hebt niet altijd de motivatie om je aanpassingsvermogen te verbeteren. Misschien heb je het gevoel dat je vrouw het verkeerde lot in de loterij des levens heeft getrokken omdat ze zo ongelukkig was om met jou te trouwen, en dat je kinderen hebben verloren in de loterij der genen, omdat zij jouw genen in zich dragen en jij een grote mislukkeling bent. Het is niet zo gek dat er van je gevoel voor eigenwaarde weinig overblijft, omdat je denkt dat niemand op jou zit te wachten. Het kan inderdaad zijn dat op dit moment niemand belang hecht aan je vaardigheden, of dat je partner je afwijst omdat diens gevoelens veranderd zijn, maar jij trekt je alles persoonlijk aan en denkt dat het allemaal met jou te maken heeft. Je ziet dat je diep in de problemen zit, en daar kun je zo door uit je evenwicht zijn gebracht dat je geen uitweg weet. Wanneer je je het probleem persoonlijk aanrekent, kan dat voelen alsof de hele wereld op je neerkijkt, maar de kans is groot dat dat niet echt zo is. Hoe opgelaten, beschaamd of schuldig je je ook voelt, jij bent niet de enige die ooit een fout als deze heeft gemaakt, en je zult ook vast niet de laatste zijn. Praat jezelf niet aan dat het probleem erger is dan het is, want op die manier wordt het alleen maar moeilijker om het werk te doen dat nodig is om hieruit te komen.

Gek genoeg zeggen veel mensen dat ze toch een soort vrijheid voelen, ook al stort hun wereld om hen heen in. Dat is – ik weet het – best raar. Het is niet makkelijk om je positief te voelen wanneer alles om je heen in duigen valt, maar vaak is er ook opluchting wanneer je alles loslaat. Je hoeft immers niet meer te doen alsof. Je hoeft niet meer in angst te leven. Hoe erg de situatie ook is, alles ligt tenminste open. Dan kun je gaan denken: 'Het is voorbij! Ik hoef het niet meer te doen! Het is afgelopen!'

Hoe cognitief flexibel ben je?

Een van de redenen waarom bij veel mensen hun aanpassingsvermogen het begeeft, is dat ze vastgeroest raken in hun perceptie van wie ze zijn en dus ook in hun vaardigheden om om te gaan met de wereld waarin ze leven. (In de psychologie heet dit 'cognitieve inflexibiliteit'.) Wanneer er iets gebeurt waardoor hun wereld op hun grondvesten schudt, kunnen ze niet verder kijken dan de nauwe begrenzingen ervan om er een oplossing voor te zoeken. Als dat voor jou ook geldt, kun je voor je gevoel zijn vastgelopen. Of misschien heeft de crisis voor jou nog niet doorgezet, maar herken je wel in je eigen leven de waarschuwingssignalen waar ik het over heb, zoals moeite hebben met verandering, of met je aanpassen aan de immer veranderende wereld. Zo herinner ik me van jaren geleden, toen computers net in opkomst waren, dat veel mensen tegen me zeiden dat ze niets over computeren hoefden te leren, of dat ze er al genoeg van wisten om ermee te kunnen omgaan. Maar met alle snelle veranderingen in de technologie redden die mensen het niet, en algauw waren hun vaardigheden achterhaald. Ze moesten óf in de rijdende trein springen en zich aanpassen, óf ze waren uitgerangeerd. Ik ken heel wat mensen voor wie het laatste gold. Ze voelden zich een slachtoffer van de computer, terwijl ze in feite een slachtoffer van zichzelf waren. Hun manier van denken was net zo flexibel als een metalen pijp, dus bleven zij achter terwijl de wereld verderging.

Hoe flexibeler je in je denken bent, hoe meer kans je maakt om je aan te passen en over het algemeen gelukkiger te worden. Maar midden in een crisis zul je niet veel flexibiliteit kunnen opbrengen. Zonder cognitieve flexibiliteit zie je echter misschien niet hoe je vaardigheden of talenten die op één terrein niet meer werken in plaats daarvan voor andere banen of situaties kunnen worden ingezet.

Test je cognitieve flexibiliteit

Laten we, voordat we overgaan naar het volgende gedeelte, eerst eens kijken hoe je het eraf brengt bij de onderstaande test.

Geef op elke vraag zo veel mogelijk antwoorden in de vorm van één woord.

1. Beschrijf jezelf op zo veel mogelijk manieren.
2. Beschrijf over hoeveel vaardigheden je beschikt die je voor bepaald werk zou kunnen benutten. Denk terug aan schoolvakken waar je heel goed in was, of aan vermogens waar je door je leraren vaak om werd geprezen.
3. Beschrijf je intermenselijke relaties met zo veel mogelijk losse woorden.
4. Beschrijf de dynamiek in je huwelijk of intieme relaties.
5. Beschrijf de banen waarin je denkt goed te zijn, en noem de karakteristieken die jou daarvoor geschikt zouden maken.

Antwoorden

Vraag 1: Kun je niet meer dan vier verschillende woorden bedenken om jezelf mee te beschrijven, dan kon het weleens zijn dat je niet goed in staat bent om flexibel over jezelf te denken. Ben je beperkt in je flexibiliteit ten aanzien van je persoonlijkheidskenmerken, dan zit je waarschijnlijk vast in een zelfbeeld dat erom vráágt onder de loep te worden genomen, zeker je positieve eigenschappen. Een heleboel mensen gaan ervan uit dat ze in de vakjes zitten die anderen voor hen hebben geschapen, zoals: 'Je bent dom, lui enzovoort.' We zijn geneigd dat van hen aan te nemen, zeker als zulke beschrijvingen afkomstig zijn van gezagsdragers, zoals ouders of oudere broers of zussen. Maar je mag niet vergeten dat niemand meer over jou weet dan jijzelf.

Ik heb ervaren dat het voor mensen in deze situatie heel nuttig is om naar een psycholoog of counselor te stappen om een van de vele vragenlijsten over persoonlijkheidskenmerken in te vullen waarmee eigenschappen worden gemeten en vergeleken met een algemene norm. Je zult er nog van staan te kijken hoe je écht wordt beoordeeld in vergelijking met andere mensen. Een heleboel mensen krijgen dankzij wat objectieve feedback een heel andere kijk op zichzelf.

Verder is het een goed idee om wat vrienden op te trommelen die jou goed kennen en je feedback kunnen geven. Zij hebben waarschijnlijk wél een beeld van je beste kwaliteiten.

Vraag 2: Kun je niet meer dan vijf vaardigheden noemen die in een baan als sterke punten zouden kunnen gelden, dan schiet je cognitieve flexibiliteit in de beoordeling van jezelf waarschijnlijk tekort.

Wanneer je je vaardigheden niet goed op waarde kunt schatten, haast je dan – vlieg, in plaats van te lopen – naar het dichtstbijzijnde centrum voor counseling. Daar kun je vergelijkbare tests doen die het niveau van je vaardigheden op diverse terreinen meten.

Het kan ook raadzaam zijn te experimenteren met activiteiten zoals tekenen, schrijven, zingen, koken of wat je maar graag doet.

Vraag 3: Kun je niet meer dan vijf manieren bedenken om je relaties met je vrienden te omschrijven, dan schiet je cognitieve flexibiliteit ten aanzien van de relaties en hulpbronnen in je leefgemeenschap tekort.

Relaties liggen vaak al vroeg in het leven op een bepaalde manier vast door de positie die de gezinsleden innemen, en vaak is dat heel jammer. Het kan nodig zijn om elke gedachte en elke overtuiging die je over relaties hebt eens goed te onderzoeken, inclusief zaken zoals etniciteit, sekse, economische klasse, geografische herkomst en spraakpatronen. We hanteren een heleboel verborgen stereotypen en vertekeningen, en hoe meer we vooroordelen en vooringenomenheid aan de kant kunnen zetten, hoe beter onze intermenselijke relaties zullen zijn.

Vraag 4: Kun je niet meer dan vier manieren bedenken waarop je je verhoudt tot degene die heel belangrijk is in je leven, dan zal je cognitieve flexibiliteit op het gebied van intieme relaties zijn afgenomen.

Intimiteit is in onze maatschappij, waarin alle media hoog opgeven van seksuele heldendaden, iets vaags geworden. We weten niet goed meer wat echte intimiteit is en soms hebben we professionele hulp nodig om weer te leren hoe we ware intimiteit met een ander kunnen bereiken.

Vraag 5: Kun je niet meer dan zeven woorden bedenken om de diverse aspecten van banen te beschrijven waarin je voldoening zou kunnen vinden, dan kan het zijn dat je cognitieve flexibiliteit ten aanzien van de arbeidsmarkt tekortschiet.

Doet een van deze gebieden vermoeden dat je beperkt bent in je denken, dan wordt het tijd om je kijk op jezelf en op de wereld om je heen te verruimen. Je wilt immers niet star blijven of, zoals mijn coaches altijd zeiden, 'onaangedaan'. Want bij deze crisis is de kans groot dat je een zogeheten 'cognitieve verlamming' zult ervaren; je zult waarschijnlijk zelfs vraagtekens gaan zetten bij de dingen waarvan je wéét dat je ze zeker weet: wie je bent, wat je gelooft en alles wat je leven bevestigt. Je kunt niet nadenken, je ziet alles in een tunnelvisie, je ziet aanwijzingen en kansen over het hoofd, en je brein krijgt te veel te verstouwen. Het is net of je computer is vastgelopen en je geen toegang meer kunt krijgen tot de informatie waarvan je weet dat die er wel in zit.

Universele stappen voor cognitieve flexibiliteit

Om je te helpen om buiten de gebaande paden te leren denken, volgt hier een oefening. Die wordt alom gebruikt door uitvinders, wetenschappers en andere visionaire denkers.

Studiefase
In deze fase verzamel je alle informatie die je over het onderwerp kunt vinden. Worstel je met je huwelijk, lees dan boeken over relaties, raadpleeg deskundigen, bezoek lezingen, en praat met je pastor, vrienden of een therapeut om te horen hoe die erover denken. Het doel is om alle informatie te vergaren waar je de hand op kunt leggen, zelfs informatie waar je op dit moment misschien niet in gelooft.

Wanneer je ontslagen bent, is dit het moment om zo veel over de arbeidsmarkt te weten te komen als je kunt, zoals wat de best betaalde banen zijn en welk soort banen het meest wordt gevraagd. Je kunt naar de bibliotheek gaan en je oriënteren in een beroepenalmanak. Je kunt ook informatie vinden op banenmarkten, bij loopbaanbegeleiders en bij vrienden of kennissen die in de branche werken die jou aanspreekt. Uiteraard is er ook op internet veel te vinden, dus ga surfen op het web.

Heb je problemen met je kinderen, dompel je dan onder in hun wereld. Zoek alle informatie bij elkaar over wat er in hun leven gaande is, van de iPod tot MySpace, zodat je je een beeld vormt van wat zich in hun hoofd afspeelt. Praat met mensen van hun leeftijd, kijk naar hun favoriete tv-programma's en ga na naar wat voor muziek ze luisteren.

Verwerkingsfase
Je stopt nu met informatie verzamelen en laat je brein doen wat dat het best kan: verwerken en organiseren. Dat klinkt misschien een tikje ongrijpbaar, maar je moet je brein zelf laten nadenken en het niet in de weg lopen. Om je daarbij te helpen kun je gaan mediteren, of speciale ademhalingsoefeningen doen waarbij je je ademhaling telt. Of je luistert naar

bepaalde muziek, zoals klassieke muziek of drumritmes, of je gaat dansen. Zelfs dromen kan helpen wanneer je een notitieblok naast je bed legt, zodat je meteen na het wakker worden je dromen kunt opschrijven. (Het zal je verbazen dat de beste informatie soms in je slaap tot je komt.)

Een andere mogelijkheid is vasten – niet zozeer met betrekking tot eten, maar vasten in de zin van minstens een week afzien van alle soorten prikkeling, zoals radio, tv en computer. Je kunt baat hebben bij een verandering van omgeving. Ga de stad uit, bezoek een kerk of tempel, of maak een lange autorit (waarbij je zelf achter het stuur zit en de radio uit laat). Het klinkt misschien saai, maar dat is ook precies de bedoeling. Je moet afstand nemen van je denken, al het andere in een neutraalstand zetten en je brein alleen maar laten verwerken wat je in de studiefase te weten bent gekomen. Dit is niet het moment om actie te ondernemen, maar om dingen te laten bezinken.

Brainstormfase

In deze fase neem je de ideeën die in de verwerkingsfase zijn opgekomen nog eens onder de loep. Schrijf ze allemaal op, ook de ideeën die nergens op lijken te slaan, en ga alle mogelijkheden na.

Bespreek deze ideeën vervolgens met een paar behulpzame mensen die jou goed kennen en je stimuleren. Zorg ervoor dat je de mensen die je uitkiest vertrouwt en bereid bent tegen hen te zeggen wat je op je hart hebt. Misschien kies je niet je partner of je ouders, en dat geeft ook niet. Het kan iemand zijn die je ervoor betaalt, zoals een relatietherapeut of een andere adviseur. Het doel is alleen maar om in een veilige omgeving deze ideeën te bestuderen en enige feedback te krijgen.

De fase van mogelijkheden nagaan

Na al dat denken en overwegen is dit de praktische fase. Met andere woorden: als je erkent dat je in deze fase bent aanbeland, dan erken je ook dat het tijd wordt om je ideeën objec-

tief te evalueren. Hoe zou het bijvoorbeeld echt zijn als jij een chef zou zijn? Zou je relatie met je man echt beter worden als je zou gaan golfen?

Of misschien moet je één idee bij de kop pakken dat niet praktisch is en het zo omvormen dat het dat wel wordt. Je kunt er bijvoorbeeld wel van dromen om les te geven aan kinderen, maar je realiteit van dit moment staat het je niet toe je daar fulltime mee bezig te houden. Dus in plaats daarvan is het misschien beter om vrijwilligerswerk te gaan doen op de kinderafdeling van het ziekenhuis.

Hieronder zal ik het met je hebben over een 'situationele autopsie' om erachter te komen hoe je in deze situatie bent beland – met andere woorden: om te bepalen hoe deze crisis heeft kunnen plaatsvinden. Je kunt het gevoel hebben dat je helemaal niet op je plek bent in een relatie of leefsituatie. Misschien ben je getrouwd met iemand die al vier kinderen had en ben je totaal niet klaar voor een voorgekookt gezinsleven. Of je hebt werk waar je helemaal niet voor bent toegerust, terwijl je er toch in vastzit. Of je hebt de ene verkeerde beslissing na de andere genomen en hebt daarmee een probleem zo ingewikkeld gemaakt dat je het niet langer trekt om nog een dag langer te leven met leugens en verkeerde keuzes. In al die gevallen doe je er goed aan je leven eens eerlijk te bekijken, hoe zwaar dat je wellicht ook valt.

Terug naar betere tijden

Als je iets anders wílt, zul je ook iets anders moeten dóén – en dat behelst ook je denken. Je zit weliswaar in de problemen, maar met je denken, je voelen en je gedrag zul je daaruit moeten zien te komen. Het goede nieuws is dat dat ook kan, mits je bereid bent om duidelijk voor jezelf te zijn.

Wanneer je aanpassingsvermogen je in de steek laat, trap je maar al te gauw in de val van zwart-witdenken: álles is afschuwelijk, je héle wereld is ingestort. Maar is dat wel echt zo? Ook al zie je er nu geen gat meer in en líjkt alles in je leven een hopeloos zootje, toch is je crisis op sommige gebieden waarschijnlijk erger dan op andere. Als je alle aspecten van je leven nagaat, kun je waarschijnlijk wel ergens iets goeds ontdekken dat je zal helpen meer perspectief te krijgen. Je moet zien te voorkomen dat je jezelf aanpraat dat de situatie erger is dan hij is. Als je problemen hebt, échte problemen, wil ik wedden dat die al uitdaging genoeg vormen zónder dat je jezelf ook nog eens voorhoudt dat de situatie erger is dan ze is.

Het eerste wat je zou moeten doen, is die stortvloed van negatieve, zelfondermijnende gedachten die met je op de loop dreigen te gaan een halt toe te roepen. Een deel van de oplossing van elk probleem bestaat eruit dat je zegt: 'Oké, wat heb ik om mee te werken? Over welke middelen beschik ik? Wat werkt er wél goed in mijn leven? Waar kan ik op bouwen? Wie zijn mijn gezonde aanhangers? Wie ben ik? Wat weet ik? Waar ben ik goed in?'

Laten we eens kijken wat er positief is aan jou en je leven. Eén manier om dat te doen is wat afstand te nemen en je te concentreren op de basis – datgene waar je zeker van bent. Sta je er wel bij stil dat je in elk geval weet hoe je je werk moet doen? Je weet dat je houdt van je gezin. Je weet dat je een goed mens bent. Je weet dat je al eerder problemen te boven bent gekomen. Je weet dat je het tot hier hebt gered. Die dingen moet je opschrijven, samen met andere positieve dingen over jezelf waar je zeker van bent, en daar kijk je als het moet om het uur naar. Je doet er goed aan ze te bespreken met iemand die van je houdt en niet over je zal oordelen. Je zit in een put en kunt niet naar buiten kijken, maar door een paar simpele basale waarheden over jezelf op te schrijven kom je misschien tot de ontdekking dat die put helemaal niet zo diep is als je dacht. Ik wil de problemen zeker niet bagatelliseren, en ik wil ook helemaal niet beweren dat je ze moet ontkennen door je alleen te focussen op wat positief is. Maar de waarheid is dat evenwicht een sleutel is tot succes, en in tijden van crisis moet je de goede kant van het kasboek wat 'zendtijd' geven.

Kom in actie
- **Doe een 'situationele autopsie'**
  Wil je deze puinhoop achter je kunnen laten, dan zul je allereerst moeten nagaan wat er nou precies verkeerd is gegaan. Om te beginnen moet je verantwoordelijkheid nemen voor

wat er gebeurt. De kans bestaat dat er een heleboel redenen zijn waarom je staat waar je nu staat, en voor een deel kunnen die te maken hebben met andere mensen en hun aandeel in de situatie. Het is waar dat 'dingen nu eenmaal gebeuren', maar het helpt niet echt om veel tijd te besteden aan de rol die anderen in jouw crisis hebben gespeeld (behalve dan misschien om te bepalen wie niet goed voor je is en daarom in aanmerking komt om uit je leven te bannen). Zoals ik steeds zeg, kun je je bij elke situatie van enig belang of bij elke uitdaging het best op jezelf focussen, omdat jij de enige bent die je kunt sturen. Over je partner, baas of vrienden heb je geen zeggenschap. Over de arbeids- of aandelenmarkt ook niet. Jijzelf bent de enige op wie je invloed kunt uitoefenen (om nog maar te zwijgen van het feit dat jij de enige bent die dit boek nu zit te lezen). Dus als je uit deze crisis wilt komen en er beter van wilt worden, dan zal dat moeten gebeuren door wat jíj eraan doet.

Laten we om daar te komen eens terugkeren naar wat er is gebeurd en nagaan hoe het zo ver heeft kunnen komen dat je kreeg wat je niet wilde. Wat was jouw aandeel in deze crisis? Wat heb je in het verleden gedaan, of nagelaten, dat tot deze instorting heeft geleid? Dat vraag ik omdat ik ervan overtuigd ben dat de beste voorspeller van toekomstig gedrag relevant gedrag uit het verleden is. Neem even de tijd voor een heel eerlijke dosis harde realiteit. Wanneer je jezelf voorhoudt dat je 'een waardeloze luie donder bent die niets voor elkaar krijgt', zal dat je géén goed gevoel over jezelf geven. Zulke taal moet je afleren. Maar – en dat is een groot maar – als je weet dat je écht lui bent en niets uitvoert en niets voor elkaar krijgt, moet je méér veranderen dan alleen je zelfspraak.

Ik wil je eraan herinneren dat verantwoordelijkheid nemen voor je minder volmaakte eigenschappen niet betekent dat je jezelf hoeft af te katten. Negatieve zelfspraak is nooit goed, en ik probeer zeer zeker niet om je nog meer schuldgevoel aan te praten of je je nog ellendiger te laten voelen dan je je al voelt. Maar tegelijkertijd zul je iets moeten doen als je de situatie waar je in zit wilt veranderen. Kom van die bank af, weg van de televisie. Hang die telefoon op en stop met roddelen met je vrienden of vriendinnen. Weg met dat bedieningspaneel van de videospelletjes, en in de benen! Als jouw probleem is dat je geen werk hebt en geen geld meer, sta dan op en zoek een baan! Als je die wel had, zou je daar minstens acht of negen uur per dag mee zoet zijn, dus nu kun je er minstens evenveel tijd aan besteden om er een te zoeken! De enige manier om jezelf uit deze situatie te halen is door actie te ondernemen en te stoppen met slechte gewoontes die je in deze crisis hebben gebracht. Dus ja, verander je innerlijke dialoog. Maar blijf ook in nauw contact staan met de werkelijkheid. Wanneer je uitzoekt hoe dit allemaal in elkaar steekt, kan dat je helpen te bepalen wat je anders had kunnen doen en ook hoe je je denken kunt veranderen, zodat je van deze ervaring iets kunt leren. En wanneer je lering trekt uit je verleden en heden, draagt dat in elk geval bij aan de leerschool die het leven is.

- **Stel je mythen op de proef**
Je 'situationele autopsie' kan je snel op weg helpen als je bereid bent de overtuigingen die je er over jezelf en over de wereld om je heen op na houdt te onderzoeken en op de proef te stellen. Hoewel veel van onze overtuigingen irrationeel zijn, zitten ze al zo lang in ons hoofd dat het voor ons feiten kunnen zijn geworden. Irrationele overtuigingen zijn, zoals we al eerder bespraken, die ideeën die niet flexibel zijn, die onlogisch zijn en/of niet in overeenstemming met de werkelijkheid. Ze hebben de neiging je geestelijk welbevinden te verstoren en je in de weg te zitten bij het najagen van betekenisvolle doelen. In deze crisis, nu het voelt alsof je wereld instort, zul je nog meer geloof aan zulke overtuigingen hechten. Maar je zult ze moeten uitdagen in plaats van ze als feiten te accepteren. Hieronder noem ik een paar overtuigingen die jij er misschien op na houdt (ga aan de hand van de kadertekst die erop volgt na hoe rationeel je eigen overtuigingen zijn):

1. Ik ben te oud om nog aan een nieuwe carrière of baan te beginnen.
2. De wereld heeft me gemaakt zoals ik ben, en dat is de enige manier die ik ken.
3. Ik ben niet slim of getalenteerd genoeg om iets anders met mijn leven te doen.
4. God heeft me een bepaalde hoeveelheid vermogens geschonken, en beter dan dit kan ik niet.
5. Ik verdien geen tweede kans om mijn leven ten goede te veranderen.
6. Ik ben een knurft, en beter dan dit zal het waarschijnlijk niet worden.
7. De wereld is aan me voorbijgegaan, en ik heb het niet in me om daar nu nog iets aan te doen.
8. Ik heb mijn keuzes gemaakt, en nu zal ik daarmee moeten leven.
9. Ik heb te veel in mijn gezin en gemeenschap geïnvesteerd om nog te veranderen.
10. Niemand zou me aardig vinden als ik zou zeggen wat ik echt zou willen doen.
11. Ik kan het me niet permitteren om terug te gaan en opnieuw te beginnen.
12. Ik draag te veel verantwoordelijkheid om mijn leven te veranderen.

Rationele overtuigingen

Rationele overtuigingen representeren redelijke, objectieve, flexibele en constructieve conclusies over de werkelijkheid die overleving, geluk en gezonde uitkomsten ondersteunen. Hiervoor geldt:

1. *Ze stimuleren de productiviteit en creativiteit.*
2. *Ze ondersteunen positieve relaties.*
3. *Ze roepen op tot verantwoordelijkheidsgevoel, zonder onnodig te beschuldigen en te veroordelen.*
4. *Ze bevorderen acceptatie en tolerantie.*
5. *Ze vergroten doorzettingsvermogen en zelfdiscipline.*
6. *Ze dienen als platform voor omstandigheden die persoonlijke groei bevorderen.*
7. *Ze hangen samen met gezonde risico's nemen.*
8. *Ze houden verband met een gevoel van emotioneel welbevinden en een positieve geestelijke gezondheid.*
9. *Ze leiden tot een realistisch gevoel voor perspectief.*
10. *Ze bevorderen de weerbaarheid van anderen.*
11. *Ze stimuleren een open houding voor ervaringen en een bereidheid tot experimenteren.*
12. *Ze sturen onze inspanningen langs ethische paden.**

* Bill Knauss, *Smart Recovery: A Sensible Primer* (W.Knaus, 1997).

- **Verover het heden**
De psycholoog Abraham Maslow heeft een model ontwikkeld dat bekendstaat als de behoeftenhiërarchie, waar de behoeften van de mens in oplopende volgorde in staan, te beginnen met de fysiologische basisbehoeften aan zuurstof, voedsel en water, via de behoefte aan veiligheid, liefde, genegenheid en ergens bij horen, tot de behoefte aan zelfrespect, en dan helemaal bovenaan: de behoefte aan zelfverwerkelijking, ofwel het realiseren van je intellectuele, spirituele en emotionele potentieel als mens. Volgens Maslow dienen de lagere behoeften eerst te zijn vervuld voordat je werk kunt maken van die daarboven.

De reden waarom ik hier over die behoeftenpiramide begin, is dat je, om uit de put te komen waar je nu in zit, moet bepalen waar je op deze ladder staat. Dat helpt je niet alleen om je behoeften te onderkennen, maar ook om de stappen te plannen die je moet zetten om vooruit te komen. De echte moeilijkheden ontstaan wanneer je probeert de ene behoefte te vervullen ten koste van een andere. Ben je bijvoorbeeld ontslagen uit je baan als adjunct-directeur van een bedrijf, dan kun je van slag raken wanneer de enige baan die je kunt krijgen die van administratief medewerker of afdelingshoofd is. Maar hoewel je die banen beneden je stand vindt en je liever wilt voorzien in een hogere behoefte, moet je nog steeds je gezin te eten geven. Omdat je hoog mikt op behoefte nummer vier – je zelfrespect bevredigen – wijs je de baan van afdelingshoofd af en heeft je gezin daaronder te lijden. Met andere woorden: je zou nog liever doodgaan dan leven met iets wat jij als schaamtevol ervaart: een baan aannemen die veel minder prestige heeft dan de baan die je eerst had.

Je denkt nu misschien: 'Dr. Phil, hoe weet jij nou hoe het is om administratief medewerker of afdelingshoofd te zijn, want jij hebt het zelf helemaal gemaakt!' Maar de waarheid is dat wanneer ík opeens in de situatie zou verkeren waarin ik mijn gezin te eten zou moeten geven, ik élke baan zou aannemen om te doen wat gedaan moet worden. Ik weet dat ik dat kan, omdat ik het mezelf al eerder heb zien doen.

Het is net zoiets als de theoretische vraag: 'Hoe eet je een olifant?' In plaats van je uit het veld te laten slaan door de omvang van die taak, kun je ook gewoon een oor pakken en beginnen te kauwen. Ik ben erg voor doelen stellen, maar wanneer je dreigt te verzuipen in een rivier van schuldgevoel, pijn en verwarring, zal het je alleen nog maar meer van slag brengen als je het oog op de toekomst gericht moet houden. Dus zie ik liever dat je het tegenovergestelde doet en je alleen op het hier en nu richt. Je moet klein beginnen en van daaruit verdergaan. Het doel is erover na te denken wat er nú toe doet en alleen daarmee bezig te zijn. Werk je hier stap voor stap uit. Je probeert immers ook niet de hele olifant in één keer op te eten. In plaats daarvan verdeel je hem in kleine stukken die te behappen zijn en ga je van daaruit verder. Je bent Superman niet; je springt niet met één sprong van het ene hoge gebouw naar het andere, maar gaat stap voor stap in het gebouw omhoog.

- **Definieer succes opnieuw**
  Wanneer je aanpassingsvermogen je in de steek laat en je het gevoel hebt dat je niet over het geld, de hersenen, de middelen of de energie beschikt om je leven weer op orde te krijgen, zoek dan naar iets wat je wél kunt, en doe het ook. We hebben net gezegd dat je eerst met het hier en nu moet leren dealen. Wanneer je eraan toe bent een doel te stellen voor de toekomst, moet je ervoor zorgen dat dat a. voor de korte termijn geldt, b. iets is waar jij zeggenschap over hebt, en c. boven aan je lijstje met prioriteiten staat. Heeft het bijvoorbeeld prioriteit voor je dat je kinderen vanavond een dak boven hun hoofd hebben? Dan ga je daar vandaag aan werken. Je kijkt vandaag welke middelen direct beschikbaar zijn. Zoals we al hebben besproken, moet je succes opnieuw omschrijven voor de korte termijn. Je moet bezig zijn met het doorkomen van de komende paar minuten. Wat heb je om 1.15 uur nodig om 1.30 uur te halen? En daarna 1.45 uur? Enzovoort, enzovoort. Het heeft veel weg van wat ik mensen voorhoud die moeite doen om af te vallen of van de drank of drugs af te blijven. Ze vinden het een griezelig idee dat ze voor de rest van hun leven nooit meer een zak chips zouden mogen eten of alcohol zouden mogen drinken. Dat vooruitzicht kan zo eng zijn dat ze nu meteen maar naar die zak chips of die drank grijpen. Maar ik houd hun voor: 'Je hoeft echt niet de rest van je leven nuchter te blijven. Je moet alleen nú nuchter zien te blijven. Je moet het zien te redden tot het volgende uur, en als dat niet gaat, denk dan alleen aan het komende kwartier.' Zet om verder te komen telkens de ene voet voor de andere. Denk na over de stappen die je op dit moment kunt zetten om succesvol te zijn, en misschien beperkt zich dat wel tot één rekening betalen, een boodschap doen of contact zoeken met iemand die je kan helpen.

  Merk je dat je je op iets anders richt dan wat boven aan je lijstje staat, staak dan je bezigheden, ga terug en focus je weer op nummer één. Zeg tegen jezelf: 'Ik hoef het niet allemaal te doen, en ik hoef er niet altijd mee bezig te zijn. Ik moet eruit

pikken wat er echt toe doet en dat goed afhandelen, en wel nú.'
Wanneer je dit in de vingers hebt, kun je pas een plan maken
voor de toekomst, maar voorlopig gaat het alleen om vandaag!
Zoals ik eerder al zei, is de beste voorspeller voor gedrag in de
toekomst gedrag uit het verleden. Door een nieuwe geschiedenis van kleine, maar positieve gebeurtenissen te creëren kun je
er een begin mee maken een nieuwe toekomst te voorspellen.

**Merk je dat je je op iets anders richt dan wat boven
aan je lijstje staat, staak dan je bezigheden, ga terug en
focus je weer op nummer één.**

Hou terwijl je bezig bent je voortgang bij. Als je met je eerste
stap direct succes hebt geboekt, kijk dan nog eens wat je nou
precies hebt gedaan. Welke positieve dingen heb je gedaan om
dat succes te bereiken? Wat had je beter anders kunnen doen?
Doorgrond het proces dat je hebt doorgemaakt en wees er blij
mee, zodat je het kunt herhalen. Wanneer je zo een poosje
bezig bent en een geschiedenis van succes begint te krijgen,
voel je je misschien minder uit het veld geslagen en krijg je
meer vertrouwen in jezelf. Je hebt jezelf dan bewezen dat je
het kunt. Dan – en alleen dan – kun je beginnen over de toekomst na te denken.

- **Probeer niet geldproblemen met geld op te lossen**
  Je bent niet in de financiële problemen geraakt omdat je niet
  zou kunnen optellen en aftrekken. Daar ben je in beland door
  een verkeerde manier van denken, door emotionele beslissingen te nemen over geldzaken, of doordat je getroffen bent
  door een onvoorziene ziekte of een andere levenscrisis.
      Zoals ik eerder al zei, ben ik in armoede opgegroeid en
  hadden wij geen geld. Dus leerde ik al heel snel dat als je niet
  werkt, je ook niet te eten hebt. En als je wel eet, eet je op het
  niveau waarop je werkt. Zit je financieel in de knel, dan zul je
  beslissingen moeten nemen over te 'overleven'. Als het erom
  gaat je creditcard- of elektriciteitsrekening te betalen, hoef je
  niet lang na te denken. Het is misschien niet eerlijk tegenover
  de creditcardmaatschappij, maar je moet je gezin immers beschermen.

Financieel gezond zijn komt neer op wiskunde. Het is geen magie, het is geen emotie, en je schuldeisers kan het niet schelen waaróm je hun niet betaalt. Je kunt financiële beslissingen niet nemen op basis van wat je wilt of wat je denkt dat je toekomt. Dat heeft met wiskunde niets te maken. Houd je elke maand netto 1000 dollar over om van te leven, dan doet het er niet toe wat je denkt nodig te hebben of te verdienen – dat is gewoon wat je hebt. Ga je naar de winkel en koop je dingen omdat je er op dat moment een goed gevoel van krijgt of omdat je er genoeg van hebt het zonder die spullen te moeten doen, dan verandert dat niets aan de hoeveelheid geld die je tot je beschikking hebt. Als je alleen met contant geld zou leven, zou je wel leren om het met 1000 dollar te redden. Waarom? Omdat je geen keus zou hebben.

Helaas zijn er ook veel mensen in de financiële problemen gekomen niet doordat ze onverantwoordelijk met geld zijn omgegaan, maar doordat ze plotseling werden getroffen door ziekte of een andere gebeurtenis waar ze geen invloed op hadden. In dat geval heeft het weinig zin om jezelf al te lang een slachtoffer te voelen, want de uitdagingen waar je voor staat zijn precies dezelfde. Je zult iets aan je manier van leven moeten veranderen. Het is niet eerlijk, maar het is wel zoals het is.

In mijn ogen is het niet alleen maar een kwestie van meer geld verdienen of de hulp inroepen van een financieel adviseur en een ingenieuze budgetraming en een budgetplan uit de kast trekken. Soms moet je alleen maar in de spiegel kijken en zeggen: 'Word eens volwassen!' Deal met de werkelijkheid dat je hebt wat je hebt en leer daarvan te leven. Je kunt je financiën niet gebruiken om je zelfrespect of gevoel van eigenwaarde mee op te krikken. Je mag het dan heel fijn vinden om te gaan shoppen, maar bedenk wel dat drie minuten lol neerkomt op vijf jaar schulden aflossen.

- **Ga op zoek naar positieve invloeden**
  Omring jezelf met mensen die antwoorden hebben en distantieer je van degenen die deel uitmaken van het probleem. Je hebt misschien behoefte aan vrienden, familie of praatgroepen. Dit is immers niet het moment om te proberen alles in

je eentje uit te vogelen, zeker niet als je niet goed weet waar je staat of je extra hulp nodig hebt om te komen waar je wilt zijn. Dat is zeker niet makkelijk, en je wilt misschien niet eens toegeven dat je in de problemen zit. Maar geloof me als ik zeg dat het je waarschijnlijk veel goed zal doen. Is je kortetermijndoel en eerste stap bijvoorbeeld om geld bij elkaar te sprokkelen voor je gezin, dan kun je op zoek gaan naar de beste financieel coach die je je kunt veroorloven, of schaf budgetteersoftware aan, of roep de hulp in van een online financiële steungroep.

Tot slot

Eén ding weet ik heel zeker: de meeste mensen die een crisis als deze meemaken, zeggen achteraf vaak dat wat op dat moment het allerergste in hun leven leek, uiteindelijk leidde tot de beste veranderingen die hun hadden kunnen overkomen. Of je nu wordt ontslagen uit een baan waar je een hekel aan had, maar waar je toch niet uit wegging omdat je bang was voor verandering, of dat er een relatie uit elkaar knalde die toch al niet goed voor je was, je zult er waarschijnlijk heel anders tegen aankijken op het moment dat je wat verder bent. Hoewel het nooit prettig is wanneer alles wat vertrouwd en stabiel is in je leven overhoop wordt gegooid, kunnen deze tijden van loutering, die oude leugens en ongezonde elementen uit je leven wegvagen, je er toch toe stimuleren op nieuwe manieren over je leven te gaan denken. Daar ziet het nu misschien niet naar uit, maar ik voorspel je dat je in een crisis als deze heel mooie dingen in jezelf kunt ontdekken. Zoals ik in het hoofdstuk over de 'benaderingshouding' al opmerkte, heb je de antwoorden en wijsheid al in je; je moet alleen leren wat je ermee moet doen en hoe je je moet aanpassen aan veranderingen, zodat ze je naar een betere plek kunnen voeren dan waar je begon.

Maar je hebt een keus. Ik weet zeker dat je verhalen kent van mensen die dreigden te verdrinken en ongewild anderen mee kopje-onder trokken, dus laat paniek niet de overhand krijgen. Als je verdrinkt en zeker weet dat je het nooit gaat redden, stop dan met trappelen en worstelen – leun in plaats daarvan achterover, haal diep adem en… blijf drijven. Dat lijkt onmogelijk. Het lost niet al je problemen op. Maar het kan je wel de tijd geven die je nodig hebt om van de verwarring te bekomen, zodat je kunt beginnen met beslissingen nemen die je uiteindelijk verder brengen.

Net zoals voor alle vormen van crisis geldt, zo geldt ook hier dat je erdoorheen kunt komen. Wat je kunt leren van het instorten van je aanpassingsvermogen, kan je zelfs veel dichter bij het leven brengen dat jij wilt leiden, een leven waarin je écht 'alles op een rijtje' hebt, omdat je gedwongen bent terug te gaan naar de basis en daar hopelijk kunt blijven. Het geeft een grote vrijheid om te leven naar de middelen die je ter beschikking hebt, binnen jouw realiteit. Ik garandeer je dat wanneer je je op een succesvolle manier door het leven kunt slaan – mentaal, emotioneel, financieel, in de zin van carrière, lichamelijk en in alle combinaties hiervan – dat een vredig gevoel geeft dat je zult gaan koesteren.

7.

Gezondheid: wanneer je lichaam het laat afweten

Gezondheid is de grootste rijkdom die er bestaat.
– Ralph Waldo Emerson

We houden allemaal ons hart vast voor dat ene telefoontje. We bidden dat we het niet hoeven te horen. We proberen er niet bij stil te staan. Maar als je net zo in elkaar zit als de meeste mensen, weet jij ook dat het elk moment kan komen: het telefoontje van de dokter die even blijft zwijgen voordat hij of zij het woord neemt. Alles staat stil zodra je de woorden hebt gehoord die je brein verwerpt, woorden die opeens je wereld doormidden splijten: je leven vóór dit nieuws en je leven nu, dat voorgoed veranderd is – op manieren waar je je nog niet eens een voorstelling van kunt maken. Het is net of er een tornadoslurf op je af komt, die steeds sneller gaat en als een grote donkere massa vlak voor je oprijst, klaar om je de lucht in te slingeren. 'De onderzoeksresultaten zijn positief.' 'Het is kanker.' 'U hebt een hartaanval gehad.' 'Uw vrouw heeft multipele sclerose.' 'Er is een ongeluk gebeurd.'

In een mum van tijd verandert je leven. Je stort helemaal in terwijl je je het ergste voorstelt wat er kan gebeuren. Je krijgt je man verlamd terug, hij moet een arm of been missen of is dood. Hij zal er niet meer zijn om je te helpen je kleine kinderen groot te brengen of samen met jou oud te worden. Je hebt borstkanker, net als je moeder en haar moeder – en je ziet jezelf al dezelfde pijnlijke weg afleggen van chemotherapie als je moeder voordat ze vier jaar geleden, broodmager, overleed. Of je vader, die last had van zijn prostaat, blijkt dodelijk ziek te zijn en je vraagt je af of hij de Kerst nog zal halen. Hoe het bericht ook luidt, jij of je vader, man, dochter of beste vriend(in) zal nooit meer dezelfde zijn, en voor alle betrokkenen zullen er dingen veranderen. Ik zeg 'alle', omdat een gezondheidscrisis (of het nu gaat om een ernstige ziekte, een ongeluk of een aandoening) niet iets is wat maar één iemand overkomt; de ontwrichting en pijn hebben invloed op iedereen die een bepaalde relatie met hem of haar heeft. Als mama kanker krijgt, is het bijna alsof het hele gezin kanker 'krijgt' – je kunt wat zij meemaakt niet isoleren en verwachten dat de rest van het gezin gewoon doorgaat alsof er niets aan de hand is.

Ik weet dat dit heel onaangenaam is. Ziekte en ongelukken zijn zaken waar de meeste mensen liever niet over nadenken. Weet je dat nog maar een jaar of twintig geleden mensen helemaal niet over onderwerpen zoals kanker spraken? Oké, als ze onder elkaar waren fluisterden ze er wel over, maar niemand gaf graag toe dat hij of zij het had of iemand kende die eraan leed, omdat kankerpatiënten over het algemeen medelijdend werden bekeken en vervolgens werden afgeschreven omdat er weinig hoop was dat ze er ooit van zouden herstellen. Gelukkig is dat nu vrij snel aan het veranderen. In de westerse wereld hebben we grote vorderingen gemaakt op het gebied van de gezondheidszorg, en onderzoek op veel terreinen levert bruikbare resultaten op. Dat is goed nieuws. Maar toch betekent dat niet dat jij of iemand van wie je houdt niet ziek zou kunnen worden of pijn zou kunnen lijden. En als jij degene bent die dat telefoontje krijgt, doet het er niet echt toe dat de afgelopen tien jaar het aantal patiënten dat aan dezelfde kwaal lijdt met zeventig procent is gedaald, want jíj staat nu aan de verkeerde kant van die statistiek. Bovendien mag je dan misschien tot die overige dertig procent behoren, maar je zult nog steeds voor honderd procent met de ziekte moeten dealen, dus nú zit je om antwoorden verlegen.

Het vergt voorbereiding op elk van deze terreinen om deze crisis te doorstaan in de hoop op een betere toekomst.

Met deze meest uitdagende crisis van allemaal begint een nieuw hoofdstuk in je leven, en alles wijst erop dat je het verhaal dat voor je ligt niet leuk zult gaan vinden. Gisteren was het nog je grootste probleem om je kinderen aan hun huiswerk te krijgen, om alles gedaan te krijgen wat je moest doen of om een betere baan te zoeken. Nu zou je wíllen dat je niets anders aan je hoofd had dan dat. Je bent van de gelederen van de ongeschonden en gezonde mensen afgegleden naar die van de zieken en gewonden, de mensen die weleens afhankelijk van anderen zouden kunnen worden. Of je staat, wanneer een dierbare wordt getroffen, op het punt een zorgeloos leven in te ruilen voor dat van een verantwoordelijke verzorger. De toekomst kan niet onzekerder zijn, en niemand kan antwoord geven op de vragen naar het hoe, waarom en wat er gaat komen. Het enige wat je bezighoudt, is dat de dingen waarschijnlijk nooit meer hetzelfde zullen zijn, zeker niet als je hier helemaal niet op had gerekend.

Het doet er niet toe hoeveel geld, succes of status je hebt, want niets van dat alles kan je een gezond of tragedievrij leven garanderen. Hopelijk zul je wanneer je dit hoofdstuk uit hebt een idee hebben gekregen in hoeverre voorbereiding je helpt, want daardoor kun je je kansen vergroten en op vele manieren zelf verantwoordelijkheid voor je gezondheid nemen. Maar zelfs wanneer je alle goede dingen doet – zoals lichaamsbeweging nemen, gezond eten en goed voor jezelf zorgen – kun je deze crisis toch niet altijd vóór zijn, en misschien komt hij wel meer dan eens. Dit is niet iets wat 'misschien zou kunnen gebeuren'. Het leven is nu eenmaal eindig. Gezondheid is eindig. De vraag is niet óf het zal gebeuren, maar wannéér; de vraag die je jezelf nu zou moeten stellen, is of je nú tegen deze crisis opgewassen zou zijn. Ben je er klaar voor om die te boven te komen – niet alleen fysiek, maar ook mentaal en emotioneel? Op al die terreinen zul je je moeten voorbereiden om deze crisis te doorstaan in de hoop op een betere toekomst.

Wat houdt een gezondheidscrisis in?

Een gezondheidscrisis kan de vorm aannemen van door hersenvliesontsteking veroorzaakte aanvallen en gehoorverlies bij je kind van drie, of die van een aangeboren hartafwijking die je parten gaat spelen als je in de vijftig bent. Het kan beginnen met vage klachten en pijntjes in de ochtend, die langzaamaan uitdraaien op een zware artritis waar je helemaal krom van groeit. Of het gaat slechts om de gestage, leeftijdgerelateerde teruggang van je vermogens, die het allemaal op hetzelfde moment lijken te laten afweten. Op welke manier de crisis ook in je leven komt, op een gegeven moment krijgen we er allemaal mee te maken – hetzij wat onszelf, hetzij wat onze dierbaren betreft. Of je het nu leuk vindt of niet, aan onze lichamen is een uiterste houdbaarheidsdatum verbonden, en bij sommigen 'verloopt' die eerder dan bij anderen. Wanneer je er niet van tevoren bij hebt stilgestaan, kan het angstaanjagend zijn om de werkelijkheid van je lichamelijke beperkingen onder ogen te zien.

Als er één moment is waarop je zelfvertrouwen een gevoelige klap te incasseren krijgt, is het wel het moment waarop je lichaam je in de steek laat. Het aloude gezegde 'wanneer je je gezondheid nog hebt, heb je alles' krijgt een diepere waarheid wanneer je viermaal per week naar de dialyse moet omdat je nieren niet meer functioneren, of wanneer je na een auto-ongeluk vanaf je middel verlamd bent. Erger nog is dat lichamelijke problemen vaak hand in hand gaan met depressie en emotioneel lijden,[1] en door dat alles kan een crisis op vele niveaus ontstaan. De waarheid is dat, of we het nu leuk vinden of niet, ons lichaamsbeeld en zelfbeeld nauw verweven zijn. Wanneer er aan je lichaamsbeeld wordt afgedaan door ziekte of een verwonding, is de kans groot dat je zelfbeeld een gevoelige klap krijgt. Het probleem is dat zodra je lichaam (of dat van een dierbare) belaagd wordt, je op dat moment ook het meest behoefte hebt aan positieve zelfspraak, een positieve innerlijke dialoog en positieve beelden. Kun je daar de ziekte of het letsel mee ongedaan maken? Nee, dat niet. Kan het je kansen om terug te keren naar een stabiele en productieve gezondheidstoestand verbeteren of vergroten? Zonder enige twijfel.

Een gezondheidscrisis is met name moeilijk wanneer je trots bent op je lichaam en wat dat allemaal kan. In het verleden heb je misschien wel neergekeken op mensen die niet zo behendig en gezond waren als jij. Je geeft het wellicht niet graag toe, maar als je mensen in rolstoelen zag, of met lichamelijke handicaps, vond je die stiekem maar zielepoten, onwaardig, of op de een of andere manier door God vergeten. Het kan zijn dat je automatisch alle te dikke mensen als lui of genotzuchtig beoordeelde – of je dacht zelfs dat hun slechte gezondheid hun verdiende loon was.

Zo lang als je je kunt heugen was je een productieve multitasker die alles op eigen kracht voor elkaar kreeg. Nu is dat allemaal op wrede wijze omgegooid en lig je in een ziekenhuisbed, terwijl je voor de meest basale lichaamsfuncties, zoals eten en naar de wc gaan, afhankelijk bent van anderen. Ik ken een heleboel mensen die zeggen dat dat niet alleen vernederend is, maar ook heel krenkend. Wees niet verbaasd als je opeens het gevoel krijgt dat je niet 'heel' meer bent, of als je een vertekend beeld van jezelf krijgt omdat je niet meer over al je vermogens beschikt.

Celine kon het niet laten om telkens te voelen aan de lege plek waar een borst bij haar was afgezet. Ook al zei haar verstand haar dat de operatie haar leven had gered, ze kon er niets aan doen dat ze zich nu minder vrouw voelde. Elke keer dat ze de plek aanraakte waar haar borst had gezeten, voelde ze zich misvormd, verminkt en seksloos. De slaapkamer werd een plek vol angst, waar – hoe haar man ook zijn best deed om haar te verzekeren dat hij nog steeds van haar hield en haar begeerde – ze uitingen van intimiteit niet meer wilde toelaten. Ze sloot zich er helemaal voor af en kreeg haar speelse seksualiteit nooit meer terug. Ze had het idee dat ze nooit meer heel zou zijn. Zoals ik al zei, bestaat er een nauw verband tussen lichaamsbeeld en zelfbeeld; dat mag je nooit onderschatten wanneer je te maken krijgt met een lichamelijke verandering die zo ingrijpend is.[2]

Als arts gespecialiseerd in gedrag, of als medisch psycholoog, heb ik in mijn praktijk vaak te maken gekregen met mannen die rugletsel hadden opgelopen. Meestal kwam ik met hen in contact na een operatie om hen te helpen met de pijn om te gaan en te revalideren. Veel van deze mannen waren arbeiders: sterke, krachtige mannen met een behoorlijk macho zelfbeeld. Zij maten hun waarde af aan hun kracht en hun vermogen om zware en veeleisende lichamelijke arbeid te verrichten.

Als jong en – ik geef het toe – naïef beginnend arts kon ik maar niet begrijpen waarom deze patiënten, als ik hen na de operatie op de ziekenzaal bezocht, zich zo afsloten en slechts met tegenzin een gesprek met me voerden. Ik dacht niet dat dat kwam door iets wat ik deed; ik wist hoe ik me aan een ziekbed moest gedragen en in de meeste gevallen werkte dat ook goed. Ik besprak mijn frustraties met een neurochirurg, een goede vriend. Hij vroeg me of ik naast het bed van de patiënten stond terwijl ik met hen praatte. Ik antwoordde bevestigend, omdat ik altijd naast bedden stond. Er verscheen een brede glimlach op zijn gezicht en hij leek de kans om 'die psych' eens even iets te vertellen over psychologie met beide handen aan te grijpen. Hij zei (en ik citeer): 'Luister nou eens even, dombo, jij bent één meter negentig en hebt een sportief figuur. Jij bent een sterke macho man, en je probeert een gesprek te voeren met kerels die dat allemaal zojuist zijn kwijtgeraakt. Ze voelen zich in het nauw gedreven en inferieur wanneer je zo boven hen uittorent. Ik voorspel je dat ze heel anders zullen reageren als je op een stoel gaat zitten en op ooghoogte met hen bent.' Daar had hij helemaal gelijk in. Toen ik daarmee inderdaad een heel andere reactie kreeg, was dat voor mij een levensgroot bewijs van de stelling dat lichaamsbeeld en zelfbeeld nauw verweven zijn en in relatie tot elkaar dienen te worden begrepen.

Als levenslange leerling op het terrein van relaties en menselijk gedrag wil ik tevens benadrukken hoe belangrijk de relatie tussen is het verlies van gezondheid en een 'kettingreactie' van gevolgen die zich kan voordoen. Zo is er onderzoek gedaan naar de effecten van stress op verzorgers van alzheimerpatiënten die griepprikken kregen.[3] Tewijl 66 procent van de niet-verzorgers reageerde op het vaccin (hun antilichamen namen met een factor 4 toe), bleek dat slechts 38 procent van de verzorgers een reactie vertoonde. De langdurige zorg die ze familieleden en dierbaren boden had namelijk ook effect op hun eigen gezondheid.

In veel gevallen heeft de lichamelijke instorting van één persoon invloed op anderen. Een van de meest in het oog springende patronen die zich aftekenden in het onderzoek waar ik het in vorige hoofdstukken* over had, was het rapport over het verband tussen een ingrijpende verandering in gezondheid en zelfmoordneigingen. Ik vond met name de antwoorden van de respondenten op vragen over de invloed van de crisis van een familielid interessant: zelfmoordgedachten en op zelfmoord gerichte actie kwamen bijna tweemaal zo vaak voor als het ging om iemand die dicht bij hen stond dan wanneer het om hun eigen gezondheid ging. Al gaan die cijfers misschien alleen op voor die specifieke respondenten op dat onderzoek, toch ben je het er vast wel mee eens dat, ook al denk je dat jij geen problemen op dit gebied zult krijgen, het alleen maar goed kan zijn om alert te blijven op veranderingen in je eigen mentale of emotionele toestand, of die van een dierbare, tijdens wat voor gezondheidscrisis dan ook, zeker wanneer die betrekking heeft op een familielid of iemand die je na staat.

---

*   Zie de hoofdstukken 1 en 3 voor meer informatie over dit onderzoek.

De reden waarom ik hier zo veel nadruk op leg is niet dat ik je bang wil maken, maar dat ik je duidelijk wil maken dat je in moet zien dat een gezondheidscrisis op veel terreinen invloed kan hebben op jezelf of je dierbaren. Dit eenvoudige onderzoek leverde resultaten op die overeenstemmen met wat ik en een heleboel anderen die in de gezondheidszorg werkzaam zijn in de loop van de jaren met eigen ogen hebben kunnen constateren. Om nog maar te zwijgen van wat je moeder al wist. Ik weet namelijk zeker dat je het haar duizenden keren hebt horen zeggen: 'Neem wat rust! Je bent zo uitgeput dat je straks nog kouvat, of griep krijgt, of wat er ook maar heerst.' Je moeder had gelijk, want de stress die met een crisis samengaat, kan je ontvankelijk maken voor ergere kwalen. Als je je ervan bewust bent dat deze zaken statistisch gezien in je nadeel pleiten, heb je al een voorsprong. Dan kun je een deel van de emotionele en mentale landmijnen vermijden waar je je anders tijdens een gezondheidscrisis misschien niet van bewust bent: de verborgen elementen die ons vaak neerhalen net op het moment dat we denken weer boven Jan te zijn. En je weet wat ze zeggen over 'een onsje preventie'. In dit geval is die wel meer waard dan 'een pond genezing'. Er kan zelfs een leven mee behouden blijven.

Wat kun je verwachten?

Wanneer er grote veranderingen in de gezondheidstoestand plaatsvinden, in die van jezelf of in die van iemand die je na staat, kun je ervan uitgaan dat dat aanvoelt alsof je uit koers bent geraakt of geen enkele zeggenschap meer hebt. In het begin weiger je misschien domweg om je nieuwe rol te aanvaarden. Het kan zijn dat je met jezelf te doen hebt of kiest voor de benadering: 'Als ik er geen aandacht aan besteed, gaat het vanzelf wel weg.' Maar helaas, hoe moeilijk de omstandigheden ook zijn, het helpt je niet om je kop in het zand te steken. In feite maakt dat het alleen maar erger. Dat geldt ook voor zelfmedelijden, dat je kan lamleggen en alle leven uit je kan wegzuigen. Het is begrijpelijk en zonder meer menselijk, maar dit is niet het moment om de luiken dicht of de handdoek in de ring te gooien.

Je gevoel van eigenwaarde zal een knauw hebben gekregen en

je gevoelens zullen gekwetst zijn, omdat je jezelf als gehandicapt gaat beschouwen, en dat is iets wat je van ándere mensen zegt, niet over jezelf. Het voelt vreemd en afschuwelijk om zo kwetsbaar te zijn, en het laatste waar je op zit te wachten is dat anderen je zielig gaan vinden, dus los je dat op door te ontkennen hoe erg je eraan toe bent. Je houdt de diagnose die je te horen hebt gekregen voor je, of maakt mensen wijs dat je heus geen hartaanval hebt gehad – ook al zit je met allerlei draden op je borst in je ziekenhuisbed. Een deel van je identiteit is ineens weg, en je hebt misschien helemaal geen zin om de realiteit dat je niet meer de oude bent onder ogen te zien. Je relaties kunnen daar ontzettend onder lijden, omdat iedereen zich aan de veranderingen probeert aan te passen.

Kyle wilde er niet op wachten dat zijn familie hem na zijn beroerte anders zou gaan behandelen, dus zei hij gewoon niks meer in plaats van al brabbelend zijn frustratie uit te spreken over zijn nieuwe lichamelijke werkelijkheid. Hij voelde zich opgelaten en was kwaad vanwege zijn onvermogen om goed te communiceren, en hij was bang dat ze geen respect meer voor hem zouden hebben, zeker gezien het feit dat hij zelf nooit veel medeleven had laten zien aan mensen die gehandicapt of langzaam waren. Hij stond er niet bij stil hoezeer zijn gekwetste trots schade toebracht aan zijn relatie met zijn gezin, want zijn drie kinderen dreigden het contact met hun vader te verliezen. Hoewel hij van hen hield, kon hij zich niet aanpassen aan de veranderingen die zijn beroerte meebracht, en de laatste jaren van zijn leven was hij erg alleen. Helaas had hij het ondersteuningssysteem dat hem juist had kunnen helpen om de veranderingen in zijn leven te accepteren en van daaruit verder te gaan afgeweerd.

Waarom ik?

'Waarom ik? Waar heb ik dit aan verdiend? Waarom laat mijn lichaam me in de steek?' Over zulke vragen kun je je het hoofd breken. Als je gelovig bent, vraag je je misschien af wat je hebt gedaan dat God nu boos op je is. Interessant genoeg stamt het woord 'pijn' af van het Latijnse *poena*, dat 'straf' betekent, en dat is precies wat je je misschien afvraagt: 'Waarom straft God mij hiermee?' Je bent braaf en trouw geweest, dus wat is er aan de hand? We hebben tenslotte vaak te horen gekregen dat als je de gezondheid of rijkdom wilt krijgen die je verlangt, je bij God 'in een goed blaadje' moet zien te komen. Misschien dat je dat dus kunt omdraaien: wat heb je, aangezien je niet gezond bent, dan verkeerd gedaan?

Ook wanneer je spirituele overtuigingen niets met God van doen hebben, zal iedereen het er nog steeds over eens zijn dat een gezond, sterk lichaam een zegen is. Dus als je lichaam ziek en zwak is, krijg je maar al te snel het gevoel dat er een vloek op je rust. Dat gevoel kan des te groter zijn, en des te verbijsterender, wanneer je iemand bent die een actief, gezond leven heeft geleid, die altijd zijn portie groenten en fruit heeft gegeten, er geen slechte gewoontes op na heeft gehouden en regelmatig lichaamsbeweging heeft genomen. Je hebt aan alle regels gehoorzaamd, dus hoe rechtvaardig is dit?

Daar komt bij dat ziekte, ongelukken of levensveranderende gezondheidscrises ons allemaal met onze neus op onze sterfelijkheid drukken. Tot op heden heb je er misschien niet veel over nagedacht, maar nu kun je er niet langer omheen. Opeens begint het je te dagen dat je niet het eeuwige leven hebt. Je bent niet onoverwinnelijk, en het zijn niet alleen maar ándere mensen die ziek worden, gewond raken of zelfs sterven.

Erger nog is het feit dat je beseft dat het leven misschien niet altijd de natuurlijke loop der dingen volgt. Het kan gebeuren dat je je kind moet begraven, iets wat geen enkele ouder graag wil of zich kan voorstellen. Het verdriet dat je voelt wanneer een deel van jou dat tot leven is gekomen weer wordt weggenomen, voordat jullie genoeg tijd hebben gekregen om samen door te brengen of genoeg herinneringen te vormen, is met niets te vergelijken. Dergelijke gebeurtenissen kunnen je geloof tot het uiterste op de proef stellen.

Uit je evenwicht

Wanneer je oog in oog komt te staan met lichamelijke ziekte – die van jezelf of van iemand anders – is het niet ongewoon dat je doorschiet in je reactie daarop. Aan de ene kant kun je supergevoelig worden voor elke kleine rimpeling of verandering in je lichaam of situatie. Deze angsten kunnen je leven gaan beheersen. Ik ken mensen die een hartaanval hebben gehad die elk beetje stress of opwinding vermijden, en ondertussen bijna stoppen met leven omdat ze zo bang zijn om nóg een hartaanval te krijgen. Een minieme spierkramp in de borst of schouder kan al tot paniek leiden, ook al is er bij controlebezoeken aan de dokter niets aan de hand. Je kunt hyperalert worden op de kleinste dingen. Mensen die herstellen van kanker, kunnen zich zorgen gaan maken over élk detail van élke dag, vanuit de angst dat iets wat ze doen een terugval kan veroorzaken. Ik heb het niet over waakzaamheid of wijsheid ten aanzien van de keuzes die je maakt voor je manier van leven – het is prima om een crisis te beschouwen als een gelegenheid om een wankel leven weer in goede banen te leiden. Nee, ik heb het hier over leven in angst, waarbij die angst alles kleurt en zorgen over je ziekte of verwonding vierentwintig uur per dag door je hoofd spelen, in die mate dat de kwaliteit van het leven voor jezelf en voor anderen eronder te lijden heeft.

Aan de andere kant zijn er ook mensen die denken: 'Ik ga toch dood, dus waarom zou ik nog goed voor mezelf zorgen?' Ze laten zich helemaal gaan en doen alles wat ze niet mogen, zoals drinken, roken, of het meest vette voedsel eten dat ze maar te pakken kunnen krijgen. Ze nemen risico's die ze voordat ze ziek werden nooit zouden hebben genomen, en in plaats van in angst te leven jagen ze hun hele omgeving de stuipen op het lijf met hun roekeloosheid of apathie.

Beide uitersten kun je het best vermijden; je doet er beter aan het tot je persoonlijke missie te maken om precies uit te pluizen wat je aan deze gezondheidscrisis kunt doen. Dat kan betekenen dat je uren op het web surft om dingen uit te zoeken, of alle deskundigen raadpleegt die anderen je aanraden. Informatie vergaren en je proactief opstellen zijn goede zaken. Evenals een second opinion vragen (of een third) en contact zoeken met mensen die iets vergelijkbaars hebben meegemaakt. Maar zoek het allemaal wel grondig uit. Juist wanneer je zit te springen om goede raad en informatie kun je ook heel ontvankelijk zijn voor allerlei kwakzalvers die beweren een remedie voor jouw kwaal te hebben.

Tijdens deze zware crisis en alle uitdagende tijden die nog zullen volgen wanneer het om een chronische ziekte gaat, kan er een grote rolomkering plaatsvinden met bepaalde personen in je leven. Stel bijvoorbeeld dat jouw eigen gezondheid in het geding is, maar dat jij van oudsher ook het huishouden runt of kostwinner bent. Nu kun je mogelijk niet meer werken, of niet meer de belangrijkste verzorger van je kinderen zijn. Het kan heel zwaar zijn om daarmee in het reine te komen. Jij hebt niet langer de touwtjes in handen. Jij draagt niet langer de verantwoordelijkheden waardoor je je zo waardevol voor anderen voelde en zo'n goed gevoel over jezelf had. Zonder die identiteit vraag je je af: 'Wie ben ik eigenlijk nog?' Als jij de verzorger was, worstel je nu ineens met kwesties rond controle en trots, en je verzet je ertegen om je door anderen te laten verzorgen. Wanneer jij gewend bent de lakens uit te delen, heb je er waarschijnlijk weinig zin in om hulp te vragen, ook niet bij dingen die je moeilijk afgaan.

Voor Melanie gold precies het tegenovergestelde. Haar man, John, had altijd overal voor gezorgd. Hij bracht het geld binnen, betaalde de rekeningen, bracht de kinderen naar voetbal en het winkelcentrum, en vond het over het algemeen prettig allerlei zaken soepel te laten verlopen, terwijl Melanie het grootste deel van haar tijd met haar rechtenstudie bezig was. Maar alles veranderde op slag toen John werd aangereden door iemand die dronken achter het stuur zat en zijn suv de berm in duwde, zodat hij wegens rugletsel het ziekenhuis in moest. Maandenlang zat hij in het gips en volgde hij therapie, en Melanie verstijfde van angst toen haar duidelijk werd dat zij nu ook zijn taken op zich zou moeten nemen, zonder dat ze enig idee had waar ze moest beginnen. Het maakte het er niet beter op dat John zich nutteloos voelde en daardoor constant in mineur was wanneer ze met de kinderen bij hem op bezoek ging. Tegen de tijd dat hij weer beter was, was er een heleboel veranderd en werden ze als echtpaar voor allerlei nieuwe uitdagingen gesteld.

Ik kan me niet herinneren dat ik hier 'ja' tegen had gezegd...

Zit je in een situatie waarin een dierbare aan bed gekluisterd is of aan een ontwrichtende ziekte lijdt, dan kan het zijn dat jij taken moet verrichten die je nooit eerder hebt verricht – en misschien ook nooit op je hebt willen nemen. Als je altijd naar tevredenheid huismoeder bent geweest om voor de kinderen te zorgen, moet je bijvoorbeeld ineens een baan gaan zoeken. Of je moet afstand doen van een bevredigende en interessante carrière, zodat je thuis het fort kunt bewaken. Of je moet, terwijl je vroeger op school heel slecht in wiskunde was, de financiën van je gezin op orde zien te krijgen, of uitvogelen hoe het carpoolen werkt, terwijl je nog steeds je autosleutels niet kunt vinden. In al deze scenario's, en nog een heleboel andere, stap je uit de rol die je vertrouwd is geworden in een rol waar je geen 'ja' tegen had gezegd. Verandering valt niet mee, en je kunt je wrokkig voelen omdat alles nu zo anders is dan eerst. Je wílt helemaal geen fulltimepatiënt zijn, maar je hebt geen keus. Je wílt niet de enige kostwinner en verzorger zijn, maar ook daarin heb je geen stem.

Een ziek of gewond kind kan je sneller dan wat ook op je knieën brengen. Aangezien ik zelf ook ouder ben, weet ik dat dit een van de grootste angsten is die er maar bestaan. Ik heb vaak gezegd dat je als ouder niet gelukkiger kunt zijn dan je verdrietigste kind. Maar als het ondenkbare toch gebeurt en er bij je kind een ernstige ziekte wordt geconstateerd of als hem zwaar letsel wordt toegebracht, lijden wij dubbel: zowel voor ons kind als voor onszelf. Ik heb ouders van zieke kinderen talloze malen horen zeggen: 'Wat zou ik graag willen dat ík die ziekte op me kon nemen, zodat mijn dierbare en onschuldige kind niet zou hoeven te lijden.' Het doet ons ontzettend veel pijn om onze kleintjes pijn te zien hebben. We willen dat onze kinderen plezier kunnen hebben en kunnen genieten van een zorgeloze tijd, voordat ze geconfronteerd worden met de verantwoordelijkheden en druk van het leven. Maar in plaats daarvan krijgt je kind nu lichamelijke therapie, moet hij medicijnen slikken die akelige bijverschijnselen hebben en – het ergst van alles – een ontwrichtende pijn lijden. Je kind snapt niet waarom hij anders moet zijn dan andere kinderen, en het is niet ongewoon dat hij daardoor ook nog eens tot diepe somberheid vervalt.

Managen in plaats van genezen

Wanneer je bekend bent met mijn reeks Levenswetten, weet je dat ik de gedachte aanhang dat het leven gemanaged moet worden, in plaats van genezen. Dit gaat ook op voor de meeste kwesties rond gezondheid, en de reden waarom het zo belangrijk is hier goed van doordrongen te zijn is dat jij de manager bent. De keuzes die jij qua levensstijl maakt, van voldoende slaap, gezond eten en lichaamsbeweging nemen tot stressfactoren vermijden, omgaan met giftige stoffen – van lood en kwik tot bestrijdingsmiddelen – en professionele hulp inschakelen wanneer dat nodig is, kunnen alle verschil van de wereld maken. Wanneer je kijkt naar de remedies voor de topzes van vermijdbare doodsoorzaken – hartaanval, kanker, beroerte, rokerslong (COPD), ongelukken en diabetes – zie je dat de meeste daarvan te maken hebben met levensstijl. Er kan een medische factor meespelen, maar we moeten desondanks voor een stevige basis zorgen. Dat geldt met name wanneer erfelijkheid een rol speelt.

Gezien het onderzoek naar DNA en ander genetisch potentieel in ons lichaam kan het geen verrassing zijn dat je kans loopt op problemen wanneer, om maar iets te noemen, je ouders alcoholisten waren,[4] je moeder aan diabetes lijdt,[5] of je vader hartproblemen heeft (gehad).[6] Negeer de tekenen van eventuele toekomstige problemen niet in de hoop dat deze kwalen aan jou voorbij zullen gaan. Deze condities maken je weliswaar alleen ontvankelijk, maar ze zullen toch altijd je kwetsbare punten zijn. En dit is het goede nieuws: wanneer je je bewust bent van de terreinen waarop je problemen zou kunnen verwachten, kun je daar rekening mee houden bij de keuzes die je maakt ten aanzien van je levensstijl.

Mijn vader had het aan zijn hart, dus ik weet dat ik daarop gespitst moet zijn, en dat ben ik ook. Ik let goed op wat ik eet en op het soort lichaamsbeweging dat ik neem, en ik pluis regelmatig kranten en medische literatuur na om de nieuwste ontwikkelingen te volgen over hartkwalen en wat daartegen wordt geadviseerd. Ik kan dan misschien niet alle onderdelen van mijn leefwereld in de hand houden, maar voor zover dat wel mogelijk is doe ik daar alles aan. En als jij met uitdagingen op het gebied van gezondheid te maken krijgt, is de kans groot dat je door alleen maar het nieuws te volgen, of op internet te kijken en wat onderzoek te doen, anderen weet op te sporen die op geslaagde wijze hetzelfde te boven zijn gekomen. Een volmaakte manager van je gezondheid zul je nooit worden – ik weet wel dat ik dat in elk geval niet ben – maar wanneer je kiest voor een gezonde levensstijl, zul je daar uiteindelijk zeker op een krachtige en positieve manier de vruchten van kunnen plukken. En hoe eerder je daarmee begint, hoe beter het is.

Wanneer je kiest voor een gezonde levensstijl, zul je daar uiteindelijk zeker op een krachtige en positieve manier de vruchten van kunnen plukken.

Ik heb een heleboel opmerkelijke verhalen over genezing gehoord, en mensen ontmoet die dezelfde weg hebben afgelegd. Tegenwoordig beschik je namelijk over heel wat meer hulpbronnen en keuzemogelijkheden dan anderen die jou zijn voorgegaan, dus doe daar je voordeel mee.

Terug naar betere tijden

Je hebt er zelf invloed op wanneer – zo niet hoe – veel van deze gezondheidsproblemen zich voordoen door ervoor te kiezen deel te worden van de oplossing in plaats van het probleem. Stress en zorgen zijn het tegenovergestelde van genezing; daar moet je dus voor oppassen, want daardoor kun je in een toestand raken die je herstel in de weg staat. Patiënten die negatieve beelden voor zich zien doen het nooit zo goed als degenen die positieve beelden zien, dus vergeet niet dat een diagnose of crisis geen vrijbrief is voor paniek, maar je juist oproept om hier op een nieuwe manier, vanuit een wezenlijke kracht, mee om te gaan.[7]

Kom in actie
- **Bepaal wat jouw ideeën over gezondheid zijn**
  Een van de pioniers op het gebied van de ontwikkeling van gezondheidstests is mijn goede vriend en collega dr. Frank Lawlis. Hij is al ruim vijfendertig jaar werkzaam op dit gebied en zijn ideeën over de gevolgen van diverse visies op gezondheid zijn bij deze crisis bijzonder nuttig.[8]
  Je eigen perceptie van je gezondheid (de mate waarin je jezelf gezond vindt) houdt verband met je verwachtingen en overtuigingen ten aanzien van wat je gezondheid bepaalt, reguleert en beïnvloedt. Ik noem deze innerlijke overtuiging ook wel je *locus of control*, de 'plek van controle'. *Locus* – Latijn voor 'locatie' of 'plek' – duidt op de bron van je overtuiging of verwachting. Zo kun je bijvoorbeeld denken dat jouw persoonlijke levensstijl van vegetarisme en drie keer per week lichaamsbeweging nemen je voor bepaalde ziektes zal behoeden, of dat je baan als medewerker in een ziekenhuis je blootstelt aan een heleboel ziektekiemen, die je gevoeligheid voor die ziektes kunnen vergroten. Anderzijds heb je misschien de

overtuiging dat niets echt invloed op je gezondheid heeft en dat mensen door puur toeval ziek worden.

Wanneer je nagaat welk gewicht je aan deze verschillende bronnen toekent, of hoe je daartegen aankijkt, geeft dat je een indicatie van je verwachtingen op gezondheidsgebied en de actie die je bereid bent te ondernemen om jezelf of een dierbare weer optimaal gezond te maken. Het kan je helpen een plan op te stellen om deze crisis te boven te komen en een halt toe te roepen aan gedrag dat jij als nadelig ervaart.

De beste manier om te voorkomen dat je je slachtoffer van deze crisis gaat voelen, is door ervoor te zorgen dat je er klaar voor bent. Weet wat je gelooft, zodat je actie kunt ondernemen aan de hand van een vooraf bedacht plan. Jij hebt zeggenschap over je lichaam. Het is het enige wat je gegeven is, en als 'gezondheidsmanager' van je eigen 'privéfaciliteit' dien je de inventaris op te maken van wat je hebt en een goed beeld te krijgen van hoe het allemaal in elkaar zit. Waar geloof je in? Moet je iets veranderen aan je slechte gewoontes – stoppen met drinken of met roken – ook als die je tijdelijk verlichting of plezier geven? Leef je op een manier die je gezondheid volgens je eigen overtuigingen ten goede komt? Zo niet, waarom niet? Je hebt waarschijnlijk weleens gehoord of gelezen dat zo ongeveer elk medicijn en elke therapie beter werkt als je erin gelooft. Zo heb ik meegemaakt dat medicijnen tegen pijn en zelfs krachtige middelen zoals chemotherapie stukken effectiever waren bij mensen die erin geloofden dat ze ook echt zouden helpen. Ik heb ook mensen beter zien worden door kippensoep te eten, omdat zij het idee hadden dat dat een remedie was.

Zie het beantwoorden van de onderstaande vragen als een gelegenheid om na te gaan wat voor jou het krachtigste medicijn is en wat jouw arsenaal aan genezingspraktijken is. De mate van zeggenschap die je over je gezondheid meent te hebben, is waarschijnlijk de allerbeste indicator voor hoe gezond je werkelijk bent.

Hoe denk jij over gezondheid?

Omcirkel bij elk van de volgende vragen het cijfer dat het best aangeeft hoeveel vertrouwen je stelt in de genoemde bronnen. De schaal loopt van 1 (geen vertrouwen) tot en met 10 (het volste vertrouwen). Wees eerlijk in je antwoorden (dat zeg ik er altijd bij, maar alleen bij wijze van geheugensteuntje, want de antwoorden zijn natuurlijk alleen voor jouw ogen bestemd).

1. Mijn bereidheid om goed te eten, zodat mijn lichaam een optimaal vermogen heeft om te herstellen.
2. Mijn bereidheid om lichaamsbeweging te nemen, zodat mijn herstel zo goed mogelijk verloopt.
3. Mijn geloof in mijn vermogen om focustechnieken te gebruiken om qua gezondheid mijn doelen te bereiken.
4. Mijn geloof in mijn vermogen om mijn stress te verminderen en die energie aan te wenden voor mijn lichamelijke genezing.
5. Mijn overtuiging dat mijn innerlijke kracht mijn lichaam kan genezen.
6. Mijn overtuiging dat mijn arts me zal genezen.

7. Mijn overtuiging dat medicijnen mijn lichaam en geest kunnen genezen.
8. Mijn overtuiging dat ik zal genezen als ik me houd aan alle instructies die ik krijg van degene die mij behandelt.
9. Mijn overtuiging dat, als ik geloof in mijn religieuze symbolen of leerstellingen, ik door de spirituele macht zal genezen.
10. Mijn overtuiging dat mijn vrienden en familieleden een helende uitwerking hebben op mijn lichaam en geest.
11. Mijn overtuiging dat gezondheid en genezing door het lot worden bepaald en dat niets daar verandering in kan brengen.
12. Mijn overtuiging dat, wanneer ik ziek word of gehandicapt raak, dat puur toeval is en ik daar niets over te zeggen heb.
13. Mijn overtuiging dat ik, wat ik ook doe, geen invloed heb op het moment waarop ik overlijd of de mate waarin ik ziek word.
14. Mijn overtuiging dat je genetische aanleg je toekomst bepaalt, wat er verder ook gebeurt.
15. Mijn overtuiging dat we er weinig over te zeggen hebben of we al dan niet ziek worden of doodgaan.

Geen vertrouwen		Enig vertrouwen		Weet niet goed		Veel vertrouwen		Het volste vertrouwen	
1	2	3	4	5	6	7	8	9	10
1	2	3	4	5	6	7	8	9	10
1	2	3	4	5	6	7	8	9	10
1	2	3	4	5	6	7	8	9	10
1	2	3	4	5	6	7	8	9	10
1	2	3	4	5	6	7	8	9	10
1	2	3	4	5	6	7	8	9	10
1	2	3	4	5	6	7	8	9	10
1	2	3	4	5	6	7	8	9	10
1	2	3	4	5	6	7	8	9	10
1	2	3	4	5	6	7	8	9	10
1	2	3	4	5	6	7	8	9	10
1	2	3	4	5	6	7	8	9	10
1	2	3	4	5	6	7	8	9	10
1	2	3	4	5	6	7	8	9	10

Score

Tel je scores voor de vragen 1 tot en met 5 op en vergelijk die met het onderstaande:

5-30	Weinig vertrouwen in eigen vermogen om iets aan gezondheid te doen.
31-40	Matig vertrouwen in eigen vermogen om iets aan gezondheid te doen.
41-45	Veel vertrouwen in eigen vermogen om iets aan gezondheid te doen.
46-50	Zeer veel vertrouwen in eigen vermogen om iets aan gezondheid te doen.

Tel je scores voor de vragen 6 tot en met 10 op en vergelijk die met het onderstaande:

5-20	Weinig vertrouwen in anderen als genezingbevorderend.
21-30	Matig vertrouwen in anderen als genezingbevorderend.
31-40	Veel vertrouwen in anderen als genezingbevorderend.
41-50	Zeer veel vertrouwen in anderen als genezingbevorderend.

Tel je scores voor de vragen 11 tot en met 15 op en vergelijk die met het onderstaande:

5-25	Weinig vertrouwen in de gedachte dat gezondheid op toeval berust.
26-37	Matig vertrouwen in de gedachte dat gezondheid op toeval berust.
38-42	Veel vertrouwen in de gedachte dat gezondheid op toeval berust.
43-50	Zeer veel vertrouwen in de gedachte dat gezondheid op toeval berust.

Gezondheid van binnenuit

Heb je een hoge of zeer hoge score behaald op eigen vertrouwen in gezondheid (vragen 1 tot en met 5), dan ben je ervan overtuigd dat je door je keuzes en gedrag zelf veel voor je gezondheid kunt doen. Dat houdt in dat je ervan uitgaat dat wat er gebeurt – goed of kwaad – het directe gevolg is van je eigen inspanningen. Of dat nu de vorm heeft van broccoli en worteltjes eten, van lichaamsbeweging nemen, je medicijnen innemen of bepaalde richtlijnen opvolgen, je geloof in jezelf en in wat je doet of laat heeft veel invloed. Dat is een goede zaak, omdat onderzoek heeft aangetoond dat een groot vertrouwen in het eigen vermogen om de gezondheid te beïnvloeden in positieve zin kan voorspellen hoeveel vooruitgang je zult boeken.[9]

Veel mensen die chronische ziekten en verwondingen behandelen, zijn, zo heb ik gemerkt, van mening dat patiënten met een positieve en optimistische instelling in de loop der tijd beter reageren op behandeling dan degenen met een meer negatieve en pessimistische instelling. Een uitstekend voorbeeld daarvan is Lance Armstrong, die leed aan teelbalkanker. Hij was er niet best aan toe. Toch werd hij de kanker niet alleen de baas, maar won hij ook nog eens zeven keer de Tour de France – een uitermate zware wielerrace. Hij had kennelijk veel vertrouwen in zijn eigen vermogen om zijn gezondheid te beïnvloeden, wat enorm bijdroeg aan zijn opzienbarende genezing en herhaalde successen als sportman. Lance' manier van leven en zijn instelling ondersteunden zijn overtuiging dat hij in grote mate invloed op zijn gezondheid had en die kon sturen, en tot op de dag van vandaag heeft hij zijn voordeel kunnen doen met het geloofssysteem waar hij voor gekozen heeft.

Wanneer je behoort tot deze groep, met veel vertrouwen in het eigen vermogen, zul je waarschijnlijk verantwoordelijkheid voor je eigen gezondheid nemen. Hoewel dat over het algemeen goed is, is het nadeel ervan dat, wanneer je van mening bent dat je gezondheid al te zeer door jezelf wordt gereguleerd, het je ervan kan weerhouden je te richten tot anderen, die je misschien een heleboel belangrijke informatie en steun zouden kunnen bieden. Bovendien geef je jezelf dan maar al te snel de schuld van gebeurtenissen waar je in werkelijkheid geen enkele invloed op hebt. Wanneer je bijvoorbeeld blind of met een hartafwijking bent geboren, kun je jezelf onrealistische verwijten maken. Dit gaat veel verder dan de meer redelijke houding waarbij je alleen maar actief het beste van een aangeboren kwaal probeert te maken.

Ik wil hier heel duidelijk over zijn: bij constructief manage-

ment van een ziekte of aandoening gaat het er niet om jezelf verwijten te maken over condities waarover je geen zeggenschap had
of hebt, of over een erfelijke aandoening waar jij zelf niets aan
kunt doen. Zelfs als er een sterk verband zou zijn tussen een ziekte en bepaald gedrag uit het verleden, zoals tussen alcoholisme en
een leveraandoening, of roken en een longaandoening, is het nog
altijd beter je te richten op wat je nú kunt doen dan jezelf omlaag
te halen vanwege wat je in het verleden verkeerd hebt gedaan.
Jazeker, je bent verantwoordelijk voor wat je nu doet, en risicovol
gedrag moet voortaan achterwege blijven, maar voor schuld en
zelfveroordeling voor wat al is geschied is nu geen plaats meer. Je
moet vrede met jezelf sluiten, zodat je de beste kansen hebt om
weer beter te worden. Kortom, hoe gezonder je *mentaal* bent, hoe
groter de kans dat je je optimale *lichamelijke* gezondheid kunt
handhaven of terugkrijgen. 'Jezelf gezond denken' mag dan misschien onmogelijk zijn, maar positieve gedachten hebben net als
negatieve wel degelijk effect.

Gezondheid van buitenaf
Een hoge tot gemiddelde score op dit onderdeel (vragen 6 tot en
met 10) wil zeggen dat je je om een gezondheidscrisis te boven te
komen sterk afhankelijk opstelt van andere mensen of invloeden
in je leven. Je gaat ervan uit dat positieve resultaten van iemand
of iets buiten jezelf komen. Je gelooft bijvoorbeeld dat je helemaal
van een ongeluk zult herstellen, omdat jouw dokter de beste dokter van de hele wereld is. Of je denkt je ziekte te boven te komen
vanuit de gedachte dat het medicijn dat jij slikt beter is dan alle
andere medicijnen, en je bent er volkomen van overtuigd dat het
zál werken.

Het goede van een externe *locus of control* ten aanzien van
gezondheid is dat je bereid bent je tot anderen te richten en vertrouwen in hen te stellen als je hulp nodig hebt, plus dat je bereid
bent je voordeel te doen met hun kennis en expertise. Voor jou is
de sleutel: op het winnende paard wedden. Met andere woorden:
als je gelooft dat een dokter jou kan helpen genezen, zorg er dan
voor dat je de best mogelijke dokter krijgt. Wanneer je meent dat
medicijnen je kunnen genezen, doe dan je huiswerk en zoek uit
wat het beste medicijn is en hoe je daaraan kunt komen. Personen
met een dergelijke hoge score kunnen zich meestal uitstekend

voegen naar medische regimes en gelden als modelpatiënten voor artsen.

Een nadeel als je een hoge score op deze vragen hebt, is dat het je algauw zal ontbreken aan een gezonde dosis intelligente scepsis wanneer een zelfverzekerde dokter je grote beloften doet over een makkelijk herstel. Het gevaar bestaat dat je passief wordt en als lid van je eigen behandelteam niet tot actie te bewegen bent, terwijl jij daar toch de aanvoerder van zou moeten zijn! Hoe je ook over de oorzaak van je ziekte denkt, jij zult altijd een belangrijke rol spelen als het gaat om de kwaliteit en duur van je eigen leven. Wil je de kans op succes bij deze crisis vergroten, dan zul je je verantwoordelijk moeten opstellen. Je kunt er anderen niet de schuld van geven, en je kunt er niet domweg blind op vertrouwen dat zij jou wel uit deze ellende zullen halen. Jij moet de touwtjes in handen nemen – en verantwoordelijkheid tonen. Dat kan betekenen dat je moet toegeven dat je hartaanval is veroorzaakt door ongezond eten, te weinig lichaamsbeweging en een stressvol leven. Of, als je daar een erfelijke gevoeligheid voor hebt, dat je er nog harder aan zult moeten trekken om te leven op een manier waarmee je gezondheidsrisico's verlaagt. Wanneer je een auto-ongeluk hebt gehad, zul je onder ogen moeten zien dat jij daar zelf aan hebt bijgedragen omdat jij midden in de nacht keihard over de snelweg reed, met je gedachten bij andere dingen, en dat jij te moe was om goed op te letten. Eigen je je eigen daden en keuzes toe. Je kúnt veranderen, en je kunt actief invloed uitoefenen op je leven en je gezondheid.

Het goede van een lage score op vragen over een externe *locus of control* is de instelling 'ik kan het zelf wel'. Zoals ik al zei, is het niet altijd verkeerd om tegen gezag in opstand te komen, want misschien wijst je gevoel je wel precies de juiste weg. Zo heb ik tientallen patiënten meegemaakt die de geneeskunde zoals wij die in de Verenigde Staten bedrijven de rug toekeerden en zich wendden tot oosterse of Europese geneeswijzen, waar ze veel baat bij hadden. Ook al betaalt de Amerikaanse burger door de bank genomen twee keer zo veel voor medische zorg, toch staan wij bij onderzoeken naar medische zorg in westerse landen steevast onderaan,[10] dus misschien is een gezonde dosis twijfel wel op zijn plaats.

De minkant van een lage score is dat je misschien niet gelooft in de aanpak van wie dan ook en meestal geen actie onderneemt, omdat je er niet van overtuigd bent dat ook maar enig plan succes kan hebben.

Gezondheid als een kwestie van toeval

Wanneer je een hoge score hebt behaald op vragen over gezondheid als een kwestie van toeval (vragen 11 tot en met 15), ben je geneigd te geloven in het lot en kun je het gevoel hebben dat jouw gezondheid of die van een dierbare een kwestie is van hoe de dobbelstenen rollen. Je ziet geen verband tussen een pakje sigaretten per dag roken en de kanker waar je aan lijdt, of tussen je overgewicht en een hartkwaal. Je komt niet op het idee dat jij of iemand anders actie zou kunnen ondernemen, dat iemand ook maar enige zeggenschap over of invloed op gezondheidskwesties heeft.

Hier wil ik alleen over zeggen dat dit een riskante manier van denken is. Want als je niet ziet waarom het verstandig zou zijn iets aan je eetgewoonten of levensstijl te veranderen, om medicijnen te slikken of actief mee te werken aan het plan van je arts, of zelfs maar meer informatie te verzamelen over de kwaal waar je aan lijdt, dan zul je waarschijnlijk niet beter worden. Je denkt misschien: 'Waarom zou ik dat allemaal doen als het toch niets te maken heeft met hoe ik in deze gezondheidscrisis verzeild ben geraakt?' Je gelooft niet in jezelf, in artsen, in medicijnen, in God enzovoort. Als je moeder, grootmoeder en zus bijvoorbeeld alle-

maal zijn overleden aan longkanker en je ervan uitgaat dat jij onvermijdelijk datzelfde lot zult ondergaan en daar niets tegen kunt
doen, dan zijn je vooruitzichten niet best. Je kunt je machteloos
voelen en het gevoel hebben dat je in het leven slechte kaarten
toebedeeld hebt gekregen. Dat kan dodelijk zijn, omdat je op die
manier belangrijke kansen voorbij laat gaan om de touwtjes in
handen te nemen.

Elena was 42 en leed aan diabetes. Hoewel haar huisgenoot
gealarmeerd was geraakt door Elena's opgezwollen rode voet en
er bij haar op aandrong de hulp van een arts in te roepen, zei
Elena telkens weer dat het een familiekwaal was en dat er niet
veel aan te doen was. Omdat ze geen gevoel in haar voeten had,
was het niet moeilijk om er geen aandacht aan te besteden, totdat
er uiteindelijk een voet geamputeerd moest worden omdat er een
infectie was ontstaan. Helaas was het daarmee nog niet voorbij.
Na de operatie ging het snel bergafwaarts met haar en ze overleed
twee jaar na haar herstel; ze wist niet dat dat vaak gebeurde (wanneer er eenmaal een been of een voet is afgezet, komt volgens
de gegevens van de National Institutes of Health tot wel zeventig
procent van de diabetespatiënten binnen vijf jaar te overlijden[11]).
Hoewel de verhalen van de meeste mensen niet zo extreem zijn
als dat van Elena, is het verschrikkelijkste nog wel dat ze de am-
putatie had kunnen voorkomen. Recent onderzoek toont aan dat
vijftig tot 85 procent van de voetamputaties in verband met diabetes, ooit beschouwd als onvermijdelijk bij de meeste diabe-
tische voetwonden, tegenwoordig voorkomen kan worden wanneer men er snel bij is en een behandeling in gang zet.[12] Als Elena
vertrouwen had gehad in haar eigen vermogens – of zelfs maar in
die van haar huisgenoot – om de hulp in te schakelen die ze nodig
had, had haar verhaal heel anders kunnen aflopen.

Een hoge score op deze vragen heeft niet echt een positieve
kant, omdat dergelijke scores steevast samengaan met sombere
vooruitzichten bij welke ziekte dan ook; maar een lage score heeft
wel een plus. Hoe lager je score, hoe meer je waarschijnlijk tegen
jezelf zegt dat er toch een op jou persoonlijk toegesneden gezond-
heidsformule moet bestaan en dat het jouw taak is die te vinden.
In sommige opzichten kan de reis naar succes even waardevol
zijn als de remedie. Ik heb nog nooit een patiënt meegemaakt die
zijn of haar kanker had overwonnen en die zich in de loop van het

genezingsproces níet krachtdadig en gezegend voelde. De meesten die deze ziekte overleven, vinden nieuwe vrienden, ontwikkelen nieuwe vaardigheden en leren de ware diepte en waarde in te zien van wie ze zijn.

- **Stel een plan op**
Hoewel een gezondheidscrisis je hele leven op zijn grondvesten kan doen schudden, betekent die niet dat dat leven daarmee afgelopen zou zijn. Je zult greep moeten zien te krijgen op hoe je tegen de situatie aankijkt, erover praat en erin handelt, zodat je niet de kans loopt bij te dragen aan het probleem in plaats van aan de oplossing. Vergeet niet dat er voor elke gedachte die je hebt een corresponderende fysiologische respons bestaat – met andere woorden: je kunt 'jezelf zieker denken' als je er niet aan werkt jezelf en je nieuwe werkelijkheid te accepteren. Dit is geen einde, maar een nieuw begin, en je kunt deze tijden van verandering zelfs aangrijpen om iets te doen aan een heleboel andere kwesties die in je leven spelen en waar je al een poos mee rondliep.

Nu je meer inzicht hebt in waar je al dan niet van overtuigd bent, moet je die informatie aanwenden om een plan op te stellen. De kracht van je geest is enorm. Heb je bijvoorbeeld een groot vertrouwen in je sportieve vermogens, ga dan een gesprek met je arts aan en kom in actie, omdat lichaamsbeweging weleens een van de beste dingen zou kunnen zijn voor je mentale en lichamelijke welbevinden. Geloof je in gezond eten, neem dan je eetgewoonten eens onder de loep. Schrap vette, suikerrijke en overmatig bewerkte voedingsmiddelen van je menu en stap in plaats daarvan over op groenten, fruit en mager vlees (of zoek een voor jouw aandoening geschikt dieet). Wanneer je weinig over voeding weet, kun je op internet research doen, of je raadpleegt een vakman of -vrouw zoals een diëtist(e) of afvalcoach.

Stel je vertrouwen in je vermogen om jezelf te genezen door je geloof en spirituele overtuigingen, breng die dan in praktijk. Ga naar jouw plek van aanbidding. Maak bidden tot onderdeel van je genezingsplan. Een heleboel bekende onderzoeken tonen aan dat dit zowel voor het lichaam als voor de geest heilzaam is,[13] maar pas wel op dat je geen oogkleppen voor krijgt – je wilt immers alle beschikbare opties die jouw gezondheid of die van je dierbare kunnen bevorderen openhouden. Wanneer je gelooft dat medicijnen het beste wapen zijn in je zoektocht naar gezondheid en genezing, stap dan naar je dokter, ga na welke medicijnen je kunt gebruiken om je pogingen te ondersteunen, en houd je aan je plan.

Waar het in al deze gevallen om gaat, is dat je je overtuigingen in praktijk brengt. Als je helemaal nergens in gelooft, kan ik je adviseren er serieus werk van te maken om dat te veranderen, en snel ook. Nergens in geloven kan namelijk een negatieve uitwerking op je gezondheid hebben. Denk je bijvoorbeeld dat jouw medicijnen toch niet zullen werken, dan kan dat ook best eens zo blijken te zijn.

Wanneer er een dierbare ziek is, ga dan na waar hij of zij in gelooft en neem dat als uitgangspunt. Niet alleen kan dat diegene helpen om beter te worden, het kan er ook voor zorgen dat jullie allebei op dezelfde golflengte komen te zitten, zodat je elkaar niet hoeft te irriteren. Dit kan zwaar zijn, zeker als jullie het niet eens zijn met elkaar, maar dat is niet waar het om gaat. Je kunt uiteraard proberen iemands denken te beïnvloeden, maar het gaat er niet om je dierbare te overtuigen van wat jíj gelooft; belangrijk is dat je je aansluit bij de ideeën waarvan degene die je dierbaar is het gevoel heeft dat hij of zij daar het meest aan heeft.

- **Zet een gezondheidsteam op**
  Een levenscrisis als deze is niet iets om in je eentje op te lossen, en ik wil wedden dat je niet buiten de steun van anderen kunt om hier doorheen te komen. De sleutel is een *winning team* op poten te zetten, wat betekent dat je ervoor zorgt dat alle leden steun bieden en positief en hulpvaardig zijn ingesteld. Je hebt behoefte aan mensen die je kunt vertrouwen en die je energie en inspiratie geven, omdat steun kracht en macht geeft. De doelen die je jezelf qua gezondheid stelt, komen meer binnen je bereik wanneer je vrienden, familie, collega's, spiritueel leiders en artsen – om maar een paar dwarsstraten te noemen – je opbeuren. Dit is niet het moment om je energie te besteden aan pogingen om negatieve vrienden over te halen tot positiviteit; je moet echt afstand zien te nemen van mensen

die geneigd zijn je tegen te werken. Mensen om je heen zullen de doelstellingen die je voor je gezondheid hebt ofwel verpesten, ofwel bevorderen, en eerst moet je onderscheiden wie wat doet, waarna je aansluiting zoekt bij de laatste groep. Dit is belangrijk, omdat je relaties grote invloed hebben op je gezondheid – zowel op je keuzes qua levensstijl als op de manier waarop je te werk gaat bij de aanpak van deze gezondheidscrisis. Om daar doorheen te komen zullen de mensen uit je omgeving je moeten helpen de juiste weg te bewandelen, en niet de verkeerde. Vermijd mensen die je tegenwerken, of ze dat nou expres doen of niet. Ze bedoelen het soms helemaal niet kwaad; misschien houden ze zelfs wel van je en geven ze om je. Maar helaas wil dat nog niet zeggen dat wat zij doen in jouw beste belang is. Een saboteur kan iedereen zijn, van de vrienden die je een doos bonbons komen brengen wanneer je geacht wordt af te vallen tot degenen die beweren dat je 'niet gezellig' doet wanneer je tijdens een avondje stappen met de meiden geen alcohol drinkt omdat je nuchter wilt blijven.

Sommige mensen willen misschien helemaal niet dat je beter wordt of je gewoonten verandert, omdat dat invloed heeft op hún leven. Ze vinden het wel prettig dat je zo op hen steunde toen je in het ziekenhuis lag, of ze maken zelf een vergelijkbare gezondheidscrisis mee maar zijn niet gemotiveerd om daaruit te komen. Als gevolg daarvan willen ze jou ook naar beneden halen. Er lopen bovendien mensen rond die je niet zullen aanmoedigen om te veranderen, omdat ze, of ze het nu beseffen of niet, je status-quo graag willen handhaven – want dat vinden ze veiliger. Zo kan het gebeuren dat je partner, die normaal gesproken net als jij het liefst op de bank hangt, het helemaal niks vindt dat je na het avondeten steeds gaat wandelen in plaats van samen bakken ijs leeg te lepelen terwijl jullie naar *Grey's Anatomy* kijken.

Wanneer je afstand hebt genomen van de verkeerde mensen, moet je zien diegenen naar je toe te trekken die je zullen helpen in je streven je doelen te bereiken. Hieronder bespreek ik vier soorten mensen die naar mijn mening onmisbaar zijn in je team, en als je eens goed naar je omgeving kijkt, kun je de juiste mensen vast wel opsporen. (Zo niet, kijk dan verder dan je directe omgeving. Ga op zoek in je spirituele netwerk, of zoek online naar bestaande steungroepen bij jou in de buurt. Als je die niet kunt vinden, waarom zou je er dan zelf niet een opzetten?)

Ten eerste hebben we de **coach**: iemand die over enige professionele expertise of opleiding beschikt, zoals je huisarts, een voedingsdeskundige, een fysiotherapeut of een psycholoog. Deze mensen bieden je praktische hulp en informatie. Ze hebben ook enige positieve zeggenschap over je, omdat ze de status hebben van gezagspersoon. Een coach kan je helpen met een ziekte om te gaan of te herstellen van een ongeluk. Hij of zij kan je ook informatie geven om een zieke dierbare te helpen.

Dan is er de **teamgenoot**: iemand wiens doelen of punten van aandacht vergelijkbaar zijn met de jouwe. Dit is bijvoorbeeld een andere getrouwde vrouw die je leert kennen via de afkickkliniek waar je man een programma volgt, of een vriend(in) die ook probeert af te vallen. Wanneer je samen eenzelfde doel hebt, kan dat het makkelijker maken om het te bereiken. Het is stukken prettiger om naar de sportschool te gaan wanneer je weet dat daar een vriend(in) is om mee te praten op de loopband, of om naar bijeenkomsten van een praatgroep te gaan waar je weet dat je een bekend gezicht zult zien. Je teamgenoot en jij kunnen ideeën uitwisselen, aantekeningen vergelijken en elkaars gedragingen in de gaten houden. Niet alleen zorgt dat voor een natuurlijke motivatie, ook is het fijn dat er iemand is die in precies hetzelfde schuitje zit als jij. Daar kun je energie en inspiratie uit putten, en bij een dip kan de ander je daar weer uit halen.

Een **cheerleader** zul je in je team ook niet willen missen: iemand die je aanmoedigt en je zonder te oordelen of kritiek te leveren oppept wanneer je het even niet meer ziet zitten. Deze persoon moedigt je oprecht aan – hij of zij zegt niet dat je het prima doet als je je medicijnen niet slikt of voedsel eet dat slecht voor je is, maar biedt vooral de inspiratie en onvoorwaardelijke steun die je nodig hebt om in jezelf te kunnen geloven.

Tot slot is er de **scheidsrechter**, degene die je opbouwende kritiek geeft. Een scheidsrechter doet dat niet om je af te kraken, maar omdat hij of zij om je geeft en graag wil dat jij je doelen bereikt. De scheidsrechter moet goed kunnen luiste-ren, zodat je alles kunt zeggen, en ook goed kunnen observe-ren, zodat je ervan op aankunt dat je de juiste feedback krijgt. Meestal kan een scheidsrechter heel goed zeggen waar het op staat, en je moet het oordeel van deze persoon voldoende kunnen respecteren om behulpzame kritiek welwillend aan te horen. De scheidsrechter legt je het vuur soms na aan de sche-nen, maar je hoeft van hem of haar geen warme en poezelige steun te verwachten; die krijg je immers van je cheerleader. Kortom, wees eerlijk tegen jezelf waar het de mensen in je leven betreft. Ik geef toe dat het niet niks is om negatieve vrienden en familieleden van je lijstje te schrappen, maar in sommige gevallen is dat toch cruciaal voor jouw succes. Ver-geet niet: jijzelf komt op de eerste plaats, en je moet een sterk team om je heen hebben om te kunnen winnen.

- **Zorg dat je manier van denken in orde is**
  Zoals ik al eerder heb gezegd, sturen en bepalen de dingen die je over jezelf gelooft je handelingen. Dus als je denkt dat het je echt niet gaat lukken om gezond te eten met het doel een nieuwe hartaanval te voorkomen, dan heb je daar waarschijn-lijk gelijk in. En omgekeerd: als je echt meent dat je alles kunt doen wat je dokter je heeft geadviseerd, zal dat ook lukken. Wanneer je jezelf voorhoudt dat je nooit zult herstellen van dit ongeluk of van deze ziekte, en dat je leven nooit meer het-zelfde zal zijn, kunnen je gedachten er ook voor zorgen dat dat uitkomt. Waarom? Omdat wat je jezelf voorhoudt direct sa-menhangt met je emoties, dus vóél je je dan gestrest, gespan-nen, bezorgd of somber. Als je denken telkens de verkeerde kant op gaat, kan dat alles kleuren. Ga maar na: nadat je zo je best hebt gedaan om iedereen die je tegenwerkt uit je team te weren, wil je toch niet tot de ontdekking komen dat jijzelf de zwakke schakel bent in je eigen plan?
  Maar als je je denken en je ideeën kunt veranderen, kun je je kansen om je ziekte of aandoening te boven te komen sterk vergroten. Je redt het met een zieke partner of een ziek kind. Besef goed dat het geheel van je keuzes, je attitudes, je gedach-ten en je gedragingen je ofwel naar een positieve, ofwel naar een negatieve uitkomst kan leiden. Dat betekent dat de ant-

woorden op een paar van je gezondheidsproblemen weleens *binnen in jou* zouden kunnen liggen, en dat is een goede zaak, want dat betekent dat je er iets over te zeggen hebt.

- **Begin nú beter voor jezelf te zorgen**
  Zit je nu in een crisis, dan kun je die tijd gebruiken om er een begin mee te maken je te focussen op de aspecten van je gezondheid waar je zelf iets over te zeggen hebt. Roken, drinken, geen lichaamsbeweging nemen en dergelijke hebben wel degelijk consequenties. Dat is nu eenmaal de realiteit. Niemand verlaat deze wereld levend, maar niettemin kun je dingen doen om zo gezond mogelijk te blijven zolang je leeft.

  Wanneer anderen van jou afhankelijk zijn, is het nóg belangrijker om te zorgen dat jij er voor hen kunt zijn. Beschouw dit als een oproep om bewust werk te maken van je gezondheid en pak daarbij eerst één aspect aan: lichaamsbeweging of gezond eten. Het stikt overal van de programma's en cursussen waar je kunt leren elke dag goed voor jezelf te zorgen, en als het je niet lukt een compleet ondersteuningsteam bij elkaar te krijgen, is er online altijd hulp te vinden. Op het web tref je een hele rits gratis hulpmiddelen aan, van methodes om dagelijks calorieën te tellen en je loop- of jogdoelen vastleggen, tot en met artikelen die je kunnen helpen bij de afstemming van je acties.

- **Richt je op het positieve**
  Hoewel je leven op z'n kop staat, zul je in deze gezondheidscrisis toch naar iets positiefs moeten zoeken. Nu sla je misschien je ogen ten hemel, maar het is al te makkelijk om te zeggen: 'Arme ik,' of: 'Hoe kan dit mij nou weer overkomen?' – een houding die je gezondheid bepaald niet zal bevorderen. Hoe erg het ook is, laat deze ervaring je een levensles leren. Je benen gehoorzamen je weliswaar niet, maar je bent wel heel blij dat er in je bovenkamer niets mis is. Of je man is weliswaar ziek, maar deze zware tijden hebben jullie wél dichter bij elkaar gebracht.

  Een van de meest positieve dingen waar je je aandacht op kunt richten is de tijd waarin je leeft. Tegenwoordig gaat de medische technologie met zulke reuzensprongen vooruit dat ik tegen iedereen die de slechte diagnose heeft gekregen zeg: 'Zorg dat je nog één dag blijft leven. Zorg dat je nog een week blijft leven, een maand. In de medische laboratoria zou iets kunnen gebeuren wat grote invloed heeft op je vooruitzichten. Blijf vandaag nog in leven, want morgen zou er iets kunnen gebeuren.'

Laatst bezocht ik een bijeenkomst van vijfentwintig vooraanstaande leiders bij het Cedars-Sinai Medical Center in Los Angeles, en daar zag ik het een en ander aan ongelofelijke *Star Wars*-technologie. Ik keek mijn ogen uit. Als men in 1994, toen mijn vader overleed, had kunnen beschikken over de middelen die er tegenwoordig bestaan, zou hij makkelijk nog tien jaar hebben kunnen leven. Het zou niet eens kantje boord zijn geweest; met de technologie van vandaag was het een makkie geworden. Toen bestonden al die dingen echter nog niet, dus is hij nu dood.

Maar jij bent er nog wel.

Dus roep ik je op om nog één dag in leven te blijven. Dat doe je stap voor stap. Door je op de goede dingen te richten – en goede dingen zijn er altíjd – leg je een sterke basis om op voort te bouwen, in wat voor omstandigheden je je ook bevindt.

Tot slot

Het staat buiten kijf dat een crisis in je gezondheid je wereld een heel ander aanzien geeft. Maar toch zal je reactie daarop grotendeels bepalen of je leven alleen maar even op een zijspoor terechtkomt of helemaal uit de rails vliegt. En ik wil zeker niet beweren dat het leuk is. Het is zwaar, het put je uit en het kan doodeng zijn. Daarom kun je deze situatie het best aangrijpen als een gelegenheid om nog eens goed na te denken over de dingen die je doet, en als vrijbrief om een nieuwe richting in te slaan. Leer ervan, en haal er zo veel mogelijk goeds uit – maar wat je zeker níét moet doen is je ziekte of lichamelijke instorting je leven helemaal laten bepalen. Laat een gezondheidscrisis je niet van je identiteit beroven en jou of een van je dierbaren veranderen in een 'patiënt' in plaats van een echtgenote, moeder, vader of vriend(in).

Vergeet niet dat crises geen helden maken, maar dat ze er wel voor zorgen dat mensen meer worden van wie ze al zijn. Wat vertelt deze crisis jou over jezelf? De keuzes die je maakt, zijn belangrijk en geven je kracht in een wereld die niet in de hand te houden lijkt, dus neem de verantwoordelijkheid voor je ideeën over je gezondheid en ga na hoe je het best je eigen plan voor je emotionele en lichamelijke gezondheid kunt ondersteunen.

8.

Geestelijke gezondheid: wanneer je geest het laat afweten

Volgens de statistieken lijdt één op de vier Amerikanen aan een of andere vorm van geesteziekte. Denk aan je drie beste vrienden. Als hun niets mankeert, is er met jou iets loos.
– Rita Mae Brown

Paul en Ruby, de ouders van Janette, waren vijfenveertig jaar getrouwd en waren nog net zo verliefd als een pasgetrouwd stel. Toen Ruby te horen kreeg dat ze kanker had, had ze het daar lange tijd heel moeilijk mee, en Paul stond steeds aan haar zij: toen ze operaties en chemokuren onderging, toen ze kaal werd en alle andere ellende moest doorstaan. Toen ze was overleden, verloor Paul zijn belangstelling voor het leven. Na een jaar van intens verdriet zag het er echter naar uit dat hij weer overeind krabbelde: hij pakte parttime zijn werk als verzekeringsagent weer op en ging zelfs weer bowlen. Hij was altijd een welkome gast geweest bij elke bijeenkomst, iemand op wie je kon bouwen en die mensen aan het lachen kon maken. Maar sinds Ruby was overleden, was hij zichzelf niet meer.

Toen Janette haar vader meenam naar de bruiloft van een nicht, kreeg ze daar algauw spijt van. Het was voor het eerst sinds de dood van haar moeder dat ze met hem naar een openbare gebeurtenis ging. Gedurende de hele receptie leek hij zich te ergeren en bezig met dingen die zij niet kon zien. Als hij iets aan het vertellen was, viel hij steeds halverwege stil, alsof hij naar iets anders luisterde. Hij kneep zijn ogen tot spleetjes, knikte en lachte zelfs. Op een gegeven moment vroeg hij Janette, terwijl hij haar opmerkzaam aankeek: 'Hoor jij die muziek ook, die liedjes?' Terwijl hij wegliep, pakte hij een paar druiven van het bord van een vreemde en negeerde diens geschrokken reactie. Later, toen hij van de wc kwam, had hij niet in de gaten dat zijn gulp nog openstond en dat zijn shirt niet goed in zijn broek zat. Janette wist niet hoe ze het had. Ze probeerde hem mee naar de gang te nemen, maar hij trok zijn arm los en keek haar aan alsof hij geen idee had wie ze was.

Het werd steeds erger naarmate de bruiloft vorderde en Janette begon zich zorgen te maken. Pauls ademhaling ging steeds sneller en het was duidelijk dat hij bang was en de controle over zichzelf verloor. Opeens greep hij Janettes arm vast en trok haar naar de deur. 'Laten we gauw weggaan,' zei hij. 'Er is hier toch niemand die het iets kan schelen.' In de auto op weg naar huis schoten er allerlei gedachten door Janettes hoofd, terwijl haar vader zwijgend naast haar zat. Ze bracht hem naar huis, trok hem zijn pyjama aan en zorgde ervoor dat hij veilig in bed lag te slapen voordat ze het huis verliet. De hele weg naar huis moest ze huilen, terwijl ze iets probeerde te begrijpen van wat ze zojuist had meegemaakt; ze vroeg zich af wat er met haar vader aan de hand was en wat ze kon doen om hem te helpen, áls ze al iets voor hem kon doen. Die nacht kon Janette de slaap niet vatten, want uiteindelijk realiseerde ze zich dat haar vader, de man op wie ze altijd had gerekend als ze advies nodig had, ineens was veranderd – misschien wel voorgoed. Ze vroeg zich af wat dat inhield en hoe het verder zou gaan. Was het een tumor? Was het alzheimer? Was hij gewoon ingestort door het verlies van de liefde van zijn leven? Janette voelde zich net zo verloren als haar vader eerder die dag.

Het konijnenhol in
Situaties zoals deze doen zich elke dag voor in het leven van mensen, en de grootste ontreddering komt vaak door angst voor het onbekende. Of misschien is het niet de wereld van een dierbare, maar jouw eigen wereld die zojuist op z'n kop is komen te staan. Je kunt het gevoel hebben dat iemand het vloerkleed onder je vandaan heeft getrokken en dat er nergens een veilig plekje is om te staan. Of het treft je als een mokerslag vanuit het niets, of wellicht heb je het al een poosje ontkend – maar je kunt er nu hoe dan ook niet langer onderuit dat jijzelf of degene die je dierbaar is ernstig in de mentale en emotionele ellende zit. Als het om jezelf gaat, kun je gevoelens van verwarring, schaamte, schuld en zwakte ervaren, en ik weet wel zeker dat je jezelf tientallen vragen stelt

waarop je het antwoord niet weet: 'Wat is hier aan de hand? Ben ik soms gek aan het worden? Is dit een zenuwinzinking? Waarom begrijpt niemand me? Waarom loopt iedereen om me heen alsof ik lucht ben, of doen mensen alsof ze bang voor me zijn? Is het slap van me dat ik de controle verlies? Is het te genezen? Als ik niet meer beter word, bergt mijn familie me dan op in een instelling? Of breng ik hen in verlegenheid door toe te geven dat het zo niet langer gaat? Zal ik die beslissing moeten nemen voor een familielid? Zullen mensen te weten komen dat ik bij een psychiater loop? Raak ik mijn baan kwijt? Hoe moet ik de mensen die ik ken nog onder ogen komen? Zullen ze me veroordelen en zich van me afkeren? Hoe erg gaat dit nog worden?'

Ik zal straks een poging wagen om deze en andere vragen te beantwoorden, maar voordat we verdergaan, wil ik eerst iets zeggen over de manier waarop jij en ik in deze crisis moeten denken en praten over geestelijke aandoeningen.

Dit hoofdstuk heeft niet als doel het veelomvattende en complexe onderwerp van geestesziekte in het algemeen (over elke stoornis zijn boeken vol geschreven) uitputtend te bespreken. In plaats daarvan wil ik me focussen op een paar voorbeelden van specifieke aandoeningen die veel en steeds meer mensen treffen en hun leven ingrijpend veranderen. Aan de geestesziekten die ik daartoe heb uitgekozen, kleeft veelal een stigma, en ze worden nog gecompliceerder door angst, verwarring en foutieve informatie. Uiteraard laat ik een heleboel aandoeningen buiten beschouwing, zoals plotselinge dementie, persoonlijkheidsstoornissen en andere verstorende en levensveranderende mentale ziekten. Ik wil die zeker niet negeren of bagatelliseren, want alle uitdagingen waar je qua geestelijke gezondheid mee te maken krijgt, zijn belangrijk. Het doel is hier echter niet om je klaar te stomen voor de psycholoog of psychiater, maar om je ontvankelijk te maken voor de uitdagingen waar je voor komt te staan wanneer deze crisis in je leven opdoemt. Veel van de opmerkingen die ik maak over wat je kunt verwachten en de tips die ik geef voor 'betere tijden' gaan op voor de meeste, zo niet alle uitdagingen op dit gebied, en je kunt er iets aan hebben om een beter inzicht te krijgen in en beter om te gaan met een lange lijst van geestelijke aandoeningen.

Ik wil de raadselachtigheid van geestelijke ziekte en onaangepast gedrag halen door ze in duidelijke taal te bespreken in plaats van in de vaktaal van professionals, want dat laatste kan intimiderend zijn en wordt algauw verkeerd begrepen. Ik doe dit niét met het doel je ertoe aan te zetten zelf een diagnose te stellen, bij jezelf of bij een dierbare. Zoals je jezelf ook niet gaat opereren als je denkt dat je een tumor hebt, zo zou je ook niet moeten proberen je eigen geestelijke aandoening te behandelen. Een juiste diagnose stellen is een ingewikkeld proces, waaraan alleen ervaren professionals zich mogen wagen. Maar als ik je wat heldere en begrijpelijke informatie aanreik, en als je je daar ook maar enigszins voor openstelt in plaats van alles te ontkennen, herken je in het onderstaande misschien (hopelijk in een vroeg stadium) wanneer er een punt is bereikt waarop er iets moet veranderen en mogelijk professionele hulp moet worden ingeschakeld.

De rode brief

In het vorige hoofdstuk gingen we na wat er gebeurt wanneer het lichaam het laat afweten. Hoe moeilijk of pijnlijk een lichamelijke crisis ook kan zijn, die is tenminste wel – althans voor het grootste deel – te lokaliseren en te behandelen. Maar wat doe je wanneer je eigen geest zich tegen je lijkt te keren? Ik snap best dat de term 'geesteziekte' eng is, omdat die altijd geassocieerd wordt met gekte, maar ik wil alle drama en onwetendheid even laten voor wat die zijn, zodat we kunnen doordringen tot de kern van wat het inhoudt om aan een geestelijke ziekte te lijden.

Wanneer je een mentale stoornis hebt – wanneer je depressief bent, tobberig, verward, obsessief in je denken, of dwangmatig in je gedrag, of er moeite mee hebt werkelijkheid van fantasie te scheiden – ben je niet 'gek'. Je bent geen tweederangsburger. Je lijdt niet aan een onvolkomenheid of geestelijk defect waar je je voor zou moeten schamen of waardoor je je ervan zou moeten laten weerhouden om dit probleem aan te pakken of erover te praten. Veroordeel jezelf en/of anderen niet vanuit ideeën en maatstaven die onjuist of achterhaald zijn gebleken, of die domweg belachelijk zijn. Om jezelf – of een dierbare – door deze crisis heen te helpen, zul je je allereerst moeten ontdoen van de emotionele bagage die de situatie nog ingewikkelder maakt en je lamlegt op een moment dat je de simpele feiten onder ogen zou moeten zien.

> **Je bent geen tweederangsburger.** Je lijdt niet aan een
> onvolkomenheid of geestelijk defect waar je je voor zou
> moeten schamen of waardoor je je ervan zou moeten
> laten weerhouden om dit probleem aan te pakken of
> erover te praten.

Hoewel 'problemen met de geest' al bestaan zolang mensen hersenen hebben die haperingen kunnen vertonen, werd er pas
halverwege de negentiende eeuw serieus werk van gemaakt om
geestesziekten op een menselijkere manier te behandelen, in
plaats van ze te beschouwen als een mysterieuze of boosaardige
toestand veroorzaakt door hekserij, demonen en dergelijke. En
als je al bang bent voor het oordeel van de 'verlichte' moderne samenleving mag je blij zijn dat je niet een paar generaties geleden
geboren bent, want een ritje richting instelling betekende toen
dat je aan je lot werd overgelaten en in sommige gevallen zelfs
werd gemarteld. Gelukkig heeft het werk van vroege psychologisch hervormers zoals Dorothea Dix en Clifford Beers bijgedragen tot een beter begrip van de penibele situatie waarin geesteszieken verkeren en zijn er regelingen en voorzieningen getroffen
die hebben geresulteerd in een menselijker behandeling.

De sociale smet en het stigma die geestesziekten aankleven,
leiden er maar al te vaak toe dat échte *desperate housewives* stiekem pillen gaan slikken of naar de fles grijpen, omdat ze niet willen toegeven dat ze depressief zijn of ergens mee worstelen. Als
je me niet gelooft, probeer dan maar eens te bedenken wanneer
je voor het laatst iemand op een borrel of barbecue terloops hebt
horen opmerken dat hij of zij laatst even opgenomen is geweest
voor een aanval van schizofrenie. Zie je het voor je? Ik niet. Anderzijds zullen mensen je maar al te graag vertellen over hun
rugpijn, hun galstenen, hun artritis en nog een heleboel andere
lichamelijke kwalen. Kennelijk is er een groot verschil tussen de
diagnose van een geestelijke kwaal en die van een lichamelijke.
Wat het nog erger maakt, is dat steeds meer mensen hun best
doen om mentale en emotionele kwesties uit de weg te gaan door
een chemische dwangbuis aan te trekken. Het probleem is dat
tranquillizers en antidepressiva – hoewel ze in sommige gevallen
nuttig zijn – soms weinig meer doen dan het probleem afdekken,
zodat we ervoor kunnen blijven weglopen. Hier volgt een ver-

haal dat me nog steeds verbaast. De beroemde componist George Gershwin liep, omdat hij depressief was, jaren bij een psychiater voordat hij aan een hersentumor overleed. Artsen hadden niet bij een biologische oorzaak van zijn depressie stilgestaan, omdat hij zo veel over zijn jeugd en zijn moeder praatte. Nadat hij was overleden, werd duidelijk dat de hersentumor de oorzaak was – iets waar geen enkele psychotherapie iets aan had kunnen verhelpen.

Voor alle duidelijkheid: ik wil nuttige medicatie niet afwijzen, zeker niet wanneer de medicijnen worden gebruikt in combinatie met de juiste therapie – individuele therapie, relatie- of gezinstherapie, of groepstherapie. Ook wil ik het werk van psychiaters niet bekritiseren, want zij behoren tot de hoogst gekwalificeerde, meest meelevende en betrokken beroepsbeoefenaren die ik heb mogen ontmoeten en met wie ik heb mogen werken. Wel heb ik kritiek op de *pill pushers* die voor de makkelijke weg kiezen in plaats van de zaken eens goed onder de loep te nemen en patiënten proberen te helpen van een geestesziekte af te komen of daarmee te leren leven. Ik roep hierbij op tot een zorgvuldige, weloverwogen beoordeling en een scherp onderscheidingsvermogen waar het gaat om de te volgen therapie. Geestelijke problemen zijn ingewikkeld, en antwoorden zijn zelden simpel. Jij verdient niets minder dan het beste voor jezelf of voor degene die je dierbaar is, en je mag met minder geen genoegen nemen.

In sommige gevallen, wanneer een deskundige een juiste diagnose weet te stellen, kan medicatie de enige manier zijn om invloed uit te oefenen op het brein. Degenen die ervan uitgaan dat geestesziekten met medicijnen te behandelen zijn, zijn het erover eens dat alle gesprekstherapie van de wereld nooit enig effect zal sorteren zolang de balans in de hersenen niet is hersteld. Het behandelteam kan vele disciplines omvatten en zowel uit artsen als uit psychologen en andere beroepsbeoefenaren bestaan, die zich samen sterk maken om biologische factoren te stabiliseren, controle over de geest bij de patiënt te bewerkstelligen en het proces van stressfactoren te onderkennen, of dat nu denkfouten zijn, voortkomen uit sociale druk of met andere zaken verband houden. Wanneer de belangrijke fysiologische factoren niet worden onderkend en behandeld, kan dat betekenen dat je met gesprekstherapie een huis op drijfzand bouwt. Je zult er alles aan willen doen om je ervan te verzekeren dat je gedachten, gevoelens en gedragingen vrijwillige en geen onwillekeurige reacties zijn op een biologische onbalans.

Dus dit is misschien wel het moment waarop je de ongemakkelijke waarheid onder ogen moet zien dat niet alle andere mensen zijn veranderd, maar dat jíj bent veranderd. Jóúw geest heeft het bijltje erbij neergegooid en hoe de details ook zijn, je realiseert je dat er iets heel erg mis is. De laatste tijd heb je misschien wel gemerkt dat je gedachten niet helemaal 'spoorden' en dat je niet goed in staat was om te laveren tussen alles wat zich op een doorsneedag aan je voordeed. Je loopt misschien enorm te tobben, of je voelt dat je ergens in je brein een aansluiting mist. Je kunt bizarre gedachten hebben, zonder te weten waar ze vandaan komen. Je weet dan misschien niet precies wat het probleem is, maar wat je wél weet is dat je je greep verliest en iets aan deze 'emotionele bloeding' moet doen en die moet stelpen, omdat anders andere aspecten van je leven daaronder te lijden krijgen. Je relaties of je werk kunnen er nu al schade van ondervinden, of misschien sta je echt op het punt van instorten. Wellicht gaat het niet om jou, maar om je liefste tante die geestelijk achteruitgaat op de hartverscheurende manier die kenmerkend is voor de ziekte van Alzheimer, en voel je je hulpeloos terwijl je haar steeds verder van je af ziet glijden.

Het wordt tijd om het eens te hebben over manieren waarop je kunt omgaan met het moment waarop je beseft dat een geestelijke aandoening je leven heeft weten binnen te dringen, of het leven van iemand die je dierbaar is, en je belangrijkste vraag zal zijn: 'Waar heb ik precies mee te maken?'

Of het nu iets lichamelijks of iets geestelijks is, patiënten die met dergelijke levensvragen worstelen zijn altijd heel opgelucht wanneer ze een antwoord krijgen – als ze een diagnose te horen krijgen, of althans een behandelbaar scenario, kan dat het begin zijn van hoop. Hoewel ik er geen voorstander ben overal maar etiketten op te plakken, maakt het benoemen van je probleem wel dat je er op diverse manieren macht over hebt. Het onbekende wordt weggenomen, en dat is bijna altijd ook eng. Natuurlijk horen we graag dat alles goed komt. Maar zelfs als het nieuws niet is wat je graag had willen horen, kun je toch, nu de waarheid eenmaal boven tafel is, beginnen een strategie op te stellen om ermee om te gaan. In het duister tasten en/of in het ongewisse blijven is zelden of nooit te verkiezen boven de waarheid. 'Weten' geeft op de een of andere manier het gevoel dat er een oplossing voor is. Het verzekert je er bovendien van dat deze kwaal niet uniek is en dat andere mensen je zijn voorgegaan op de weg naar veiligheid en herstel. Vrijwel altijd biedt het troost om te weten dat krachtdadige andere mensen, zoals artsen en therapeuten, spiritueel leiders en adviseurs, al eerder met jouw probleem te maken hebben gehad en dat je niet alleen staat en geen kermisattractie bent.

In dit hoofdstuk wil ik open en eerlijk met je praten over dit belangrijke onderwerp, dat van oudsher nooit verder is gekomen dan diagnostische handboeken van duizenden pagina's, die zo ingewikkeld zijn dat je de Steen van Rosetta erbij nodig hebt om er wijs uit te worden. Laten we het praktisch aanpakken en het zwijgen en de schaamte voor altijd doorbreken.

Wat houdt een geestelijke instorting eigenlijk in?

Hoewel simpele antwoorden niet bestaan, en enkelvoudige oorzaken van de vele en gevarieerde vormen van geestelijke ziekte al helemaal niet, zijn de deskundigen het er niettemin over eens dat mentale instabiliteit veroorzaakt kan worden door onder andere biologische factoren zoals een hormonale onbalans, vermoeidheid en/of slaapgebrek, blootstelling aan een vergiftigende omgeving, erfelijke genetische factoren, en talloze sociale en psychologische stressoren waarop we in de loop van ons leven gedwongen reageren.[1] Dit zijn minimaal de punten die van geval tot geval in overweging dienen te worden genomen, want variaties zijn er altijd – soms in uiterst ingewikkelde combinaties. Een onbalans of verstoring op een van deze gebieden – zoals een stressvolle grote gebeurtenis, emotionele beroering, of zelfs een verandering van medicatie – kan verreikende gevolgen hebben. Voor bepaalde mensen geldt dat een 'aanleg' voor geesteziekte al in het familie-DNA besloten ligt. Zoals sommigen een genetische aanleg hebben voor overgewicht of alcoholisme, zo zijn anderen vatbaar voor geestelijke aandoeningen. In mijn eigen familie komen ze aan beide kanten voor.

Maar om te kunnen omgaan met een mentale stoornis zul je het moeten onderkennen, of er althans voldoende inzicht in moeten hebben om er met jezelf over in gesprek te gaan. Ik heb in de loop der jaren een heleboel brieven gekregen van mensen die me vragen of een bepaald gedragspatroon nou 'normaal' is of niet. Als ik zulke brieven lees, vermoed ik altijd sterk dat de schrijver al heeft besloten dat het gedrag in kwestie níét normaal is, want anders zou hij of zij die vraag niet stellen. Dat neemt niet weg dat ik vrijwel altijd hetzelfde antwoord geef, en dat luidt: als een gedragspatroon de flow in je leven verstoort of je ervan weerhoudt gezonde doelen na te streven, dan zou ik het als abnormaal betitelen. Wanneer een gedragspatroon 'grillig' is, of in een bepaalde zin atypisch, maar het je leven of gezonde doelen niet in de weg staat, zou ik het per definitie normaal noemen, hoe apart of zelfs excentriek het in de ogen van anderen ook kan zijn. Dit zeg ik met het voorbehoud dat de persoon in kwestie geen gevaar vormt voor zichzelf of voor anderen. Anderzijds zou ik narcistische persoonlijkheden, sociopaten en mensen die mentaal, fysiek of emotioneel misbruik van anderen maken niet 'grillig' of excentriek willen noemen. Want ook al denken zij zelf misschien dat hun leven prima verloopt en kunnen ze heel gelukkig lijken, toch is de invloed die ze op anderen hebben níét oké. Als ze ongezond met zichzelf of met anderen omgaan en zichzelf of anderen schaden, is het raadzaam om hulp in te schakelen.

Het model voor geestelijke gezondheid van de psychiater William Glasser ziet er als volgt uit:

Je bent geestelijk gezond wanneer je ervan geniet met de meeste mensen die je kent samen te zijn, zeker met de belangrijke mensen in je leven, zoals familie, seksuele partners en vrienden. Over het algemeen voel je je gelukkig en ben je maar al te graag bereid een familielid, vriend(in) of collega te helpen een beter gevoel te krijgen. Je leidt over het algemeen een spanningsvrij leven, lacht veel en hebt zelden last van de pijnen en pijntjes die veel mensen als iets onvermijdelijks beschouwen. Je geniet van het leven en hebt er geen problemen mee om andere mensen die anders denken en doen dan jij te accepteren. Het komt maar zelden voor dat je kritiek op iemand levert of iemand probeert te veranderen. Als je een meningsverschil met iemand anders hebt, zul je proberen het probleem op te lossen; wanneer dat niet kan, loop je weg voordat er ruzie van komt en het probleem nog groter wordt. Je bent creatief in je streven en geniet meer van je potentieel dan je ooit voor mogelijk had gehouden. Tot slot: zelfs in heel moeilijke situaties waarin je je niet gelukkig voelt (niemand kan immers altijd gelukkig zijn) wéét je waarom je ongelukkig bent en probeer je daar iets aan te doen. Zelfs als je lichamelijk gehandicapt bent, kun je nog steeds aan bovengenoemde criteria voldoen.[2]

Kortom, wat je op de korte of lange termijn ook op je bordje krijgt, je kunt ermee omgaan en gaat telkens weer verder. De problemen waar ik het hier over heb, ontstaan wanneer je die, om wat voor reden dan ook, niet kunt hanteren of niet hanteert.

Bezwijken aan hectische drukte

Zoals ik in hoofdstuk 3 al zei, zal niemand ontkennen dat het leven de afgelopen tijd ingewikkelder is geworden, zeker gezien alle informatie waar we tegenwoordig toegang toe hebben en gezien de technologische ontwikkelingen. De parameters van het leven zijn de laatste tientallen jaren ingrijpend veranderd, en we zijn een generatie geworden die verslaafd is geraakt aan prikkels.

Maar daar is wel een prijs voor. Het snellere levenstempo stelt hogere eisen aan jou en mij, wat het risico oplevert dat we onder de last bezwijken. Het heeft veel weg van de klassieke scène uit de oude *I Love Lucy*-show, waarbij Lucy en Ethel een baantje krijgen als inpaksters in een chocoladefabriek. Alles loopt lekker, totdat de aanvoerband tempo maakt en het tweetal in paniek raakt om het snoepgoed bij te houden, dat opeens pijlsnel langs schiet. Aangezien ze niet betaald worden voor chocola die ze laten vallen, steken ze de chocola die ze niet ingepakt krijgen maar in hun zak, in hun mutsjes en in hun monden – en uiteindelijk ligt de hele vloer onder de chocola. Op tv was dit misschien erg leuk om te zien, maar in het echte leven valt er niet om te lachen. Sommige mensen gedijen goed bij hectische drukte, maar de meesten bezwijken onder te veel druk.

Misvattingen

Hoewel er steeds meer mensen aan een vorm van geesteziekte lijden,[3] is de waarheid dat je, als dat ook voor jou geldt, met oordelen van anderen te maken zult krijgen. Het grote publiek is zich domweg onvoldoende bewust van wat geestelijke aandoeningen inhouden om zich bij dit onderwerp op zijn gemak te voelen.

Uit een recent onderzoek van de Amerikaanse National Mental Health Association (NMHA*) bleek dat de meeste mensen er nog steeds achterhaalde en onjuiste ideeën over geestelijke ziekte op na houden. Dat zou voor een groot deel kunnen verklaren waarom de meesten die daaraan lijden hun persoonlijke strijd verborgen houden en anderen niet goed in vertrouwen durven te nemen, uit angst voor afwijzing of andere gevolgen.

Het onderzoek leverde de volgende uitkomsten op:[4]

- 71 procent meende dat geestesziekte wordt veroorzaakt door emotionele zwakte.
- 65 procent meende dat geestesziekte wordt veroorzaakt door een verkeerde opvoeding.
- 35 procent meende dat geestesziekte wordt veroorzaakt door zondig of immoreel gedrag.
- 43 procent meende dat geestesziekte ontstaat door toedoen van de persoon zelf.

Vijf fabeltjes over geestesziekte[5]
Fabeltje 1: Mensen die geestelijk ziek zijn, zijn gevaarlijk of gewelddadig.
Werkelijkheid: Hoewel er extreme gevallen bestaan waarin geesteszieken er door stemmen toe zouden zijn gebracht zichzelf of anderen iets aan te doen, is de overgrote meerderheid niet gewelddadig. In feite hebben mensen die aan een geestelijke aandoening lijden tweeënhalf maal zo veel kans om slachtoffer te worden van een misdaad, in plaats van die zelf te begaan.[6]

Fabeltje 2: Mensen die aan een geestelijke ziekte lijden zijn minder intelligent dan mensen die daar niet aan lijden.
Werkelijkheid: Of je door een geestelijke aandoening wordt getroffen of niet, heeft niets te maken met intelligentie, sociale status, opleiding of inkomen, en geestesziekte treft vaak juist dege-

---

* De NMHA is inmiddels van naam veranderd en heet nu Mental Health America (MHA).

nen met een gemiddelde of bovengemiddelde intelligentie. Een aantal van de grootste schrijvers, wetenschappers, musici en politici leed aan een geestelijke ziekte, ook al leverden zij bijzondere bijdragen aan onze geschiedenis en cultuur.

Fabeltje 3: De meeste mensen die aan geestesziekte lijden, vervallen tot armoede en raken aan lagerwal, omdat ze hun baan niet kunnen houden.
Werkelijkheid: Mensen leven dag in dag uit met hun mentale stoornis. De meesten behouden hun baan, brengen hun kinderen groot, hebben relaties en tonen zich betrokken bij hun gemeenschap en kerk.

Fabeltje 4: Bij mensen die aan een geestesziekte lijden, mankeert er iets aan hun karakter, of ze hebben mentaal een zwakke plek.
Werkelijkheid: Geestelijke stoornissen hebben niets te maken met karakter, zwakte of gebrek aan wilskracht; ze zijn daarentegen simpelweg een teken dat de copingvermogens van de persoon in kwestie tekortschieten en dat daar aandacht aan moet worden besteed, zodat ze weer goed gaan werken. Dit kan het gevolg zijn van externe stress en sociale druk, of van een biologische stoornis (een organische/inwendige oorzaak), en in dat geval dient dat evenwicht te worden hersteld.

Fabeltje 5: Aan een geestelijke ziekte zit je je hele leven vast.
Werkelijkheid: Veel geestelijke aandoeningen zijn effectief te behandelen met speciale programma's, ondersteuningsplannen en, zo nodig, medicatie. De allerbelangrijkste stap is om te onderkennen dat er een probleem is, zodat je de hulp kunt krijgen die je nodig hebt.

Dit is geestelijke ziekte dus allemaal níét. Helaas is minder eenvoudig te zeggen wat het wél is.

Wat kun je verwachten?

Een eerste aanwijzing dat er geestelijk iets niet helemaal in orde is, is ongepast gedrag in sociale situaties. Wanneer dat zich verder ontwikkelt, tekenen verschillen zich vaak scherper af en kan 'ongemak' omslaan in 'verstoring'. Mensen in de omgeving van de 'geesteszieke' keren zich vaak angstig van die persoon af en beginnen aan de hand van etiketten oordelen over hem of haar te vellen.

Wanneer je meent dat jijzelf of een dierbare 'ontspoort', 'instort' of domweg 'in een diepe put valt', zijn daar honderden diagnoses voor te geven. Zulke etiketten kunnen helpen omdat daarmee duidelijk wordt wat voor uitdagingen je te wachten staan, maar dezelfde labels kunnen ook het negatieve effect hebben dat je 'in een hokje wordt gestopt' (vaak overduidelijk, met het oog op de verzekering), wat weer tot gevolg kan hebben dat individuele verschillen en behoeften niet worden onderkend. Toch zullen de problemen die jij of een dierbare ondervindt in een van deze drie categorieën vallen: stemmingsstoornissen, angststoornissen of ernstiger stoornissen die over het algemeen psychoses worden genoemd. Hierbij baseer ik me op de bevindingen van het National Institute of Mental Health[7] en op de categorieën van symptomen zoals die zijn omschreven door de American Psychiatric Association in het *Diagnostic and Statistical Manual of Mental Disorders* (Diagnostisch en statistisch handboek voor geestelijke stoornissen), vierde editie (DSM-IV).[8]

Stemmingsstoornissen

De psychologische term voor extreme emotionele toestanden die ons geestelijk welbevinden en het vermogen om te functioneren in de weg staan, luidt 'stemmingsstoornissen'. Wanneer je aan een stemmingsstoornis lijdt, kun je het gevoel hebben dat je niets te zeggen hebt over je emoties, die zo worden uitvergroot dat je daardoor niet in staat bent te voldoen aan de eisen die het dagelijks leven aan je stelt. Wanneer je emotioneel gesproken tegen muren op loopt, bijvoorbeeld wanneer je een diep, knagend verdriet voelt, je zelfrespect kwijt bent en een chronisch gevoel van leegte ervaart, noemen we dat met een klinische term 'depressie'. Aan het andere uiteinde van het spectrum bevindt zich de 'manische episode': een periode waarin je emotioneel uitbundig bent, in combinatie met een onbedwingbare opwinding en/of prikkelbaarheid. Wanneer je van het ene uiterste in het andere vervalt, kun je de diagnose 'bipolaire stoornis' krijgen.

Van deze twee extreme emotionele verstoringen komt depressie het vaakst voor en is dat de meest gehoorde klacht. Volgens de Wereldgezondheidsorganisatie (WHO) is depressie zelfs een van de belangrijkste oorzaken van arbeidsongeschiktheid, zowel in de Verenigde Staten als in de rest van de wereld. Ik vertel je dit allemaal, omdat ik graag wil dat jijzelf of degene om wie je je zorgen maakt beseft dat je zeer zeker niet alleen staat!

'Normale' versus klinische depressie

In alle jaren dat ik nu mijn praktijk uitoefen, heb ik vaak te maken gekregen met mensen die niet eens wisten dat ze depressief waren totdat ze het níét meer waren. Ga maar na: als je nooit in iets anders hebt gereden dan in een kleine Volkswagen uit 1958 met een kapotte verwarming en zonder vering, weet je zodra je achter het stuur stapt van een nieuwe, soepel lopende luxe Buick met een GPS en stoelverwarming niet wat je meemaakt en wat je al die tijd hebt gemist.

Ik heb vaak te maken gekregen met mensen die niet eens wisten dat ze depressief waren totdat ze het níét meer waren.

Hoe weet je nu of je aan een klinische depressie lijdt?

Dat zit als volgt. Het is niet ongewoon om zo af en toe een dipje te hebben van een dag of zelfs van een week; je voelt je dan zonder dat het goed te verklaren is door een combinatie van factoren verdrietig of somber, zeker als er stress aan te pas komt. De meeste mensen zijn het erover eens dat het leven niet altijd over rozen gaat, en er kunnen veel dingen gebeuren die ons frustreren of bang maken, waardoor we ons moeten aanpassen aan nieuwe eisen en/of veranderingen. Iedereen gaat op een andere manier met crises en stressvolle gebeurtenissen in het leven om, zodat moeilijk van tevoren te zeggen is waar je drempel ligt voordat je daaroverheen bent gegaan.

Waar ligt nou de grens tussen een huis-, tuin- en keukensomberheid en ernstigere vormen van depressie?

'Je dag niet hebben' kan uitmonden in een depressie wanneer de somberheid je chronisch in de weg zit; die heeft een enorme negatieve invloed op je en/of weerhoudt je ervan om te doen wat je wilt doen. Aan normale periodes van verdriet komt in de regel een eind en in de meeste gevallen is er ook een oorzaak voor aan te wijzen. Maar wanneer je mentale, emotionele en lichamelijke energie is afgenomen tot de 'eerste versnelling' en lange tijd op dat niveau blijft – en dan bedoel ik weken of maanden – is de kans groot dat je aan een depressie lijdt en daar iets aan moet doen. Jijzelf bent de beste graadmeter. Laat je leiden door gezond verstand. Heb je er echt veel last van, dan wordt het wellicht tijd om hulp te zoeken.

Wat veroorzaakt depressie?

Stress wordt steevast in verband gebracht met depressie (sommige onderzoeken wijzen uit dat wel vijftig procent van de mensen bij wie een depressie wordt geconstateerd daaraan voorafgaand met ernstige stress te maken heeft gehad).[9] Het is onduidelijk wat er eerst was: de kip of het ei. Veroorzaakt stress depressie, of is depressie de stressor die stressreacties in het lichaam oproept? Ik vermoed dat de waarheid ergens in het midden ligt, aangezien elke situatie weer anders is. Belangrijk is echter dat stress en depressie vaak samengaan, wat goed is om te weten bij het plannen van een effectieve interventie. Zoals ik al heb gezegd, is het erg belangrijk om alert te zijn op de stressoren in je leven en om goed op te letten dat je stress niet laat overgaan in een depressie en omgekeerd. Zo kunnen bepaalde medische condities tot een depressie leiden. Onderzoek heeft uitgewezen dat lichamelijke veranderingen ook veranderingen in de geest tot gevolg kunnen hebben en mogelijk verband houden met bepaalde biologische oorzaken van depressie.[10] Zo ontwikkelt wel twintig tot 25 procent van de lijders aan diabetes, myocardiaal infarct, carcinoom en beroerte tijdens hun aandoening een ernstige depressie. Hartaanvallen, de ziekte van Parkinson en hormonale stoornissen kunnen ook tot depressie leiden, waarbij de zieke apathisch wordt en het genezingsproces meer tijd vergt.[11]

Sommige depressies zijn louter biologisch (oftewel endogeen), wat inhoudt dat ze van binnenuit komen en niet ontstaan in reactie op iets wat in je leven of omgeving gebeurt. Hormonale veranderingen kunnen bij vrouwen die net zijn bevallen bijvoorbeeld tot een postnatale depressie leiden, of tot depressie bij vrouwen in de overgang, wat bij sommigen ook opgaat voor schildklieraandoeningen of een chemische onbalans.

Vaak weet men niet goed wat nou precies het verschil is met een exogene depressie (een depressie van buitenaf). Voor alle duidelijkheid: een exogene depressie is een ongepaste gemoedstoestand als gevolg van een ingrijpende gebeurtenis, zoals extreem verdriet om de dood van een dierbare of een ongezonde en wellicht langdurige reactie op een tegenslag in je loopbaan.

Het zwarte gat: hoe voelt dat nou?

De term 'zwart gat' bestaat niet voor niets: in ernstige gevallen kun je het gevoel hebben dat je in zo'n diepe zwartheid bent gevallen dat die bijna tastbaar is en dat je voort stuitert tegen de zijwanden, graaiend in het niets, ervan overtuigd dat je nooit meer de zon zult zien. Je kunt het wel uitgillen, omdat je je zo alleen voelt, en zo afgesneden van het leven. Ook malen er waarschijnlijk allerlei gedachten door je hoofd, waarvan je niet wilt dat iemand ze te horen krijgt: 'Waarom kan ik niet stoppen met huilen? Ik haat mezelf, ik haat mijn leven, en ik weet niet eens waarom ik me zo ellendig voel. Oppervlakkig gezien gaat alles beter dan ooit – ik heb een geweldige baan, een nieuw huis, mijn partner is geweldig met de kinderen, en ik weet heel zeker dat ze van me houden... maar op de een of andere manier dringt dat niet tot diep van binnen door. Ik snauw mijn kinderen af en voor mijn partner heb ik helemaal geen romantische gevoelens. Ik voel me schuldig omdat ik iedereen zo verwaarloos, en ontzettend hopeloos. Ik weet niet wat ik moet doen; ik heb echt geen zin om naar een dokter te gaan die me een godsvermogen in rekening brengt om een diagnose te stellen die ik niet wil horen – of erger nog: die me vertelt dat er niets aan de hand is, dus wat is in vredesnaam mijn probleem? Ik weet dat ik hulp nodig heb, maar heb geen flauw idee waar ik moet beginnen.'

Een van de verwarrende aspecten van een depressie die je ervan kunnen weerhouden om hulp te zoeken is een intense apathie. Mensen denken meestal dat het tegenovergestelde van passie verdriet en vermijding zijn, maar in werkelijkheid lijkt het meer op apathie. Bij een depressie die door apathie wordt gekenmerkt, voel je je leeg, niet-betrokken en niet-verbonden. Wanneer je je gevoelens zo ver hebt teruggetrokken dat je apathisch staat tegenover je leven en alles wat daar deel van uitmaakt, huil je niet en lach je niet; je voelt je alleen maar volkomen verdoofd. Dit kan een van de lastigste aspecten van depressie zijn, omdat het zichzelf verergert. Immers, hoe apathischer je bent, hoe minder pogingen je onderneemt; en hoe minder pogingen je onderneemt, hoe minder kans je maakt om manieren te vinden om hieruit te komen. Als je niet beloond wordt voor je inspanningen, bestaat de kans dat je steeds dieper in de depressie wegzinkt, en in de apathie die er vaak mee samengaat.

Is een van je dierbaren depressief, dan zie je misschien dat diegene zich helemaal terugtrekt en opgaat in zijn eigen wereld. Hij is verdrietig, lethargisch en niet in staat de pijn te verlichten, zodat jij je nog meer van hem afgescheiden en hulpeloos voelt.

Moeten toekijken hoe anderen worstelen kan heel moeilijk zijn, zeker als jijzelf nooit een zware depressie hebt meegemaakt en je je afvraagt waarom de ander er niet gewoon 'overheen kan stappen'. Zo op het oog lijkt er met de wereld van je vriend(in), partner of dochter niets mis, maar toch wordt die persoon verpletterd door treurnis. Je beste vriendin komt haar huis niet meer uit en belt je niet meer op om even 'gedag te zeggen'. Je man heeft geen zin meer om met de kinderen te ballen, om uit eten te gaan of om te vrijen. Je dochter trekt niet langer met haar vriendinnen op, gaat slapen wanneer ze de kans maar krijgt en wil niet meer mee met gezinsuitstapjes. Je krijgt geen contact meer met hen en hebt het gevoel dat je buiten hun werkelijkheid staat en niet naar binnen kunt.

Aangezien hun geestelijke worstelingen invloed hebben op jouw leven, is het niet zo gek dat je soms kwaad en wrokkig wordt in plaats van medeleven te tonen en zorgzaam te zijn. Hoewel je je wel degelijk zorgen maakt, kan het heel vervelend zijn als je man het hele weekend in bed blijft liggen in plaats van mee te helpen in de tuin of de administratie op orde te brengen. Niet alleen geeft het jou een rotgevoel dat hij zo down is, maar ook dat hij jou veel meer belast met huishoudelijke en gezinstaken. En verder maakt het schuldgevoel dat erbij komt kijken alles nog eens extra ingewikkeld, want hoe kun je nou kwaad zijn op iemand die zo verdrietig is? Het is heel moeilijk om te weten wat je kunt verwachten als je geen inzicht in depressie hebt en niet weet hoeveel 'te veel' is.

Waarschuwingssignalen voor zelfmoord

Hoewel vrouwen twee keer zo vaak aan een depressie lijden als mannen,[12] lopen mannen twee tot vier keer zo veel kans om tijdens hun depressie zelfmoord te plegen.[13] Toch bestaat er geen 'typisch' zelfmoordslachtoffer. Jonge en oude mensen, zieken en gezonden, rijken en armen kunnen allemaal zelfmoord plegen, en sommige mensen benemen zich het leven zonder dat je iets aan hen hebt kunnen merken, terwijl anderen vooraf wel waarschuwingssignalen krijgen, maar daar niets mee doen. Gelukkig zijn er volgens de Amerikaanse National Suicide Prevention Lifeline enkele veelvoorkomende 'tekenen' die je erop kunnen attenderen dat jijzelf of iemand die je dierbaar is risico loopt. Dit zijn onder andere:

- Dreigen zichzelf iets aan te doen of zichzelf van het leven te beroven zonder dat echt te willen.
- Zoeken naar manieren om zelfmoord te plegen door bijvoorbeeld een vuurwapen aan te schaffen, pillen in huis te halen of andere middelen te zoeken.
- Praten of schrijven over de dood, sterven of zelfmoord, terwijl dat helemaal niet past bij de persoon in kwestie.
- Een gevoel van hopeloosheid.
- Kwaad zijn of ongecontroleerde woede voelen, of zinnen op wraak.
- Roekeloos gedrag of deelnemen aan risicovolle activiteiten, schijnbaar zonder daarover na te denken.
- Het gevoel gevangen te zijn zonder dat er een uitweg is.
- Toenemend gebruik van alcohol of drugs.
- Het contact met vrienden en familieleden uit de weg gaan en zich terugtrekken uit de samenleving.
- Gespannenheid, agitatie, niet kunnen slapen, of juist voortdurend slapen.
- Sterke stemmingswisselingen.
- Geen reden zien om te blijven leven of geen doel in het leven hebben.*

Voor alle duidelijkheid: ik wil niet beweren dat je risico zou lopen als je in één of twee van deze punten iets herkent. De risicofactor heeft alles te maken met mijn oorspronkelijke definitie van 'abnormaal': zijn één of meer van deze punten nadelig voor iemands vermogen om te functioneren en om zijn levensdoelen na te streven? Hoe specifieker het probleem is, hoe makkelijker het is op te lossen. Maar meestal blijf je door een opeenstapeling van factoren vastzitten in een moeras van verwarring en kun je alleen onder deskundige begeleiding de problemen aan de basis aanpakken.

* *National Suicide Prevention Lifeline. 'What Are the Warning Signs for Suicide?' http://www.suicidepreventionlifeline.org/helo/warning_signs. aspx (geraadpleegd juli 2008).*

De andere kant van depressie

Zoals ik hierboven al zei, luidt de term voor stemmingswisselingen tussen depressie en manie 'bipolaire stoornis'. Dat is precies wat het woord zegt: 'bi' betekent 'twee' en 'polair' heeft betrekking op de uitersten waartussen de stemming zich beweegt. Tijdens manische perioden ervaar je intense, euforische hoogtepunten; je bent voor je gevoel niet kapot te krijgen, praat sneller dan normaal, barst van het zelfvertrouwen, hebt duizend en één gedachten tegelijk, en/of je hebt meer energie dan normaal, terwijl je toch minder slaap nodig hebt. Soms kan manie gevaarlijk zijn, omdat je het contact met de werkelijkheid verliest en verontrustende gedachten en gedragingen vertoont die kunnen leiden tot impulsief geld uitgeven of gokken, tot overhaaste beslissingen en de consumptie van gevaarlijke stoffen en/of tot riskant seksueel gedrag.

Wanneer je vergelijkbare symptomen in minder ernstige vorm vertoont, heet dat 'hypomanie'. Hypomanische perioden zijn een mildere vorm en duren minder lang. In het algemeen hoef je er niet voor te worden opgenomen, en mensen die eraan lijden vervallen niet in dezelfde gevaarlijke extremen als een echt manische persoon. Deze gemoedstoestand wordt ook gekenmerkt door verontrustende gedachten en gedragingen, maar de invloed daarvan op het functioneren is geringer. Je kunt een sterke neiging hebben om je te manifesteren, maar omdat je weet wat de gevolgen zijn, houd je je in. Desondanks borrelt het van binnen zodanig dat dat je inwendig enorm kan frustreren, zeker wanneer je beslissingen neemt vanuit een verkeerd oordeelsvermogen of vanuit het opgeklopte zelfvertrouwen dat een hypomanische periode mee kan brengen.

Het scala aan stemmingen bij een bipolaire stoornis is een heel reëel probleem dat veel mensen treft, maar je moet ermee oppassen, omdat dit etiket de laatste tijd een tikje te veel wordt gebruikt en mensen soms ten onrechte wordt opgeplakt. Zo worden de sterke stemmingswisselingen die kenmerkend zijn voor de jongvolwassenheid vaak abusievelijk aangezien voor dit ziektebeeld, wat ook geldt voor stemmingswisselingen bij vrouwen die samenhangen met hormonale veranderingen.

Het verhaal van Leah

Leah werd badend in het zweet wakker toen ze gebons hoorde op de deur van haar appartement. De telefoon begon te rinkelen en na het bliepje van het antwoordapparaat hoorde ze de gespannen en geërgerde stem van Kaelyn. Haar vriendin belde haar mobiel vanaf de andere kant van de deur en vroeg zich af waarom ze niet klaarstond voor hun zaterdagse partijtje tennis – al voor de derde keer deze maand. Leah kneep haar ogen dicht; hoe kon ze dat nu alweer zijn vergeten? Hoe kon het alweer zo snel zaterdag zijn? Waar was de vrijdag gebleven? Waarom maakte ze er zo'n puinhoop van? Ze kreeg steeds minder voor elkaar; alles was ineens tot stilstand gekomen en zelfs de kleinste karweitjes kostten veel energie. Ze had zich al in geen weken met het wasgoed beziggehouden en haar appartement zag eruit alsof er een tornado had gewoed: haar spullen lagen net zo rommelig her en der verspreid als de gedachten in haar hoofd.

Het begon weer. Ze had de telefoontjes van haar moeder ontweken, en op het werk liep het ook niet allemaal meer zo soepel. Ze had geen vrije dagen meer over, en de laatste tijd waren haar collega's raar gaan doen waar zij bij was, alsof ze haar niet langer als een gewaardeerd lid van het team beschouwden. Terwijl het gebons op de deur maar doorging, voelde ze zich rot over hoe ze bezig was en ze overwoog even om op te staan, maar in plaats daarvan trok ze de dekens over haar hoofd. Ze kon het niet; het lukte haar domweg niet om op te staan, ook al schaamde ze zich diep dat ze zich verstopte voor haar vriendin. Uiteindelijk hield het lawaai buiten op. Kon ze het lawaai in haar hoofd maar net zo makkelijk stopzetten. Maar dat negeren maakte het alleen maar erger.

Toch ging het niet altijd zo. Leah verviel steeds van het ene uiterste in het andere, en als het goed ging, ging het een tijdlang ook écht goed. Als ze 'in een stijgende lijn' zat, was ze de lieveling van het bedrijf, werkte ze vaak over en kreeg ze ontzettend veel – en goed – werk gedaan. Ze was een ster, leidde besprekingen en kwam met inzichten die er blijk van gaven dat ze de marketing-wereld echt doorgrondde. Ze voelde zich briljant, enorm energiek en intelligent, en kon net zo goed plezier maken en feestvieren als werken. Elke dag bracht weer nieuwe opwindende dingen en Leah had het gevoel dat ze de hele wereld aankon.

Maar dan ineens raakte ze in haar denken en doen helemaal de draad kwijt. Er ging een knop om en ze bleef als een spiraal om-hooggaan alsof er een soort thermostaat in haar brein kapot was, zodat ze de controle dreigde te verliezen. Ze begon steeds sneller en onsamenhangender te praten. Ze moest dingen herhalen en ze uitleggen, totdat zij er zélf kop noch staart aan kon ontdekken. En dan trad er onvermijdelijk een verschuiving op. Net als bij As-sepoester na het bal sloeg de klok en stortte Leahs wereld in. Van haar geweldige prestaties bleef niets meer over en alles viel uiteen. Als ze er zo aan toe was, kon ze dagen achtereen haar bed niet uit komen en stapelden de onbeantwoorde telefoontjes zich op als de borden in de gootsteen.

Na jaren van ontkenning en lijden onder de oordelen van an-deren die meenden dat ze 'haar potentieel niet waarmaakte', be-sloot Leah uiteindelijk haar eigen herstel ter hand te nemen, wat onderzoek te doen en samen met haar dokter een plan op maat te maken. Ze ging niet alleen medicijnen slikken, maar nam ook lichaamsbeweging en ging gezonder eten, en ze lette goed op of ze wel genoeg slaap kreeg. Van de bipolaire stemmingswisselin-gen die haar ooit zo hadden uitgeput werden de scherpe kantjes af gehaald, zodat ze haar leven in de hand kon houden. Vervol-gens deelde ze haar succes met anderen door een toneelstuk te schrijven over de uitdagingen op het gebied van de geestelijke gezondheid; daarmee hielp ze veel mensen hun eigen problemen onder ogen te zien en daar hulp voor te zoeken. Achteraf is ze God dankbaar dat ze haar diepste ellende heeft kunnen omzetten in een van haar sterkste punten, namelijk het vermogen om anderen hoop te bieden dat ook zij weer zeggenschap over hun leven kunnen krijgen.

In bijlage B vind je meer informatie over een aantal stemmingsstoornissen en in bijlage C tref je meer informatie aan over veelvoorkomende waarschuwingssignalen voor depressie.

Angststoornissen

In de taal van psychologen is angst een enorme categorie bestaande uit emoties van onvermogen veroorzaakt door grote ongerustheid, bange vermoedens, verschrikking en intense doodsangst. Angst hoort voor een deel bij het leven – we krijgen allemaal van tijd tot tijd 'de kriebels' of 'de zenuwen', zeker voorafgaand aan grote stappen in ons leven, zoals trouwen, de eerste dag in een nieuwe baan, een bevalling of wanneer de kinderen het huis uit gaan om te studeren. Ben je echter iemand met een angststoornis, dan is het verschil dat je je een enorm deel van de tijd zo voelt. Je kunt zelfs bang zijn voor alledaagse activiteiten zoals het huis uit gaan om naar je werk of naar de supermarkt te gaan. De angst is dan niet voorbijgaand. En je kunt zo veel energie aan je angst besteden dat je een heleboel gelegenheden om vrede en geluk te ervaren niet benut.

Kun je je voorstellen wat voor stress en daarmee gepaard gaande vermoeidheid een dergelijke voortdurende prikkeling voor je lichaam betekent, altijd maar in de 'vecht- of vluchtmodus' verkeren? Zoals ik in het hoofdstuk over stress al zei, kan dit uitmonden in een zeer ongezonde fysieke realiteit. Wanneer jij een van de 40 miljoen Amerikanen bent die volgens de rapporten van het National Institute of Mental Health[14] aan een angststoornis lijden, is dat precies wat er met je lichaam gebeurt, en dus ook met je afweermechanismen. Je adrenalinesysteem (dat aan je prikkeling ten grondslag ligt) brandt zichzelf op, omdat je lichaam zich almaar wapent tegen vijanden die misschien niet eens bestaan, in een oorlog die niet echt plaatsvindt, behalve in jouw brein. Tijd en energie besteden aan je zorgen maken over dingen die toch nooit zullen gebeuren, of een buitensporige angst voelen terwijl er nergens gevaar te bespeuren is, is erger dan non-productief zijn – het is zelfs destructief. Omdat angst zo'n niet-aflatende en knagende vorm van ellende is die nauwelijks is gebaseerd op werkelijke bedreigingen of feiten, komt het vaak voor dat mensen die aan een angststoornis lijden kostbare en noodzakelijke middelen inzetten zonder dat ze er iets mee bereiken. Het ergste is nog wel dat het gevreesde gevolg zich helemaal niet hoeft te voltrekken om schade aan te richten, want je innerlijke reactie op de verwachting dat het zich zal voltrekken is al genoeg om je leven fysiek en emotioneel te ontwrichten.

Bezorgdheid versus angst

Het is waarschijnlijk een open deur als ik zeg dat angst niet altijd verkeerd is, mits er een gegronde reden is om die te voelen. Zoals we eerder al bespraken, bestaat er een verschil tussen rationele en irrationele angsten. Rationele angsten zijn gebaseerd op een werkelijkheid die ons echte schade kan berokkenen. We moeten ons er tot op zeker hoogte van bewust zijn en waakzaam blijven, om onszelf er in dagelijkse situaties tegen te beschermen.

Zo kan het helemaal geen kwaad om elke keer dat je achter het stuur van een auto stapt, zeker op een drukke snelweg, op een gezonde manier alert en extra aandachtig te zijn. Er is soms een goede reden voor om naar je instincten te luisteren; die geven natuurlijke signalen af die ervoor zorgen dat je oplet en jezelf beschermt. Er zijn maar al te veel misdaden gepleegd omdat mensen geen aandacht schonken aan hun intuïtieve, rationele angst.

Iedereen ervaart op een gegeven moment angst, en die wordt dan ook beschouwd als een natuurlijk onderdeel van het mentale functioneren. Zoals ik eerder al zei, kan mentale prikkeling een heilzame invloed hebben, en angst kan deel uitmaken van dat proces. Maar angst wordt een stoornis wanneer je vast komt te zitten in een ongekend hoog niveau van prikkeling en je controlemechanismes overspoeld raken. Dit kan op vele manieren gebeuren, die ik straks nog zal bespreken. Vooralsnog moet je alleen begrijpen dat er sprake is van een stoornis wanneer je bang bent voor iets wat, ook al is het misschien niet volkomen denkbeeldig of gebaseerd op fantasie, toch niet snel door anderen zal worden ervaren als een bedreiging in de zin zoals jij dat voelt. Vaak zijn de dingen die de angst oproepen objectief gezien angsten of gebeurtenissen waarvan de kans dat ze ook echt gebeuren veel kleiner is, terwijl ze toch mentale prikkeling, overmatige waakzaamheid of nervositeit oproepen. Zo kun je bang zijn dat er slangen rondkruipen in je bed (wat vaak gebeurt bij kinderen nadat ze een enge film hebben gezien over mensen bij wie slangen in bed zitten). Als je een nacht ergens in een jungledorp zou doorbrengen, zou je met reden bang kunnen zijn, maar wanneer je een dergelijke angst voelt zonder dat er een aanleiding of prikkel voor is, heb je een probleem. Wanneer je in je bed ligt in een forensenstad in de westerse wereld en nog steeds te bang bent om te gaan slapen, lijd je aan een irrationele angst die op een klinisch ziektebeeld wijst. Veel van onze irrationele angsten doen we op in onze jeugd aan de hand van boodschappen – hetzij verbale, hetzij gedragsmatige, bedoelde of onbedoelde – van volwassen gezagsfiguren, of ze ontstaan door ongemakkelijke situaties die trucjes met ons uithalen doordat we vroeg in ons leven zo kwetsbaar zijn voor irrationele logica.

Angst kan het gevolg zijn van een ingrijpende gebeurtenis of trauma in de vroege jeugd, zoals bij seksueel of lichamelijk misbruik. Als kind praat je niet over wat er gebeurt, omdat je geest je probeert te beschermen en het gebeurde domweg te traumatisch is om het onder woorden te brengen. Wanneer je nog erg jong bent, beschik je trouwens niet eens over de taal om de betekenis te begrijpen van wat er is gebeurd.

Angst kan met alles te maken hebben, hoe onlogisch het later ook mag lijken. Een klein meisje kan onzeker zijn geweest over een uiterst instabiele gezinssituatie, maar in plaats van dat te onderkennen een angst ontwikkelen die te maken heeft met vogels of honden of deurklinken. Maar twintig jaar later, wanneer ze volwassen is en zelf een gezin start, kan de pijnlijke herinnering aan haar onzekerheden op verschillende manieren aan het licht komen en zo de rust in haar nieuwe huwelijk en relaties verstoren.

Hoewel er vaak een verband is, wil ik benadrukken dat noch angst, noch depressie altijd samenhangt met of een gevolg is van stress. Wel kunnen hoge stressniveaus tot beide stoornissen leiden. Zoals ik in hoofdstuk 3 al opmerkte, is stress de reactie van het lichaam op druk (of stressoren) die zich in het leven voordoet – die voor het grootste deel heel reëel en benoembaar is – zoals belangrijke veranderingen in je huwelijk of werk, zorgen voor een ziek kind of omgaan met financiële problemen. Aan de andere kant is angst niet per se verbonden met een benoembare dreiging, trigger of stressor, en – belangrijker nog – de irrationele focus op de 'bedreiging' kan vaak helemaal met je op de loop gaan en je het gevoel geven dat je niets over je emoties te zeggen hebt. Bij stress kunnen andere mensen die naast je staan de problemen zien. Het verschil met angst is dat jij weleens de enige zou kunnen zijn die de bedreiging ervaart, of althans de mate van dreiging waarop je reageert.

Verschillende soorten angststoornissen

Een andere vorm van angst is de posttraumatische stressstoornis (*post-traumatic stress disorder*, oftewel PTSD), waarbij een traumatische gebeurtenis voor herinneringen zorgt die je geestelijke gezondheid kleuren met een extreme angst. Deze herinneringen maken het je onmogelijk om vreugde en harmonie te voelen. Oorlogsveteranen die vreselijke dingen hebben meegemaakt, lijden hier vaak aan. Ook als dat vreselijks al maanden of jaren achter de rug is, kan er ineens iets gebeuren wat hen eraan terug doet denken, en dan barst de angst weer los. Denk bijvoorbeeld aan een soldaat die weer naar huis komt nadat hij in de oorlog in Irak heeft gediend. Alles lijkt prima in orde met hem, maar op een dag loopt hij op straat en hoort hij een terugslag van een automotor. Plotseling is hij weer terug in Irak en fluiten de kogels om zijn oren. Hij laat zich in paniek op de grond vallen en spiedt naar de vijand die op hem heeft geschoten, ook al is er in de wijde omtrek geen echt gevaar te bespeuren. Wanneer de voormalige soldaat elke dag door deze angst wordt geplaagd, loopt hij het risico het contact met de actuele werkelijkheid te verliezen en kan hij gevaarlijk worden. Er zijn gevallen bekend van mensen die een wapen pakten en op anderen begonnen te schieten – zoals hun vrienden en familie – die ze per abuis voor de vijand aanzagen.

Een andere angststoornis is de obsessief-compulsieve stoornis (*obsessive compulsive disorder*, OCD), waarbij ongewenste gedachten (obsessies) en/of herhaalde gedragingen (compulsies) zich steeds opdringen. Herhaald gedrag, zoals handen wassen, tellen, controleren of schoonmaken, wordt vaak uitgevoerd in de hoop obsessieve gedachten te voorkomen of te doen verdwijnen. De uitvoering van dergelijke zogeheten 'rituelen' biedt echter slechts tijdelijk soelaas, en wanneer ze níét worden uitgevoerd neemt de angst toe. De angst kan worden opgeroepen door aanhoudende, onwelkome gedachten of beelden, of zelfs door het gebrek aan mogelijkheden of door hindernissen om de rituelen uit te voeren, die zo belangrijk zijn geworden in de poging om met de angsten om te gaan. Je kunt ontzettend gaan twijfelen en behoefte hebben om telkens weer dingen te controleren, bijvoorbeeld of je nu het strijkijzer of de kachel hebt uitgezet toen je het huis uit ging.

Hoewel de meeste mensen op dat gebied zo hun eigenaardigheden hebben zonder daar iets achter te zoeken – of ze nu dingen afkloppen op hout, scheuren in het trottoir vermijden of zelfs twaalf keer op de liftknop drukken waar één keer ook zou volstaan – onderscheiden ocd-patiënten zich in die zin van hen dat hun irrationele gedragingen hen geheel beheersen en hun verhinderen om een normaal leven te leiden. Ben je bijvoorbeeld grootgebracht door een ouder die je het gevoel gaf dat je dom was omdat het je niet lukte je eigen badkamer schoon te houden, dan kun je die afkeuring hebben vertaald in een gevoel van persoonlijk tekortschieten of onwaardigheid. Wanneer die emotie in je volwassen leven dan weer wordt opgeroepen, kun je vervallen in een obsessief-compulsief gedachten- en handelingspatroon om je angst tijdelijk te verlichten. In dit geval kan dat tot gevolg hebben dat je je badkamer wel zeventig keer per dag schoonmaakt, of je handen tot bloedens toe wast. Door de kritische stem van je ouder te verinnerlijken dénk je dat je manieren hebt gevonden om de overweldigende angst op te lossen. Omdat je echter op de lange termijn geen verlichting vindt, gaat het gedrag een eigen leven leiden. Met andere woorden: hoe vaker je je badkuip schoonmaakt of je handen wast, hoe angstiger je uiteindelijk wordt.

Fobieën zijn angststoornissen waar zo'n 36 miljoen Amerikanen in de een of andere vorm aan lijden.* Deze aanhoudende en irrationele angsten roepen een emotionele en fysieke respons op op vermeende dreigingen van buitenaf, zoals angst voor bepaal-

---

* Dit aantal is opgebouwd uit het voorkomen van drie soorten fobieën: sociale fobie, agorafobie (pleinvrees, zonder een geschiedenis van een paniekstoornis) en specifieke fobieën zoals het handboek DSM-IV die vermeldt.

de gebeurtenissen of omstandigheden, waaraan geen logica ten grondslag ligt. Het is onduidelijk hoe ze ontstaan, en er is geen reden te bedenken waarom je zulke gevoelens zou hebben. Vaak komen ze tot ontwikkeling in de volwassenheid. Soms zijn fobie- en of OCD-dwanggedachten klein en hebben ze niet veel invloed op je leven – zoals de behoefte van de acteur Harrison Ford om zijn sokken met kleurcodes te markeren, of de gewoonte van David Beckham om de frisdrankblikjes in zijn koelkast nauwgezet te rangschikken. Zulke rituelen hebben geen invloed op de algehele kwaliteit of richting van iemands leven, en kunnen zelfs wel grappig en charmant zijn.

Voorts zijn er mensen die altijd de trap nemen naar hun kantoor op de zesendertigste verdieping omdat ze met geen stok in een lift te krijgen zijn. Die fobie kan zo sterk zijn dat pogingen om hen in een lift te stoppen veel weg hebben van pogingen om een kat in een emmer te proppen: dat wordt een hele worsteling! Of denk aan mensen die voor hun werk veel moeten reizen, maar liever de auto nemen dan dat ze in het vliegtuig stappen. Sportverslaggever John Madden rijdt het hele land door om wedstrijden te verslaan in plaats van dat hij het vliegtuig pakt. De spelshowpresentator Howie Mandel lijdt zowel aan OCD als aan mysofobie (angst voor ziektekiemen), waar hij openlijk grappen over maakt. Hoewel het er waarschijnlijk niet zo veel toe doet dat hij de deelnemers aan zijn shows niet de hand schudt, kan het op een gegeven moment problematisch worden dat hij geen ander toilet wil gebruiken dan zijn eigen. In deze gevallen heeft de fobie, ook al is die nog wel enigszins in de hand te houden, toch – in wisselende mate – invloed gekregen op hun kwaliteit van leven.

Meer informatie over stoornissen die met angst te maken hebben vind je in bijlage B. In bijlage C lees je meer over veelvoorkomende waarschuwingssignalen voor angststoornissen.

Ernstige geestelijke stoornissen
Deze stoornissen, die vaak 'psychoses' worden genoemd, omvatten zowel problemen met het ervaren van de werkelijkheid als stoornissen in het denken. Deze brede definitie heeft betrekking op geestesziekten die worden gekenmerkt door haperingen in de perceptie van de werkelijkheid, die veelal de vorm aannemen van auditieve hallucinaties, paranoïde of bizarre zinsbegooche-

lingen of verstoringen in het spreken en denken die aanzienlijke invloed hebben op iemands sociale of werkende leven. Vaak kunnen mensen die aan deze stoornissen lijden de werkelijkheid niet goed objectief beoordelen en reageren ze abnormaal; ze gebruiken bijvoorbeeld merkwaardige taal en benoemen zichzelf als een ander dan wie ze zijn. Dergelijke symptomen leiden vaak tot misverstanden over degene die ze vertoont, die het etiket 'gevaarlijk' of 'agressief' opgeplakt kan krijgen.

Waarschijnlijk de grootste, meest gevreesde en meest verkeerd begrepen diagnose van deze groep wordt aangeduid met de brede term 'schizofrenie'. Ondanks het feit dat het woord 'schizofrenie' grofweg te vertalen is met 'opsplitsing van de geest', is het níét hetzelfde als een meervoudige persoonlijkheidsstoornis, door clinici betiteld als 'dissociatieve identiteitsstoornis'.

Een dissociatieve identiteitsstoornis komt maar zelden voor en valt onder de categorie angststoornissen die bekendstaat als dissociatieve stoornissen; hierbij bestaan er binnen één persoon diverse, duidelijk van elkaar te onderscheiden afzonderlijke persoonlijkheden, terwijl bij schizofrenie, of een 'gespleten persoonlijkheid', sprake is van een gebrek aan samenhang bínnen de persoonlijkheid zelf (je kunt bijvoorbeeld terwijl je een mop vertelt tegelijkertijd huilen). Beide termen zijn doorgesijpeld in het dagelijkse taalgebruik en worden vaak met elkaar verward en verkeerd toegepast, wat bij patiënten zelf en bij anderen reacties oproept waar niemand bij gebaat is. De meeste mensen gebruiken deze woorden als aanduiding voor gedrag dat grillig of inconsistent is, of voor sterke stemmingswisselingen, maar in feite klopt dat niet en weet men veelal niet waar men het precies over heeft.

Wanneer je aan een stoornis lijdt uit deze categorie, kun je werkelijkheid en fantasie niet goed van elkaar scheiden – je ziet bijvoorbeeld denkbeeldige torretjes over je voeten kruipen en/of je hoort stemmen die zeggen dat je jezelf of anderen iets moet aandoen. Of je gelooft dat mensen niet te vertrouwen zijn en dat iedereen die jou graag mag er op uit is om je kwaad te doen. Ook kun je voortdurend argwanend zijn of lijden aan geestelijke kwellingen die je niet kunt verklaren of oplossen – zoals wanneer je denkt dat iemand vergif in je eten doet of dat de overheid je bespioneert (wat trouwens vandaag de dag nog niet eens zo'n heel gekke gedachte is). Dit soort hallucinaties kan uitermate verontrustend zijn, en het komt dan ook geregeld voor dat mensen die in een psychose zitten zichzelf lichamelijk verwonden in hun pogingen aan de hallucinaties of waanideeën te ontkomen. In een interview voor USA Today sprak de acteur Alan Alda over de levenslange strijd die zijn moeder met psychoses had geleverd, waar hij over had geschreven.[15] Hij zei: 'Ik ben veel beter gaan begrijpen wat ze moest doormaken – vooral gezien het feit dat haar hallucinaties in hetzelfde gedeelte van haar brein bleken plaats te vinden als waar onze nachtmerries vandaan komen. Ik heb zelf ook doorgemaakt wat zij heeft moeten doormaken, alleen kon ík eruit wakker worden, maar zij niet.'

Wat mij in de loop der jaren altijd heeft geïntrigeerd en wat ik altijd veelzeggend heb gevonden, is niet alleen de aanwezigheid van stemmen, maar, meer specifiek, de boodschappen van die stemmen die hebben bijgedragen aan een accurate diagnose van deze geestesziekte. Jij of je dierbare zal het hier moeilijk mee hebben wanneer de stemmen zeggen dat je dingen moet doen die ofwel voor jezelf, ofwel voor anderen destructief zijn. Voorbeelden daarvan zijn te vinden bij veel ernstige misdaden en in verhalen die de ronde doen, zoals dat van de moeder die haar kinderen verdronk omdat Satan haar dat opdroeg. Maar als de stemmen je zeggen dat je positieve stappen moet nemen, worden ze vaker wel dan niet beschouwd als afkomstig van een hogere macht. Veel van onze religieus leiders hebben tenslotte openlijk beweerd 'de stem van God' te hebben gehoord, wat tot heel positieve uitkomsten in hun leven en in het leven van anderen heeft geleid, en absoluut niet wordt gezien als bewijs van een geestesziekte!

Waardoor ontstaan psychoses?
Deze symptomen zijn vaak in verband gebracht met een chemische onbalans van dopamine,[16] maar er zijn ook andere factoren in het spel. In feite zullen de meeste mensen onder bepaalde omstandigheden, zoals extreme vermoeidheid en een zeer stressvolle omgeving, in een dergelijke psychotische toestand raken. Een voorbeeld was een patiënt die ik Kaye zal noemen, die bij een collega van me terechtkwam met de diagnose schizofrenie. Maar toen hij een gesprek met haar voerde, leek het er meer op dat haar gedrag samenhing met de enorme stress die ze de afgelopen vijf jaar had ervaren, toen ze in een commune had gewoond. Al die

tijd had ze ongezond gegeten, had ze maar weinig geslapen en was ze voortdurend misbruikt. Het doel van de communeleiders was ervoor te zorgen dat ze zich aanpaste aan hun regels, en het dagelijkse misbruik leverde de gewenste resultaten op. Vaak werd ze in haar eentje opgesloten zonder water, geïsoleerd van liefdevolle mensen die haar konden steunen. Gelukkig was ze er uiteindelijk uit ontsnapt en had ze geestelijke hulp gezocht, hoewel ze later totaal niet meer wist hoe ze dat voor elkaar had gekregen.

In de tijd dat mijn collega haar behandelde, had Kaye haar normale slaapcyclus hersteld en waren haar hormonen weer in balans geraakt. Ze slikte geen medicijnen en leek haar werkelijkheid in de hand te hebben. Na diverse sessies, waarbij er hard werd gewerkt om haar haar stabiliteit te doen hervinden, verdwenen al haar schizofrene symptomen. Ik wil hier maar mee zeggen dat een geestesziekte ieder van ons kan treffen, als de omstandigheden maar extreem genoeg zijn. Slaapgebrek draagt sterk bij aan een tijdelijke psychose – vraag maar aan iedere vrouw die zojuist moeder is geworden of ze door haar slapeloze nachten weleens twijfelt aan haar geestelijke gezondheid!

Hoe meer we op een eerlijke en open manier met geestelijke gezondheid omgaan, hoe minder bang we voor dit onderwerp zullen zijn. Depressie, angst en zelfs tijdelijke psychose kunnen deel uitmaken van het leven van veel productieve mensen, en moeten over het algemeen alleen worden behandeld wanneer de grens naar het 'abnormale' wordt overschreden, dus wanneer relaties, doelstellingen, verantwoordelijkheden, of gemoedsrust en persoonlijke veiligheid eronder te lijden hebben.

Meer informatie over ernstige geestelijke stoornissen vind je in bijlage B, en in bijlage C lees je meer over veelvoorkomende waarschuwingssignalen voor schizofrenie/psychose.

Hoe meer we op een eerlijke en open manier met geestelijke gezondheid omgaan, hoe minder bang we voor dit onderwerp zullen zijn.

Terug naar betere tijden

Wanneer je voor jezelf of voor iemand anders hulp zoekt in deze crisis, is het doel ervoor te zorgen dat die hulp zo min mogelijk verstoring oplevert en de kansen op herstel zo groot mogelijk maakt.

Hieronder geef ik je een paar eenvoudige tips voor dingen die je wel en niet moet doen om beter tegen de uitdagingen van deze crisis opgewassen te zijn.

Niet doen:
Word geen slaaf van het etiket dat je is opgeplakt. Vergeet niet dat beschrijvingen van gevoelens en emotionele respons niet meer doen dan gedrag beschrijven en niets zeggen over jou als mens.

Neem geen medicijnen aan van anderen dan je arts. Medicijnen zijn altijd toegesneden op de behoeften van één bepaalde persoon.

Voel je niet schuldig. Deze crisis kan allerlei oorzaken hebben, maar schuldgevoel impliceert opzet, wat hier zeker niet van toepassing is, omdat jij (of je dierbare) echt niet expres de mentale en/of emotionele greep op het leven bent (is) kwijtgeraakt.

Beschouw geestesziekte niet als een morele kwestie waarbij jij of degene die je dierbaar is moet lijden in het leven als gevolg van begane zonden of geloofsovertredingen. Het is wel waar dat geestesziekte twijfels kan oproepen of tot ongebruikelijke spirituele uitingen kan leiden, zoals denken dat je een godheid of God bent.

Ga mensen die aan een geestesziekte lijden niet uit de weg. Omdat ze mensen zijn, verdienen ze alle liefde die ze kunnen krijgen, en liefde kan heel helend zijn.

Wel doen:
Ga op zoek naar psychotherapie en counseling. Wanneer de druk die je geestelijk ervaart je te veel dreigt te worden en je teke-

nen begint te vertonen van wat wij onder geestesziekte verstaan, heb je waarschijnlijk professionele hulp nodig, omdat je er tot over je oren in zit. Al eerder bracht ik psychotherapie en counseling ter sprake, allebei zeer effectieve methoden om te leren met depressie en angst om te gaan. Psychotherapie kan je helpen je leven een nieuwe richting op te sturen, in plaats van je te focussen op alles wat verkeerd gaat en je boven het hoofd groeit.

Bovendien zul je ontdekken dat het niet per se de gebeurtenissen in je leven zijn die zo veel invloed op je hebben, maar dat het gaat om jouw reactie daarop. Al vanaf hoofdstuk 1 van dit boek benadruk ik dit, maar het mag hier best nog eens worden herhaald. Nee, je kunt niets veranderen aan wat je overkomt; zo veel heb je daar niet over te zeggen. Maar je kunt – als je tenminste neurochemisch gezien in balans bent – wél verandering aanbrengen in je manier van reageren. Anderzijds is volgens mij een van de grootste problemen waar veel mensen die aan een vorm van geestesziekte lijden mee te kampen hebben dat ze niet weten, of kunnen weten, dat ze echt iets te kiezen hebben in hun reactie op een stressvolle situatie, juist vanwége een chemische onbalans in hun hersenen. Dat geldt met name voor mensen die aan een psychose lijden.

Lijd je aan een psychose, dan zul je dit boek waarschijnlijk niet lezen. En als je dat wel doet, is de kans groot dat je goed in staat bent om keuzes te maken. Maar als je van iemand houdt die in een psychotische toestand verkeert, moet je onder ogen zien dat diegene weleens níét tot rationele keuzes in staat kan zijn. Dat moet je goed beseffen om de situatie niet nog moeilijker te maken. Iemand die biochemisch gezien niet in balans is vragen om zijn of haar gedrag in de hand te houden en actieve keuzes te maken is net zoiets als zo iemand vragen om 'groter te worden'. Ze wíllen het misschien wel, maar vanwege de biologische beperkingen is het niet zomaar een kwestie van daarvoor kiezen. Evenmin zijn ze erbij gebaat wanneer je níét van hen vraagt op hun hoogst mogelijke niveau te functioneren. Als iemand actief psychotisch is en/of er bij diegene een onbalans in de hersenen is, moet hij of zij met de gepaste medicijnen gestabiliseerd worden voordat je met zo iemand kunt gaan zitten, kunt vragen of hij of zij je wil aankijken en met je wil praten, en logische beslissingen wil nemen.

Wanneer bijvoorbeeld een automobilist in een auto zit en de cilinders in de motor beginnen te haperen, zal geen enkele training of geen enkel talent van de automobilist de auto beter kunnen laten functioneren. Met andere woorden: de bestuurder kan erg weinig doen. Zo geldt ook, zoals eerder gezegd, dat wanneer iemands hersenen chemisch niet in balans zijn – bijvoorbeeld door vermoeidheid, drugs of slecht ontwikkelde hersenmechanismes – er heel weinig te bereiken is met 'praattherapie' als niet eerst het evenwicht in de hersenen is hersteld. Pas wanneer het brein eenmaal is gestabiliseerd – door middel van medicatie en/of een op maat gesneden behandelprogramma van een goede arts of instelling voor geestelijke gezondheidszorg – kan de persoon in kwestie weer een actieve rol gaan spelen bij het maken van keuzes in reactie op de stressvolle gebeurtenissen waar hij of zij middenin zit.

Dit vermogen om op de werkelijkheid gebaseerde keuzes te maken moet vaak worden ontwikkeld door middel van een trainingsproces zodra er weer enige psychologische stabiliteit is en je je eigen denkpatronen weer onder de loep kunt nemen. Wanneer je leert dat je ervoor kunt kiezen hoe je op stressoren reageert, kun je van binnenuit ontdekken dat je daar zelf zeggenschap over hebt. Het trainingsproces is gebaseerd op leren wat je wel kunt doen in plaats van wat je niet kunt doen. Wat je kunt doen – in elke situatie – is kiezen hoe je erop wilt reageren en welke invloed je dit op je wilt laten hebben. De gebeurtenissen in je dagelijks leven hebben slechts betekenis voor zover jij die eraan toekent. Nogmaals: er bestaat geen goed nieuws of slecht nieuws; er is alleen nieuws. Jouw perceptie is wat het tot goed of tot slecht nieuws maakt, en jij bepaalt voor welke perceptie je kiest. Het is van groot belang dat je dit goed begrijpt. Ik wil niet beweren dat je ervoor kunt kiezen of bepaalde dingen goed of slecht zijn. Wanneer bijvoorbeeld een kind gewond raakt of overlijdt, is dat altijd slecht nieuws. Maar je kunt wel kiezen of je je daardoor helemaal omver laat blazen en opgerold als een balletje in bed gaat liggen, of dat je je best doet om verder te gaan en er op een constructieve en positieve manier mee om te gaan.

Praat met je arts over medicijnen. Sommige vormen van depressie, angststoornissen en de meeste psychoses hebben een biologische oorzaak, wat betekent dat ze ook op een biologische manier verholpen kunnen worden, althans ten dele. Hormoonspiegels moeten worden onderzocht en neurotransmitters worden gemeten. Zelfs psychoses kunnen het gevolg zijn van schildklieraandoeningen[17] of van een chemische onbalans in de hersenen. Zelfs als de oorzaken primair aan de situatie te wijten zijn, ofwel exogeen zijn, zoals het geval is bij langdurig verdriet of trauma, kun je door medicijnen die je dokter je voorschrijft toch uit het dal klimmen.

Ga op zoek naar ontstressende activiteiten waarmee je goed voor jezelf zorgt. Bij geestelijke stoornissen is de persoon in kwestie zelf zijn beste helper, dus is het ontzettend belangrijk om op zoek te gaan naar manieren om diens copingvaardigheden te versterken. Zijn er stressoren die uit de weg geruimd kunnen worden, ook al is het voor heel korte tijd, dan heeft diegene er veel aan om daar een poosje van verlicht te worden, zodat hij of zij kan oefenen met beter geschikte copingstrategieën.

Ondersteun creatieve, constructieve activiteiten waardoor het gevoel van eigenwaarde wordt vergroot. Het onmiddellijke gevolg van een situatie waarin alles je boven het hoofd groeit, is dat er van je gevoel van eigenwaarde weinig overblijft. Ga op zoek naar activiteiten die het gevoel van eigenwaarde versterken en het verloren zelfvertrouwen weer aanvullen.

Toon belangstelling voor anderen. Wanneer een vriend(in) of dierbare van je depressief of angstig is, probeer dan je belangstelling voor diegene te laten blijken. Ik weet dat praten over geestesziekte niet makkelijk is, en het kan een precaire kwestie zijn om een ander aan te spreken op geestelijke zaken. Je komt algauw opdringerig over en de ander kan zich ertegen verzetten, maar anderzijds kun je ook diens leven redden. Beschouw het als een eerste stap om de communicatie op gang te brengen. Hoe onhandig je je ook voelt, waag een poging. Je ziet dan hoe de ander er geestelijk aan toe is en krijgt misschien een aanwijzing voor hoe je kunt bijdragen aan diens herstel. Wat moet je zeggen? Begin met iets als: 'Het is duidelijk dat je niet gelukkig bent en een zware tijd doormaakt, en ik maak me zorgen om je. Ik wil graag begrijpen wat je doormaakt, zodat ik je kan helpen.'

Kom in beweging. Een van de grootste problemen bij geestelijke aandoeningen is het gevoel vastgelopen te zijn. Lichaamsbeweging – met name ritmische oefeningen – kan een krachtig hulpmiddel zijn om dit gevoel te overwinnen. Door lichaamsbeweging stroomt er meer zuurstof naar de hersenen, er worden meer chemische *feel good*-stofjes in de hersenen (de zogeheten endorfinen) aangemaakt, en je organen komen meer in harmonie met je brein. Ik heb zelf kunnen constateren dat de resultaten van lichaamsbeweging vergelijkbaar zijn met die van bepaalde medicijnen. (Maar raadpleeg altijd wel eerst je arts voordat je iets aan je behandelplan verandert.)

Vraag je therapeut naar media- en kunsttherapie, of verzamel daar op een andere manier informatie over. Ik ben van mening dat met zorg uitgezochte films of zorgvuldig geselecteerde boeken (waarin de personages wenselijke waarden en overtuigingen representeren) goede prikkels kunnen zijn in de zin van rolmodellen. Er bestaan talloze boeken en films over mensen die grote problemen en kwesties overwonnen, en daar is uit op te maken dat happy endings écht bestaan. Door dit plaatsvervangend te ervaren kun je je gestimuleerd voelen om je eigen obstakels te overwinnen.

Misschien wil je ook teken- en muziektherapie proberen. Veel mensen met een geestelijk probleem kunnen zichzelf goed kwijt in het creatieve proces van artistieke zelfexpressie en in muziek, en hebben daar ook baat bij. Teken- of schildertherapie maakt gebruik van het creatieve proces om het emotionele, mentale en lichamelijke welbevinden te verbeteren en te versterken, en om angst, depressie en veel andere mentale en emotionele problemen te behandelen.[18] Muziektherapie maakt gebruik van muziek om te voorzien in de lichamelijke, mentale, emotionele en sociale behoeften van mensen van alle leeftijden. Zo kan muziektherapie onder andere op maat worden gesneden om het welbevinden te vergroten, om communicatie te verbeteren, om stress te managen, om pijn te verlichten, om gevoelens uit te drukken en om het geheugen te verbeteren.[19]

Leer hoe je op de juiste manier moet ademhalen. We doen het honderden keren per dag, maar de meeste mensen doen het niet goed. Jawel, ademhalen. Wanneer we angstig zijn, zijn we geneigd licht en oppervlakkig adem te halen, waardoor er fysiologische veranderingen in het lichaam optreden die ons nóg angstiger maken. Wanneer we depressief zijn, nemen we trage, bijna te verwaarlozen ademteugen, waardoor het probleemoplossende vermogen van onze hersenen vertraagt.[20] De juiste ademhalingstechnieken helpen ons om onze hersenen en de rest van ons lichaam ertoe aan te zetten betere copingmethodes aan te wenden. Het is net of je – zoals een sporter met zijn lichaam doet – je brein erin traint beter in vorm te komen en beter tegen uitdagingen opgewassen te zijn. Eén simpele en zeer effectieve methode is om over elke uitademing even lang te doen als over elke inademing.

Oriënteer je op desensitizatie. Zoals ik in het gedeelte over angst al kort opmerkte, is desensitizatie (oftewel leren ongevoelig te zijn) een methode die je helpt om een gebeurtenis los te koppelen van je angst daarvoor. Wanneer een gebeurtenis je overkomt, leer je om die te associëren met ontspanning in plaats van er een overweldigende angst bij te voelen. Durf je bijvoorbeeld niet voor publiek te spreken, dan kan je therapeut je vragen je tijdens zo'n ontspanningsoefening voor te stellen dat je je voorbereidt op een praatje in het openbaar. Wanneer het dan uiteindelijk zo ver is, heb je er in gedachten al zo vaak voor geoefend dat je ook ontspannen kunt zijn. Omdat je weet wat je kunt verwachten, ben je niet langer gespannen. Als de stress je naar de keel vliegt en je bang of depressief dreigt te maken, kun je je van die angst losmaken en weer terugklimmen in het zadel.

Meer informatie over desensitizatie vind je in bijlage A.

Verander je zelfspraak. Eerder in dit boek vertelde ik al wat ik hieronder versta: de gesprekken die je met jezelf voert over de wereld om je heen. Wanneer je te kampen hebt met mentale en emotionele uitdagingen, is de kans groot dat je negatieve dingen tegen jezelf zegt, zoals: 'Je maakt er een zootje van,' 'Je komt dit niet te boven,' of: 'Niemand houdt van je.' Dit maakt je geestelijke problemen echter alleen maar erger. Cognitieve therapie kan dan goed van pas komen om deze gedachten onder de loep te nemen en uiteindelijk te veranderen. Je kunt leren hoe je positieve zelfspraak tegenover negatieve zelfspraak kunt stellen. Je kunt ook affirmaties leren die je kunt gebruiken ter vervanging van negatieve gedachten. Die herhaal je dan keer op keer om die negatieve 'bandopnames' te wissen, want dat kan echt. Jij kunt het!

Probeer een dagboek bij te houden. Een van de meest succesvolle manieren om met angst of depressie om te gaan is door elke dag iets in je dagboek te noteren. Het hoeft niet op één specifiek probleem betrekking te hebben, en goede of foute dagboeken bestaan niet. Een dagboek is vooral een manier om je gedachten vast te leggen, en onderzoek heeft aangetoond dat het een van de meest geslaagde benaderingen is om greep op zaken te krijgen. Een van de redenen waarom een dagboek zo effectief is, is dat je al schrijvend je geest de ruimte geeft om zich aan te passen. Wanneer je je dromen opschrijft, die laten zien hoe je brein je conflicten symboliseert, zou je daardoor weleens onbewuste manieren kunnen vinden om die op te lossen.

> ### *Zo help je iemand met een acute psychose*
>
> *Wanneer je te maken hebt met iemand die in een psychose verkeert en zich grillig en stuurloos gedraagt, moet je diegene zo snel mogelijk helpen en beschermen. Bel het alarmnummer, of ga zo mogelijk met de persoon in kwestie naar de dichtstbijzijnde eerste hulp. Wanneer psychotische patiënten geagiteerd raken, kunnen ze soms zo verward worden dat ze zonder het te beseffen zichzelf of iemand anders iets aandoen (zoals besproken in het gedeelte over fabeltjes op pagina 205 ev. zijn mensen die aan een geestelijke aandoening lijden zelden echt gewelddadig, maar doordat ze in de war zijn, kunnen ze toch gevaarlijk zijn).*
>
> *Je moet echter een aantal belangrijke stappen nemen voordat de dokter erbij wordt gehaald. Besef goed dat mensen die aan een ernstige geestelijke aandoening lijden vaak heel bizar gedrag kunnen vertonen, dat wordt ingegeven door enorme stress, angst en desoriëntatie. Als je ze naar een eerstehulppost brengt, kunnen deze emoties nog toenemen en zelfs niet meer in de hand te houden zijn.*

De kans op zulke reacties kun je op de volgende manieren verkleinen:

- **Wees specifiek en geef concrete instructies wanneer je degene die je dierbaar is meeneemt naar een hulpverlener.** *Dit is met name belangrijk wanneer de persoon in kwestie zich niet kan focussen of zijn of haar aandacht erbij kan houden. De ander heeft behoefte aan structuur en leiding, dus wees zo gedetailleerd als je kunt. Ga je bijvoorbeeld met hem of haar naar de eerste hulp, zeg dan: 'Loop naar de kast en doe de deur open. Pak je jas en trek hem aan. Wacht dan bij de deur op me.'*

- ***Leef mee en bied steun.*** *Probeer steun te bieden zonder de ander te betuttelen. Vermijd confrontaties en houd de interactie rustig en langzaam. Verbale geruststelling kan heel nuttig zijn, evenals uitleg geven, zodat de ander weet wat er gebeurt. Je doel is om hem of haar een prettig en veilig gevoel te geven, terwijl je tegelijkertijd streeft naar een waardige en respectvolle behandeling.*

- ***Moedig degene die je dierbaar is aan om te doen wat hem of haar door de professionele hulpverleners wordt gezegd.*** *Bijvoorbeeld: medicijnen innemen en slaappatronen handhaven, bepaalde voedingsmiddelen gebruiken, en gedragsmatige zaken zoals lichaamsbeweging nemen en ontspanningsoefeningen doen. Streef ernaar zo min mogelijk te veranderen aan de structuur van de omgeving zoals de ander die gewend is.*

- ***Zorg dat degene die je dierbaar is een duidelijke identificatie bij zich draagt*** *waarop staat aan welke geestesziekte hij of zij lijdt en wie er gebeld kan worden wanneer de verwarring toeslaat en hij of zij buiten zijn of haar normale omgeving terechtkomt. Dit is belangrijk, zodat de persoon in kwestie niet verkeerd begrepen zal worden door andere mensen, zoals de politie, en zodat hij of zij niet terugvalt op een lager functioneringsniveau.*

Tot slot

Geestesziekte is niet nieuw, maar is wel te lang omkleed geweest met raadselen en stigma's, en heeft geleid tot een geheel nieuwe pathologie aangaande angst en schuldgevoel, terwijl de reactie die het oproept vergelijkbaar zou moeten zijn met de reactie op een blindedarmoperatie of het spalken van een gebroken arm. Veel mensen deinzen verschrikt terug voor een diagnose die betrekking heeft op hun geest – en met recht, gezien de manier waarop het grote publiek daarop reageert. Hoewel we grote vorderingen hebben geboekt sinds de tijd dat geestesziekte werd beschouwd als iets wat verband hield met hekserij of een aanval van demonen, moeten we nog steeds leren hoe we de persoon in kwestie los kunnen zien van diens aandoening en hoe we geesteszieke patiënten waardig en respectvol kunnen behandelen. Deskundigen buigen zich ook nog steeds over de vraag waarom en hoe geesteszieken kunnen ontstaan. Over het algemeen heeft de moderne generatie medicijnen, ook al kunnen die levensreddend zijn, beperkt succes en kunnen ze in sommige gevallen de zaken verergeren.

Maar ondanks zulke uitdagingen ben ik toch optimistisch gestemd. Ik ben ervan overtuigd dat we geestesziekte aankunnen en die steeds beter kunnen behandelen. Ik heb goede hoop dat de dialoog over geestesziekte steeds opener zal worden, zodat er minder paniek, schaamte en schuldgevoel hoeven te zijn. En naarmate we verder voorwaarts gaan, zullen we meer antwoorden vinden die steeds meer mensen zullen helpen.

9.

Verslaving: wanneer je verslaving met je op de loop gaat

Verslaafden veranderen hun genoegens
in wraakzuchtige goden.
– Mason Cooley

Als je op dit moment keihard geconfronteerd wordt met de werkelijkheid dat je aan een echte verslaving lijdt – dat je een junkie bent, niet buiten verdovende middelen of drank kunt – wil ik heel duidelijk tegen je zijn: je leven is in gevaar. Wanneer je in deze wereld functioneert, kinderen grootbrengt, in een auto rijdt of andere activiteiten uitvoert die invloed kunnen hebben – en ook inderdaad hebben – op anderen, stel je ook andermans leven in de waagschaal. Het kan me niet schelen hoe slim je bent, hoe ontwikkeld, of hoe mooi het huis is waarin je woont: als je een drugs- of drankverslaafde bent, heb je zelf de touwtjes niet meer in handen en kun je dat beter nú onder ogen zien. Wanneer het probleem niet jou betreft, maar iemand van wie je houdt en om wie je geeft, zoals een kind, een partner, een familielid, een vriend(in) of een collega, dan gaat alles wat ik zojuist heb gezegd voor die persoon op. Ik heb verslaving opgenomen als een van de zeven grote levenscrises, omdat ik van mening ben dat verslavingen in Amerika en in de rest van de westerse wereld epidemische proporties aannemen. Jij, ik, onze kinderen – wij allemaal lopen in principe het risico verslaafd te raken.

Maak jezelf maar niet wijs dat er een verschil is tussen legaal verkrijgbare middelen en middelen die je alleen bij een dealer in een duister steegje kunt krijgen. Het feit dat jij of je dierbare rondloopt met een doktersrecept in je zak verandert niets aan de kracht en levensbedreigende aard van een verslaving. Het maakt evenmin iets uit of je om een legitieme reden met die middelen bent begonnen. Misschien ben je wel geopereerd aan je rug of aan je knieën en moest je medicijnen slikken tegen de pijn. Of je nu aan het 'dokter hoppen' bent, of je middelen via internet bestelt, je bent net zo als iemand die ze van een dealer op straat koopt. Verslaving ziet er tegenwoordig heel anders uit dan vroeger. Het is vandaag de dag makkelijker dan ooit om aan alcohol of medicijnen en drugs te komen (zowel op recept als illegaal). Drugsverkopers houden zich niet langer alleen op in stadscentra en verschuilen zich niet langer alleen in parken en steegjes. In woonhuizen in steden wordt in eigen laboratoria methamfetamine ('meth') gemaakt, en dealers zijn slechts een muisklik van je verwijderd. Vaak benaderen ze je via e-mail, of je kunt inloggen op een van de vele sites waar geneesmiddelen te verkrijgen zijn; je beantwoordt een paar vragen, betaalt met je creditcard, en een paar dagen later liggen je pillen in een blanco bruine envelop op de mat.

Je kinderen groeien op in een wereld met nieuwe regels, waarin de grenzen tussen wat sociaal aanvaardbaar is (en zelfs in veel kringen geaccepteerd) en wat niet vager zijn dan ooit. Volgens de *San Francisco Chronicle* is het gebruik van methamfetamine in de gegoede wijken van Lafayette alleen al tussen 2003 en 2005 met tweehonderd procent gestegen, en vindt er gemiddeld één arrestatie per week plaats.[1] Dr. Alex Stalcup, een Amerikaanse deskundige van naam op het gebied van methverslaving, die daar een kliniek runt, stelt dat Lafayette nog lang niet de ergste regio in de Verenigde Staten is; hij spreekt van een nationale epidemie. 'In alle rangen en standen – managers, bankdirecteuren, mensen die dik verdienen, huismoeders – en in elk segment van de samenleving komt het voor, van omaatjes tot kinderen.'

Wanneer jij of iemand van wie je houdt aan een verslaving lijdt, sta je zeker – en helaas – niet alleen. De statistieken zijn verbijsterend: zo'n 18 miljoen Amerikanen geven zich over aan alcoholmisbruik of zijn alcoholverslaafd.[2] Dat is één op de dertien volwassenen! En 5 tot 6 miljoen mensen hebben drugsproblemen[3] – en dat dekt nog niet eens het werkelijke aantal. Geen wonder dat verslaving volksgezondheidsvijand nummer één is geworden,[4] want gezinnen hebben eronder te lijden, de gezondheidszorg en het rechtsstelsel raken erdoor overbelast, en het betekent een bedreiging van de openbare veiligheid. Bijna de helft van alle verkeersongelukken die in Amerika plaatsvinden, heeft met alcohol te maken.[5] Chemische afhankelijkheid en misbruik van middelen veroorzaken meer sterfgevallen, ziektes en aandoeningen dan welke andere vermijdbare gezondheidsconditie dan ook. En neem maar van mij aan dat de gevaren dichter bij huis op de loer liggen dan je misschien denkt.

Tegenwoordig kunnen zelfs legale, ogenschijnlijk onschuldige producten die in huis en op kantoor te vinden zijn in dodelijke drugs veranderen. Nate (12) had nooit gedacht dat het snuiven van computercleaner nou echt zo gevaarlijk zou kunnen zijn – dat was toch alleen maar samengeperste lucht? Hij had over de computercleaner gehoord van zijn klasgenoten op school, die het spul gebruikten omdat ze moeilijk de hand konden leggen op 'echte' drugs. Helaas wisten ze niet dat het koelmiddel dat erin zat een onvoorspelbare uitwerking kon hebben. Je kon twintig keer snuiven en alleen een aangename roes voelen, of je legde meteen al bij de eerste keer het loodje doordat je longen bevroren. Een schoolvriendje trof Nate dubbelgevouwen in de hoek van de kleedkamer van het gymnastieklokaal aan, met wijd open ogen en de bus in zijn hand – zonder dat hij nog ademhaalde. Het was in een paar tellen gebeurd, zonder waarschuwing vooraf. Nates ouders – en trouwens ook alle andere mensen – waren hevig ontdaan dat iets wat zo gewoon en zo makkelijk verkrijgbaar was als 'ingeblikte lucht' letterlijk een kind de dood in kon jagen.

Hoe de details er op dit moment ook uitzien, het slechte nieuws is dat je ofwel een verslaafde bent, ofwel een relatie met een verslaafde onderhoudt: een eenzijdige relatie waarin verder alles en iedereen op de laatste plaats komt voor degene die verslaafd is.

Heb je de moed bij elkaar weten te rapen om de waarheid onder ogen te zien, dan verdien je een pluim: dit is stap één.

Een verslaving is vreselijk, om welke stof het ook gaat. Je hebt jezelf misschien wijsgemaakt dat partydrugs onschuldig zijn of je geweten gesust met het feit dat alcohol wettelijk is toegestaan, maar neem maar van mij aan dat er geen 'feestende' verslaafden bestaan en ook geen alcoholverslaafden die je als 'gezelligheidsdrinkers' kunt betitelen. Zelfs als je van jezelf vindt dat je nog prima functioneert, heb je als je aan drugs of alcohol verslaafd bent net zo weinig controle als wanneer je in een auto zonder rem een heuvel af zou rijden. Heb je de moed bij elkaar weten te rapen om de waarheid onder ogen te zien, dan verdien je een pluim: dit is stap één. Maar het probleem erkennen en er ook iets aan doen zijn twee heel verschillende dingen.

In dit hoofdstuk zal ik de waarheid spreken, of je die nu wel of niet wilt horen – dit onderwerp is domweg te belangrijk om de bittere pil te vergulden. Of jijzelf nu de verslaafde bent, of je puberzoon of -dochter, je partner, je moeder of je vader, een vriend(in) of een collega, ontkenning kan dodelijk zijn. En ik zal maar meteen met de deur in huis vallen. Als je drugs, drugsbenodigdheden of alcohol op de kamer van je puberkind, in de auto, in laden of wat voor persoonlijke ruimte ook hebt gevonden, accepteer dan dat die spullen van die persoon zijn. Hij of zij bewaart die niet voor iemand anders; hij of zij wist dat die daar lagen, en dat is geen toeval. Als het loopt als een eend, eruitziet als een eend en zich gedraagt als een eend, kom op, mama, dan ís het een eend! Sluit je niet aan bij de gelederen van al die zelfrechtvaardigende en domme ouders die graag denken dat de kleine Marietje of Jantje zoiets nóóit zou doen. En denk geen moment dat dit 'gewoon is wat kinderen tegenwoordig doen'. Als jouw kind zich inlaat met drugs of alcohol en jij daar niet tegen optreedt, ben je niet goed wijs – en erger nog: je bent wettelijk aansprakelijk. Bovendien: je staat toe dat je kind risico loopt.

Praten met jongeren over drugs en alcohol

Het kan lastig zijn om de juiste woorden te vinden wanneer je met je kind over drugs en alcohol wilt praten. Hier volgt een voorbeeld van de dingen die je zou kunnen zeggen om het gesprek op gang te brengen: 'Je bent mijn dochter, en ik hou van je. Ik wil graag dat jij ook van mij houdt, maar dat komt op de tweede plaats, want allereerst ben ik je ouder, en dat betekent dat ik je door deze jaren heen moet zien te loodsen zonder dat je jezelf iets aandoet. Onderschat mijn vastbeslotenheid niet. Als jij ook maar even denkt dat ik bereid zou zijn te accepteren dat "iedereen dit doet" en je hiermee laat doorgaan, vergis je je ontzettend. Ik wil dat je plezier hebt, je vrij voelt, en de kans krijgt om jezelf te vinden, maar ik stel wel grenzen en zet hoge hekken neer om je in bedwang te houden, totdat je hebt bewezen, aan mij en aan jezelf, dat je die voorrechten geen geweld aandoet. Of je me nu leuk vindt of niet, mijn taak bestaat eruit voor jou te doen wat jij niet voor jezelf kunt doen. Ik zal nooit zulk zelfdestructief gedrag accepteren, dus laten we een plan opstellen waar we ons allebei in kunnen vinden.'

Dat is de waarheid zoals ik die zie. Dat liegt er niet om, nietwaar? Maar als het om verslaving gaat, snap je het wel of snap je het niet. Ik wil dat je het snapt, dus moeten we erover praten. Ik kom alleen maar onverbiddelijk over als je je kop in het zand steekt of besluit dat jij de uitzondering op de regel bent en hier wel op eigen kracht mee kunt omgaan. Die fout kun je je namelijk niet permitteren. Ik zal eerlijk tegen je zijn. Een verslaving aan alcohol of drugs is heel moeilijk te verhapstukken, omdat die net zoals andere aandoeningen, zoals diabetes, astma of hoge bloeddruk, ingewikkeld in elkaar zit, zich veelal verzet tegen behandeling en er vaak een terugval (recidive) optreedt. Hoe gevaarlijk het ook kan zijn om een echte verslaving te ontkennen, het is óók gevaarlijk om verslaving aan te grijpen als excuus om je te misdragen of onder de maat te presteren, dus laten we daar maar niet eens aan beginnen!

Nu het goede nieuws: zoals ook voor bovengenoemde andere aandoeningen geldt, kan de juiste medische en/of psychologische behandeling écht helpen, en als je daar serieus werk van maakt, kun je deze stoornis te boven komen. Verslavingen zijn met de juiste leiding en de juiste programma's goed behandelbaar. De vooruitgang die is geboekt in het inzicht in en de behandeling van afhankelijkheid van alcohol en drugs geeft alle reden tot hoop. Als je verslaafd bent, is je leven niet voorbij; je bent niet gedoemd om dat leven voor altijd te leiden. Maar je moet wel de realiteit van de situatie onder ogen zien en de hulp inschakelen die tegenwoordig zowel voor in- als voor externe patiënten in toenemende mate beschikbaar is. Voor degenen die een gestructureerd afkickprogramma willen volgen om van hun afhankelijkheid van chemische middelen of alcohol af te komen hangt het welslagen daarvan van twee dingen af: de kwaliteit van het programma en de mate waarin de patiënt investeert in het nazorgtraject.

Verslavingen zijn met de juiste leiding en de juiste programma's goed behandelbaar.

Wat houdt verslaving in?

Van een verslaving is sprake wanneer iemand zich aangetrokken voelt tot of ziekelijk gehecht is aan een bepaalde stof, zoals een geneesmiddel of drug (op recept verkrijgbaar of illegaal), of aan alcohol. Volgens de Amerikaanse National Council on Alcoholism and Drug Dependence (NCADD) wordt in wetenschappelijk onderzoek afhankelijkheid van alcohol en verdovende middelen beschouwd als een ziekte die zijn wortels heeft in zowel genetische aanleg als persoonlijk gedrag.[6] Het is een ernstige, ondermijnende toestand die wordt gekenmerkt door controleverlies, preoccupatie, vernauwde belangstelling, oneerlijkheid, schuldgevoel en chronische terugval.[7] Je hebt hoogstwaarschijnlijk te maken met verslavingsgedrag wanneer je merkt dat jijzelf of iemand die je dierbaar is steeds een bepaalde stof gebruikt, ondanks de overduidelijk negatieve gevolgen die dat heeft. Eenvoudig gezegd: het pakt niet goed voor jou of voor die ander uit, maar toch ga jij, of gaat die ander, ermee door.

Voordat ik bespreek hoe een echte verslaving eruitziet en uitleg waarom je leven (of andermans leven) ervan kan afhangen of je erin slaagt deze afschuwelijke crisis te boven te komen, wil ik eerst enkele opmerkingen maken over wat verslaving níét is. Ik vind dat een cruciaal punt. Naar mijn mening wordt het woord 'verslaving' te vaak gebruikt en is de term in onze samenleving een vergaarbak geworden voor datgene waaraan mensen zouden lijden die een sterke voorkeur voor iets hebben, of mensen die geen discipline tonen, zichzelf laten gaan en excuses zoeken om te verklaren waarom ze minder productief zijn dan ze zouden kunnen of horen te zijn. Zeggen dat je verslaafd bent is een geweldig excuus om 'het erbij te laten zitten' – dat wil zeggen, om nauwelijks keuzes te maken, of je niet behoorlijk te gedragen, of om niet optimaal te functioneren als mens, als moeder, als vader, als zoon of als dochter. Het is net zoiets als zeggen: 'Hé, ik ben ziek. Verslaving is een ziekte; je kunt me niet verwijten dat ik niet helemaal meedoe. Ik ben immers een slachtoffer en je zou met me te doen moeten hebben, me moeten steunen en voor me moeten applaudisseren als ik het een paar maanden achter elkaar goed red. Maar hou me alsjeblieft niet verantwoordelijk.' Helaas weerhoudt zulke praat de verslaafde ervan om te veranderen met behulp van een geschikte behandeling, en tegelijkertijd wordt de ontwrichtende en verwoestende aard van een echte verslaving ermee gebagatelliseerd.

De term is zelfs deel gaan uitmaken van ons dagelijks spraakgebruik. Zo zeggen mensen vaak dingen als: 'Ik ben verslaafd aan chocoladekoekjes.' Nee, je bent niet verslaafd; je vindt ze alleen maar erg lekker. Of ze zeggen: 'Ik ben verslaafd aan *Desperate Housewives*.' Nee, je bent niet verslaafd; je kijkt er gewoon graag naar. Als je gedwongen zou worden om iets anders te doen of je trek in zoetigheid met iets anders te bevredigen, zou je geen last hebben van ontwenningsverschijnselen zoals krampen, braken, nachtelijk zweten, of 'de bibbers' (delirium tremens) – die in sommige gevallen dodelijk kunnen zijn.

De behandeling is pas geslaagd te noemen wanneer er een leven door behouden blijft en er elke dag een stapje in de goede richting wordt gezet.

Als je echt verslaafd bent aan een vergiftigende stof, kun je de controle verliezen en volkomen gefocust raken op die verslavende stof of dat verslavende gedrag, waardoor je qua geest, emoties, gedrag en/of lichamelijk een slaaf van je verslaving wordt. Plannen die je eventueel ooit met je leven hebt gehad, moeten nu allemaal ruim baan maken voor je nieuwe meester. De biochemische veranderingen die door de stof worden veroorzaakt, kunnen levensbedreigend zijn, en de afhankelijkheid ervan kan zo sterk worden dat het onmogelijk wordt om het verslavende gedrag zonder professionele hulp een halt toe te roepen.[8] Verderop ga ik hier nog nader op in, maar elke situatie is anders. De behandeling is pas geslaagd te noemen wanneer er een leven door behouden blijft en er elke dag een stapje in de goede richting wordt gezet.

Inzicht in verslaving

Hoewel een lijst van alle mogelijke verslavingen erg lang kan zijn – van verslaving aan pornografie en gokken tot en met een heel scala aan andere geheime, destructieve zonden – richt ik me hier op chemische afhankelijkheid, dus op verslaving aan chemische stoffen. Ik wil graag dat je de ins en outs van verslaving goed begrijpt, want kennis is macht, en of het nu om jezelf gaat of om iemand die je dierbaar is, je zult alle *power* die je kunt krijgen hard nodig hebben. Dus daar gaan we. Ik gebruik het woord 'afhankelijkheid' ter onderscheiding van 'misbruik'. 'Afhankelijkheid' is de officiële term voor verslaving, terwijl 'misbruik' betrekking heeft op de fase die vlak voor verslaving komt. De lijst van verslavende stoffen omvat alcohol en alle andere geestveranderende middelen waarvan je afhankelijk kunt worden (ook medicijnen die je op recept of gewoon vrij bij de apotheek kunt krijgen). Wanneer we dit probleem willen bespreken, moeten we de juiste terminologie hanteren.

Zoals ik eerder al zei, is een van de redenen waarom het zo moeilijk is om mensen te behandelen die afhankelijk zijn van drugs of alcohol, dat verslavingen ingewikkeld in elkaar zitten. Een genetische aanleg, fysiologische en psychologische afhankelijkheden, iemands levensstijl en sociale componenten dragen er allemaal toe bij waarom de een zich aangetrokken voelt tot verslavende stoffen of verslavend gedrag, terwijl dat voor een ander niet geldt. Van alle stoffen heeft methamfetamine het hoogste terugvalpercentage (92 procent),[9] en wel door de 'dubbele klap' van de psychologische en fysiologische aspecten van de verslaving; cocaïne staat op de tweede plaats. Hoewel de cocaïne zelf meestal in twee tot vijf dagen het lichaam heeft verlaten, kan de fysiologische schade die erdoor wordt aangericht maanden duren, zo niet langer.[10] En de roes die het middel veroorzaakt, roept bij mensen een psychologische honger op waarvoor zelfs degenen met de grootste wilskracht kunnen bezwijken.

De psychologische afhankelijkheid kan nog groter zijn als je je verslaving inzet als ontsnappingsmechanisme, als middel om eens lekker feest te kunnen vieren, als middel om je angst onder controle te houden, of als sociaal smeermiddel. Sociale elementen spelen een grote rol, omdat de mensen met wie een verslaafde optrekt vaak eenzelfde soort gedrag vertonen en het deel uitmaakt van hun cultuur om het middel te gebruiken. Al deze factoren werken verslavingen in de hand, en wil je die te boven komen, dan zul je ze stuk voor stuk in de juiste volgorde moeten aanpakken.

Soms zijn mensen die een druk leven leiden bijzonder kwetsbaar voor alcohol of drugs. Derek en Miranda werden als stel steevast uitgenodigd voor alle gelegenheden die zich in hun kringetje in Silicon Valley voordeden. Derek, die de trekken had van Gary Cooper, was hoofd Softwareontwikkeling, en de blonde Miranda was de partner die precies bij hem paste. Als jong meisje had ze last gehad van overgewicht, maar tegenwoordig zat er geen grammetje vet aan haar gebruinde, fitte lichaam, zelfs niet nadat ze drie zonen ter wereld had gebracht. Alles ging hun voor de wind – behalve dan dat het Silicon Valleygroepje een niet zo fraai geheimpje deelde. Derek en de meesten van zijn vrienden – die net als hij gemiddeld zeventig uur per week werkten en eveneens energie en tijd tekortkwamen – hadden al snel geleerd dat met een beetje hulp van methamfetamine het onmogelijke mogelijk werd.

Veel van de vrouwen waren ook verslaafd, hoewel om een andere reden. Voor hen was het dé manier om af te vallen; en niet alleen dat, maar het zorgde er ook voor dat ze hun sociale agenda konden afwerken en een huis van twee verdiepingen binnen twee uur van onder tot boven hadden schoongemaakt, waarna ze nog genoeg energie overhielden om iets leuks met de kinderen te gaan doen. Maar ze beseften niet welke tol de drug van hun geest en lichaam eiste. Na een paar jaar traden de problemen voor het eerst aan het licht in de vorm van depressie, toen in die van paranoia, en nog later in die van huiselijk geweld – bovendien begonnen ze de onmiskenbare tekenen van een 'meth-gebit' te vertonen en moesten ze om de haverklap naar de tandarts om hun rotte tanden en kiezen te laten behandelen.

Miranda stortte als eerste in; hallucinaties en angststoornissen veranderden haar in een slapeloos wrak. Maar ook al werd haar lichaam verwoest en ging het met haar huwelijk bergafwaarts, toch kon ze haar 'kleine helper' niet opgeven, totdat ze op een dag ernstige spasmen kreeg en een van de kinderen in paniek het alarmnummer belde. Later stortte ze in en zag ze onder ogen dat ze zichzelf op deze manier de dood in hielp en haar kinderen schade toebracht. Ze eiste van Derek dat hij samen met haar hulp zou zoeken om de vicieuze cirkel te doorbreken, maar aangezien hun vrienden nog niet op hetzelfde punt waren aanbeland, besloten ze met alles en iedereen te breken en te verhuizen naar een stadje in het Midwesten. Derek ruilde zijn functie, die hem veel aanzien bood, in voor een bescheidener baan, en ze moesten leren om met minder geld rond te komen, maar dat was geen groot probleem, omdat ze er hun gezondheid, hun gemoedsrust en hun vrijheid voor terugkregen. Ze waren nooit bewust van plan geweest om verslaafd te raken, en ze hadden nooit kunnen voorzien dat ze daardoor vrijwel alles zouden verliezen, hoewel iedere buitenstaander dat al van mijlenver kon zien aankomen. Ze meenden zeker te weten dat zij 'te slim' waren om verslaafd te raken; dat overkwam alleen andere mensen, die niet 'snapten' wat zij 'snapten'. Ze vergisten zich behoorlijk!

Vatbaar, maar niet voorbestemd

Laten we ons nu eens buigen over de aangeboren kanten van verslaving. In de meeste gevallen maken erfelijke factoren vooral duidelijk wie meer kans loopt om een bepaald verschijnsel mee te maken, en niet zozeer wie dat ook echt zál meemaken. Wat misbruik van middelen of afhankelijkheid van drugs betreft, moet je extra op je hoede zijn als dat in je familie voorkomt, want het kan zijn dat jij er daardoor ook vatbaar voor bent. Zo lopen kinderen van alcoholisten vier keer meer kans dan anderen om problemen met alcohol te krijgen (los van het feit dat ze zijn opgegroeid in een omgeving waarin veel wordt gedronken, wat ook zijn weerslag heeft).[11] Dat wil echter nog niet zeggen dat je dus verdoemd zou zijn – alleen maar dat je beter niet met vuur kunt spelen. Mijn vader was een zware drinker, dus staat voor mij buiten kijf dat ik gevoeliger ben voor een drankverslaving dan iemand wiens ouders niet dronken. Alleen betekent dat nog niet dat ik ook alcoholist zal worden. Al op jonge leeftijd nam ik de belangrijke beslissing om domweg niet te gaan drinken. Ik weet nog goed dat ik wat vrienden en familieleden observeerde, constateerde dat die door de drank op een doodlopende weg waren beland, en besloot dat ík die weg niet zou gaan. Net als ik drinken veel kinderen van alcoholisten niet, omdat ze uit de eerste hand hebben ervaren welke verwoestende gevolgen drank kan hebben. Maar hún kinderen (de kleinkinderen van de drankverslaafden) zijn weliswaar geen getuige van die chaos geweest, maar zijn qua aanleg nog steeds heel gevoelig voor een alcoholverslaving, die om die reden vaak een generatie overslaat.[12] Daarom is het extra belangrijk om een 'familiegeheim' niet geheim te houden, maar er juist openlijk over te praten, op het aangewezen moment, zodat een onschuldig kleinkind dat niets van zijn of haar genetische aanleg weet naar behoren wordt geïnformeerd.

Het is net zoiets als wanneer je ouders aan overgewicht lijden. Dat wil niet zeggen dat jij ook te dik wordt, maar wel dat je meer moeite zult moeten doen om dat te voorkomen dan een ander. Ik bedoel maar: de keus is aan jou. Ja, er bestaat voor verslaving een genetische aanleg en daar kun je niets aan veranderen. Wat kun je wél doen? Je kunt een heleboel dingen veranderen: je omgeving, je zelfspraak, je vrienden, en wat je bereid bent te accepteren. Dat is het gedeelte waar je controle over hebt, dus daar zal ik me dan ook op richten.

Wanneer je beseft (of uiteindelijk toegeeft) dat je lijdt aan een ondermijnende en levensbedreigende verslaving, en dat je moet vechten voor je leven, heb je al een heel belangrijke stap gezet, wat kan betekenen dat de grootste crisis gisteren plaatsvond, vóórdat je de moed bij elkaar had geraapt om eerlijk tegen jezelf te zijn. Wellicht weet je nog dat ik heb gezegd dat je niet kunt veranderen wat je niet kunt erkennen. Als je je probleem hebt erkend, kan dit een dag van hoop zijn – een nieuw begin.

Wat kun je verwachten?

Of je nu zelf verslaafd bent of een relatie met een verslaafde hebt, om met deze levenscrisis om te gaan zul je moeten weten wat je kunt verwachten.

Gaat het om jezelf, denk hier dan eens over na: de dag voordat je je probleem onder ogen zag, kon je jezelf niet eens aankijken in de spiegel, omdat je dan had moeten toegeven dat je je eigen leven niet meer in de hand had. Want voordat je kon toegeven hoe de zaken er voor staan, had je alle macht overgedragen aan drugs en alcohol. Je kon je er niet tegen verzetten. De verslaving was de aap op je rug wiens greep om je nek van dag tot dag alleen maar sterker werd. Wanneer je afhankelijk bent van een bepaalde stof, kan dat je dag en nacht in beslag nemen, en al je energie gaat uit naar hoe je je volgende hoogtepunt kunt krijgen. Dat kan zo alles-doordringend zijn dat je je verslaving verkiest boven je vrienden, je familie en zelfs je kinderen.

Ergens in je achterhoofd weet je echter dat de beslissingen die je neemt – zoals je kinderen in de steek laten, je trouwring verkopen of drie dagen achter elkaar niet komen opdagen op je werk – van geen kant kloppen. Toch kan dat je allemaal niet schelen, zolang jij je shot maar krijgt. Misschien steel je wel van je beste vriend(in), van je ouders, je werkgever of zelfs het studiegeld van je kinderen om je verslaving te bekostigen. Tegen elke prijs wil je die in stand houden. Je kunt zo naar die ene stof hunkeren dat zelfs wanneer je een shot krijgt, je je toch meteen weer zorgen maakt over het volgende. En wanneer je je hebt overgegeven aan misbruik van een stof of afhankelijk bent geworden van drugs als methamfetamine of cocaïne, spant zelfs je lichaam tegen je samen.

Voor de meeste drugs geldt dat wanneer je ze voor het eerst gebruikt dat een 'dopaminevloed' tot gevolg heeft, waarbij je hersenen honderdduizenden keren meer 'genotsstoffen' aanmaken dan anders, voor een eenmalige extase die nooit meer zal worden herhaald. Maar dat weerhoudt een verslaafde er kennelijk niet van alles in het werk te stellen om die roes toch opnieuw te ervaren. Erger nog: wanneer je 'rotzooit' met dit gedeelte van je brein, leidt dat op de lange termijn vaak tot problemen, doordat de verfijnde communicatiesystemen in de hersenen erdoor verstoord raken: het vermogen om de dopamineaanmaak te 'resetten' raakt beschadigd, wat depressie tot gevolg kan hebben.[13] Door gebruik van methamfetamine en cocaïne kunnen ook paranoia en psychose ontstaan.[14] Deze schade aan de hersenen is er tevens de oorzaak van dat de hunkering blijft bestaan: deze neurotransmittersystemen (die van de chemische stoffen serotonine, dopamine en GABA) maken kortsluiting.[15] In een tijdschriftartikel vertelde de populaire zangeres Fergie van de Black Eyed Peas over haar vroegere verslaving aan methamfetamine. Die verslaving ging gepaard met extreme paranoia en ze was ervan overtuigd dat iedereen – van de FBI tot haar beste vrienden – tegen haar was. 'Ik hield er een stuk of twintig verschillende complottheorieën op na,' zei de ster, die op het dieptepunt van haar crisis nog maar veertig kilo woog. 'Ik verfde de ramen van mijn appartement zwart, zodat "ze" niet naar binnen konden kijken.' Ze vertelt over één incident waarbij het goed misging: 'Op een dag komt er een vent naar me toe. Ik ben in de bosjes aan het zoeken naar aanwijzingen waarom "ze" achter me aan zitten. Ik heb een cowboyhoed op en heb mijn lippen rood gestift. Hij geeft me een muffin. Ik denk: hij spant met ze samen. Zit er een boodschap in die muffin verstopt? Dus scheur ik hem aan stukken. Achteraf denk ik dat hij dacht dat ik een dakloze was.'[16]

Leven als verslaafde

In deze crisis zul je je alleen voelen, heel alleen. Je hebt waarschijnlijk zo veel vrienden en familieleden gekwetst en voorgelogen dat er nog maar weinig mensen over zijn die iets met jou te maken willen hebben. Jij geeft tenslotte alleen maar om jezelf. Je kunt je een heel ander iemand voelen, of je herkent je oude zelf niet of herinnert je die persoon niet meer. Wanneer je weer zo'n beetje nuchter bent, voel je je schuldig omdat je je ouders hebt bestolen, de cheque hebt verzilverd die iemand je dochter voor haar tiende verjaardag had gestuurd of tegen een vriend(in) hebt gelogen over de reden waarom je dat geld wilde lenen. Je hebt mogelijk afschuwelijke keuzes gemaakt, en dat weet je zelf heel goed. Maar helaas voert dit overweldigende schuldgevoel je weer terug naar je verslaving. Je wilt ontsnappen, dus reik je naar die drank of drug in de hoop dat die de pijn zal verzachten.

Misschien ben je betrapt door een vriend(in) of familielid, en in dat geval kun je een heel scala aan emoties verwachten, zoals woede en gêne. Je schiet in de verdediging wanneer je op je verslaving wordt aangesproken. Je neemt je toevlucht tot allerlei leugens. Misschien zeg je dat je de zaken best in de hand hebt, dat je helemaal niet verslaafd bent, of dat je maar een paar glazen hebt gedronken. Of je maakt je er zorgen om hoe je dit moet gaan oplossen. Je wilt weg zien te komen van deze meester, maar je hebt geen idee hoe dat moet. En door al die paniek wil je alleen maar méér van het verslavende middel.

Je kunt wanhopig en bezorgd zijn, zeker als het feit dat je bent betrapt je verhindert om je over te geven aan de stof waaraan je verslaafd bent. Met andere woorden: je vrouw heeft je creditcards afgepakt, dus kun je geen drank meer kopen; of je ouders hebben je auto in beslag genomen, zodat je niet naar je dealer kunt rijden. Je bedenkt allerlei listige plannen om het geld bij elkaar te krijgen dat je nodig hebt om in je gewoonte te voorzien: stelen van een vriend(in), je lichaam verkopen, een koffietent overvallen. Zulke dingen zijn verboden, en dat weet je best. Maar het kan je niet echt schelen, want je bent tot alles bereid om je pijn niet te hoeven voelen. En als het al een tijdje geleden is dat je voor het laatst hebt gebruikt, zal die pijn niet gering zijn. Wanneer je de eerste ontwenningsverschijnselen begint te vertonen, zul je je waarschijnlijk heel geagiteerd voelen, in combinatie met braken, trillingen, slapeloosheid of griepachtige symptomen. Heb je al langer niet gebruikt, dan kun je rekenen op verschijnselen als een attaque en delirium tremens, tot en met hallucinaties en cardiovasculaire en neurologische stoornissen.

Een verslaafde in de familie

Wanneer iemand die je dierbaar is de verslaafde is, slaat de crisis toe op het moment dat je beseft dat je bent voorgelogen en verraden door iemand van wie je dacht dat die te vertrouwen was. Hij of zij heeft geen respect voor je en laat zich niets aan jou gelegen liggen. Hij of zij liegt, steelt en bedriegt om jou op elke mogelijke manier een oor aan te naaien met het doel de verslaving in stand te houden. Als je tussen de ander en de stof waaraan die verslaafd is in gaat staan, kon jij weleens de vijand worden. Je hebt een fles wodka aangetroffen onder de voorstoel van de auto van je partner. Jullie hebben je uiterste best moeten doen om de eindjes aan elkaar te knopen, maar je vindt een bonnetje waarop staat dat er vier flessen tegelijk zijn gekocht. Je wilt de tafel dekken voor een feestelijke gelegenheid maar kunt het tafelzilver dat al drie generaties in de familie is nergens meer vinden. Later ontdek je dat je volwassen dochter – een getrouwde vrouw en moeder van drie kinderen – het heeft verkocht om er cocaïne voor te kopen. Als je de was doet, vind je een plastic zakje met marihuana en grote vloeitjes in de zak van de spijkerbroek van je zoon. Geschrokken doorzoek je zijn kamer, waar je achter in de kast een doos vol drugsbenodigdheden aantreft. Het is met geen pen te beschrijven hoe pijnlijk het is om te beseffen dat een vriend(in) of familielid verslaafd is. Wanneer je daar voorheen geen enkel vermoeden van had, snap je er niets van en kun je je afvragen: 'Hoe heeft dit kunnen gebeuren? Hoe heeft de partner die ik dacht te kennen, of het kind dat ik heb grootgebracht, deze weg in kunnen slaan? Wat heb ik gedaan om dit in de hand te werken?'

Ga er maar van uit dat je woede en wrok zult voelen, je bent immers voorgelogen en verraden. Je kunt het gevoel hebben dat je in je relatie hebt gefaald. Wanneer je partner de verslaafde is, moet je onder ogen zien dat jullie huwelijk weleens voorbij zou kunnen zijn. Daarnaast is de kans groot dat je gevoelens van schaamte en gêne zult voelen wanneer je je voorstelt wat anderen ervan zullen zeggen als dit hun ter ore komt. De buitenwereld zal denken dat je met een loser bent getrouwd, of een loser hebt grootgebracht: een waardeloze mislukkeling die niet van je houdt en meer geeft om de fles of een shot heroïne dan om jou. Je kunt je hulpeloos en alleen voelen, en misschien ook in de steek gelaten.

Of het dringt ineens tot je door dat degene die je dierbaar is stervende is aan deze afschuwelijke ziekte, terwijl jij er geen enkele invloed op lijkt te hebben of hij of zij ermee doorgaat zichzelf te vernietigen. Je kunt je ook schuldig voelen, of oliedom, omdat je niet doorhad dat er iets aan de hand was. Of je bent kwaad op jezelf omdat je geen aandacht hebt besteed aan de waarschuwingssignalen die je wél waren opgevallen. Wanneer je kind verslaafd is, kun je erop rekenen dat je het gevoel hebt te hebben gefaald als beschermer en verzorger. Wellicht maak je jezelf verwijten: 'Kwam het door iets wat ik heb gedaan of heb nagelaten? Had ik dit kunnen voorkomen?'

Wanneer je je dierbare erop aanspreekt, kan die flink tegensputteren en je verbaal (of zelfs fysiek) aanvallen. Je herkent hem of haar niet meer; hij of zij wordt helemaal 'overgenomen' door het verdovende middel en is daar enorm door veranderd. Je kunt ervan uitgaan dat alles wat hij of zij zegt een flagrante leugen is. Hij of zij liegt glashard en zegt dat die wiet niet van hem of haar was, of dat die creditcardafschrijvingen van caféconsumpties een 'foutje' moeten zijn dat meteen rechtgezet zal worden. En áls de ander zich al ontvankelijk toont, komt toch niet altijd de hele waarheid boven tafel. Je krijgt misschien te horen dat dit de eerste keer was, of dat alles onder controle is en dat de persoon in kwestie het nooit meer zal doen. Geloof er geen woord van. Wees niet naïef door te blijven ontkennen!

Je kunt ook andere moeilijkheden ervaren als gevolg van de verslaving van je dierbare. Wanneer bijvoorbeeld een verslaving de reden is waarom die wordt ontslagen, en wanneer hij of zij de enige kostwinner is van het gezin, kon je financiële situatie weleens gevaar lopen. Of wanneer je partner degene is die voor de kinderen zorgt terwijl jij op je werk zit, zul je mogelijk naar een nieuwe oplossing voor kinderopvang moeten zoeken. Er kunnen problemen ontstaan met de wet wanneer je dierbare bijvoorbeeld heeft gestolen of cheques heeft vervalst om zijn of haar gewoontes te financieren. Dit alles kan je het gevoel geven dat de controle je ontglipt. Nu zit je buiten jouw schuld in de nesten en heb je het gevoel dat je daar niets aan kunt doen. Je zou niet weten waar je moest beginnen.

Oefening: ben jij verslaafd?

Aan de hand van de onderstaande oefening kun je nagaan of jijzelf of iemand die je dierbaar is mogelijk aan een verslaving lijdt. Ga voor elke uitspraak over je gevoelens en je houding tegenover stoffen en activiteiten na welk van de vier onderstaande antwoorden jouw situatie het best weergeeft:

Nooit: Deze denkpatronen bestaan voor jou niet, of je bent je er niet van bewust.

Soms: Je bent je ervan bewust, maar ze staan je relaties niet in de weg en belemmeren je ook niet om op je werk normaal te functioneren.

Vrij vaak: Deze ideeën en gedachten gaan elke dag door je heen en hebben je de afgelopen twee weken behoorlijk belemmerd in je sociale relaties, privéleven of werk.

Vaak: Je wordt sterk belemmerd in je relaties, privéleven of werk, doordat je niet in staat bent je gewoontes of gebruik van bepaalde stoffen dan wel het bezig zijn met bepaalde activiteiten op te geven.

Opmerking: 'stoffen' in de onderstaande vragenlijst heeft betrekking op alle mogelijke stoffen waar je vanuit psychologische behoeften je toevlucht toe neemt, zoals drugs zoals marihuana en cocaïne, stoffen die met een bepaalde levensstijl samengaan, zoals nicotine en suiker, en geneesmiddelen op recept. 'Activiteiten' slaat hier op elke activiteit waaraan je je overgeeft vanuit emotionele behoeften, zoals gokken en seks bedrijven.

	Nooit	Soms	Vrij vaak	Vaak
1. Ik hunker naar een stof, omdat ik daardoor niet langer aan mezelf hoef te twijfelen en zelfvertrouwen krijg.				
2. Ik ben mijn beloften om deze stof niet langer te gebruiken of me niet langer aan die activiteit over te geven niet nagekomen.				
3. Ik voel een fysiologische hunkering naar een stof die pijn en ongemak verdooft.				
4. Ik denk meer aan het gebruik van een stof of het verrichten van een activiteit dan aan andere dingen.				
5. Ik ben als ik deze stof gebruik liever alleen dan dat er anderen bij zijn die me kunnen gadeslaan.				
6. Me overgeven aan die specifieke activiteit is een behoefte die vóór alle andere behoeften komt.				
7. Ik kan me moeilijk een leven zonder deze stof of activiteit voorstellen.				
8. Mijn leven draait om deze stof of activiteit.				
9. Wanneer deze stof of activiteit niet beschikbaar voor me is, word ik prikkelbaar en antisociaal.				
10. Ik heb geen zeggenschap over mijn behoefte aan deze stof of activiteit.				

Terug naar betere tijden

Zoals ik in dit hoofdstuk al een paar keer heb opgemerkt, is verslaving een chronische ziekte en heb ik sterk het vermoeden dat je de verslavingscyclus niet in je eentje kunt doorbreken. Dat is niet omdat je zwak zou zijn of geen wilskracht zou hebben, maar omdat je je op een punt bevindt waarop je niet langer goede beslissingen kunt nemen. In het begin had je je gebruik van stoffen misschien nog in de hand. Je kon na het werk rustig één biertje drinken om alle spanningen van de dag van je af te zetten, of je vond dat je je door marihuana te roken in het weekend lekker kon relaxen en je blik op de werkelijkheid weer helder kon krijgen. Of je was ervan overtuigd dat met de komst van cocaïne in je leven je gebed was verhoord om meer passie en energie. Misschien kon je je zelfs wel veel beter concentreren als je wat medicijnen slikte.

Maar zodra je aan iets verslaafd bent geraakt, heb je hulp nodig. Als je eenmaal een pickle bent, word je nooit meer een komkommer. Dat komt doordat, zoals ik al eerder zei, in het geval van fysiologische verslavingen de giftigheid en chemicaliën je brein hebben veranderd. Ze hebben de verbindingen beïnvloed die met je oordeelsvermogen samenhangen. Ze kunnen je hersenchemie ook zo in de war hebben gestuurd dat je een fysiologische hunkering ervaart terwijl je desondanks heel hard je best doet om te stoppen. Vaak is er bij deze mate van vergiftiging en deze biochemische toestand wel minstens een jaar clean en/of nuchter zijn voor nodig voordat je weer het oordeelsvermogen terug hebt om goede beslissingen te nemen.[17] (Dat is ook de reden waarom iemand het goed kan doen in een afkickprogramma van dertig dagen, maar weer de fout in gaat als hij of zij niet in langdurige nabehandeling investeert. Wanneer je die grens overgaat, ben je echt ziek. En heb je hulp nodig.)

Kom in actie
Als jij zelf de verslaafde bent

- **Ga op zoek naar jouw persoonlijke waarheid**

  Het probleem met de alcohol- of drugscultuur is dat de toegang ertoe – ogenschijnlijk – gratis is. Als je lid wilt worden van een debatingclub, moet je goed kunnen debatteren. Als je wilt spelen in een basketbalteam, moet je goed kunnen mikken. Om in een koor te zingen, moet je een goede stem hebben. Maar om in de alcohol- en drugscultuur te worden opgenomen, hoef je alleen maar bereid te zijn je in te laten met alcohol of drugs. Je hoeft er niet leuk uit te zien, niet slim te zijn, niet klein of groot, niet dik of mager, niet getalenteerd of vaardig of grappig – je hoeft alleen maar te gebruiken en/of te drinken. Zoals ik al vaak heb gezegd, is de grootste angst van veel mensen de angst om afgewezen te worden, en dientengevolge is hun grootste behoefte de behoefte aan acceptatie. Dus als je een negatieve persoonlijke waarheid hebt – datgene wat je in de diepste, niet-gecensureerde kern van je wezen over jezelf bent gaan geloven – dan vormt de wereld van drugs of alcohol een waar toevluchtsoord voor je. Dat maakt het erg makkelijk om de kant van verslaving op te gaan.

  Een andere reden waarom je je toevlucht kunt nemen tot alcohol of drugs is dat je jezelf een tegengif wilt toedienen voor dingen in je leven die je niet bevallen. Misschien denk je wel: 'Ik ben saai als ik nuchter ben, maar als ik dronken ben, ben ik geestig. Ik kom interessanter over en mensen willen dan graag met me omgaan.'

  Dat is misschien waar. Het kan de makkelijkste weg zijn om je persoonlijkheid te tonen. Het kan de makkelijkste weg zijn om je prettig te voelen in gezelschap van anderen. Het kan de makkelijkste weg zijn om te ontsnappen aan neerslachtigheid. Het is hoe dan ook een makkelijke manier om je pijn te verdoven. Maar de prijs die je daarvoor moet betalen, is dat allemaal niet waard, en er bestaan ook andere manieren om te krijgen wat je wilt – manieren waar niét de nadelen aan kleven die aan drugs kleven. Op de lange duur is het immers helemaal niet makkelijk om een verslaafde te zijn. De bijeffecten zijn verschrikkelijk. Je bent helemaal nooit meer saai of verdrietig; je bent daarentegen dronken of stoned. Dat is veel makkelijker dan kwesties echt aanpakken, zoals werken aan je depressie, verandering aanbrengen in je leven, je persoonlijkheid ontwikkelen, relaties aangaan, en iets doen met je vaardigheden en vermogens om acceptatie te verdienen in een gemeenschap van gelijkgestemden, in plaats van te gaan voor dat ene waar je je gratis bij kunt aansluiten.

- **Raadpleeg een deskundige**
Het is een feit dat bepaalde stoffen zo'n sterke fysiologische invloed hebben dat domweg stoppen met gebruik van het middel op zich al de dood tot gevolg kan hebben. Dus (afhankelijk van waar je verslaafd aan bent) is de kans groot dat je professionele hulp nodig hebt. Zeker bij een verslaving aan middelen zul je behoefte hebben aan de begeleiding van een arts, omdat je dit niet in je eentje kunt. Nogmaals: niet omdat je de kracht of de wil niet zou hebben, maar omdat herstellen van een verslaving of van een andere chronische medische aandoening verre van makkelijk is. En bovendien bestaan er middelen – zoals antidepressiva, stemmingsstabiliseerders en antipsychotica – waarbij je, als je daar cold turkey van afkickt, je gezondheid en je leven op het spel kunt zetten.[18]

Stoppen met gebruik van een stof waar je lichaam aan gewend is geraakt kan gevaarlijk zijn – zo heeft onderzoek aangetoond dat abrupt stoppen met zoiets onschuldigs als aspirine of een licht antidepressivum nadat je dat regelmatig hebt geslikt, de kans op een hartaanval of beroerte doet toenemen.[19] Je hebt bij zulke dingen medische begeleiding nodig, en de hulp van mensen die zijn gespecialiseerd in detoxificatie (ontgifting) en afwenning van deze stoffen. Deze begeleiding kan de vorm aannemen van interne begeleiding (opname), van externe begeleiding, van een combinatie van die twee of van steungroepen.

In sommige gevallen kunnen er medicijnen worden voorgeschreven om een terugval te helpen voorkomen. Volgens het Amerikaanse National Institute on Drug Abuse (NIDA) 'zijn medicijnen voor veel patiënten een belangrijk element van de behandeling, zeker in combinatie met counseling of andere vormen van gedragstherapie'.[20] Zo wordt aan heroïneverslaafden vaak buprenorfine gegeven, een narcoticum dat de hunkering afdempt, evenals de plezierige effecten van heroïne en andere opiaten, zodat ze die geleidelijk ontwennen. Alcoholverslaafden kunnen hun arts om naltrexon, disulfiram of acamprosaat vragen – drie medicijnen die volgens het National Institute of Alcohol Abuse and Alcoholism (NIAAA) helpen om ontwenningsverschijnselen tegen te gaan.[21] Naltrexon bestaat tegenwoordig in de vorm van injecties die dertig dagen lang werkzaam blijven. Hoe de combinatie ook uitvalt, of een behandeling succesvol is hangt van jou af. Jij moet onder ogen zien dat er een probleem is, ervoor kiezen om het anders te gaan doen, en je er de rest van je leven voor inzetten om dat proces te doen slagen.

Het is bekend dat wanneer je eenmaal ergens aan verslaafd bent geweest, je nooit meer die stof tot je moet nemen. Wanneer je alcoholverslaafd bent geweest, kun je nooit meer drinken – niet over vijf jaar weer, niet voor de gezelligheid, op geen enkele manier. Iets anders om te onthouden is dat je, wanneer je aan de ene stof verslaafd bent geweest, er gevoeliger voor bent om aan een andere stof verslaafd te raken. Dus als je met drugs bent gestopt, kun je niet gaan drinken. Er bestaan een heleboel informatieve websites, zoals www.enterhealth.com en die van het National Institute of Alcohol Abuse and Alcoholism (NIAAA) en de National Council on Alcoholism and Drug Dependence (NCADD), en er zijn organisaties zoals de Anonieme Alcoholisten die je kunnen helpen.

Wanneer iemand die je dierbaar is de verslaafde is
- **Bied degene die je wilt helpen steun, maar sta niet toe dat hij of zij gebruikt**
  Wanneer je ontdekt dat iemand om wie je veel geeft verslaafd is, is je eerste neiging waarschijnlijk om diegene te helpen – zeker als het gaat om een partner, ouder of kind. Als je net zo in elkaar zit als de meeste mensen, zul je alles willen doen wat maar mogelijk is om diegene te beschermen en voor kwaad te behoeden. Daar is niets mis mee, want het is niet meer dan

menselijk. Het probleem is alleen dat je de zaken er voor de verslaafde erger mee kunt maken. Jouw liefde – krachtig en positief – kan hem of haar juist de gelegenheid geven om te gebruiken. Een goede vergelijking is die met hiv en aids. Bij deze ziekte nestelt een virus zich in het afweersysteem, iets wat ons normaliter beschermt, en zorgt ervoor dat dat zich tegen het lichaam keert. Voor een verslaafde kan jouw liefde gebruik mogelijk maken, en wanneer je de situatie ontkent, de verslaafde geld geeft dat meteen aan middelen wordt uitgegeven, onverantwoordelijk gedrag vergoelijkt of op een andere manier met je eigen misleide en disfunctionele gedrag de verslaafde in staat stelt met diens verslaving door te gaan – dan zul je moeten constateren dat je niet de verslaafde steunt, maar de verslaving!

- **Grijp in**
  Ik onderschrijf de gangbare mening niet dat een verslaafde eerst 'op de bodem van de put' moet zijn aanbeland voordat hij of zij geholpen kan worden. Naar mijn mening is dat zonder meer onwaar; je doet er goed aan nú hulp te zoeken voor een dierbare die worstelt met verslaving aan een bepaalde stof, want 'op de bodem van de put' kan betekenen dat hij of zij tussen zes plankjes eindigt. Hoewel jij niet kunt besluiten dat een ander zijn leven een andere wending moet geven, kan een gestructureerde interventie (mits op de juiste wijze uitgevoerd) de afhankelijke persoon naar de hulp toe leiden die nodig is om een begin te kunnen maken met herstel. Ik raad je aan een deskundige in te schakelen, maar hieronder geef ik ook tips voor hoe je zelf het best kunt ingrijpen, en je kunt in het naslaggedeelte achterin kijken.

  Wanneer je besluit in te grijpen, moet je de onderstaande punten in gedachten houden zodra je degene die van chemische stoffen afhankelijk is daarop aanspreekt:

- **Stel je team samen**
  Trommel bezorgde mensen op die willen helpen. Ieder van hen dient bereid te zijn de verslaafde recht in de ogen te kijken en te zeggen: 'Jij hebt een probleem, en je hebt hulp nodig.' Wanneer iemand uit het 'team' zich daar niet prettig bij voelt,

vormt hij of zij een zwakke schakel; die persoon kan hier maar beter niet aan meedoen.

- **Spreek de verslaafde direct aan, maar wel met liefde, zorg en warmte**
  Zorg dat je voor het gesprek een lijst met feitelijke gegevens bij je hebt, waarop in detail de bewijzen staan van het feit dat je dierbare drugs gebruikt. Confronteer hem of haar met feiten die je kunt bewijzen, en kom niet aan met argumenten.

- **Vergeet niet dat je je tot de drugs richt, niet tot de persoon in kwestie**
  Wanneer iemand verslaafd raakt aan drugs, neemt die stof het redeneren en het probleemoplossende vermogen van diegene over, en roept allerlei vormen van paranoia en woede in het leven.

- **Lok een crisis uit voor degene die in moeilijkheden zit**
  Onthoud goed dat argumenten voor een drugsverslaafde niet erg confronterend zijn, omdat die het hem of haar mogelijk maken de verslaving te blijven ontkennen. Ga liever direct de confrontatie aan door hem of haar de keus te geven zich te laten behandelen, óf het onwenselijke alternatief onder ogen te zien, zoals de gevangenis in, het huis uit moeten of geen contact meer mogen onderhouden met de familie.

- **Richt je alleen op kwesties die met de verslaving verband houden**
  Blijf gefocust op het feit dat de verslaafde aan een ziekte lijdt waarvoor hij of zij deskundige hulp nodig heeft. Wees specifiek over wanneer, waar en met wie een verslavingsgerelateerd incident heeft plaatsgevonden. Blijf ter zake, zonder emotioneel te worden of je te laten afleiden. Het gaat niet om krijsen, schreeuwen of jouw meningen, maar om feiten.

- **Zie de verslaafde zo ver te krijgen dat hij of zij zich laat behandelen, of wees bereid het contact te verbreken**
  Je moet bereid zijn de zware beslissing te nemen om de persoon in kwestie los te laten wanneer die behandeling weigert.

De verslaving heeft niet alleen invloed op de verslaafde, maar eist een tol van het hele gezin.

- **Zorg dat je een deugdelijk plan klaar hebt dat meteen in werking kan treden**
Nadat de verslaafde heeft toegezegd te zullen meewerken, zul je geen tijd willen verliezen. Wanneer hij of zij zich bereid verklaart hulp te aanvaarden, zorg dan dat hij of zij meteen terechtkan bij een behandelcentrum. Bepaal van tevoren hoe je zult reageren wanneer de verslaafde zich niet wil laten behandelen.

Vergeet niet dat ondanks alle goede bedoelingen en plannen, jouw liefde en je verlangen om te helpen niét de beslissende factoren zijn voor iemands herstel. Het enige wat je onder ogen moet zien, is de harde realiteit dat hoe graag je de dingen ook beter zou maken voor je dierbare, je uiteindelijk niets kunt doen om een ander te sturen. Ik wil niet beweren dat dat makkelijk is, want dat is het zeker niet. Het is afschuwelijk, en ik kan me niets ergers voorstellen dan te moeten toekijken hoe je kind, ouder, partner, echtgenoot of wie dan ook van wie je houdt zijn of haar lichaam en leven verwoest. Je wilt dolgraag geloven dat je de ander kunt redden of beter maken, maar wanneer de behoefte van een verslaafde aan zijn drug groter is dan diens vermogen om te kiezen (of niet te kiezen), zal niets hem of haar tegenhouden om te zorgen dat hij of zij die krijgt. Nogmaals: er kan alleen iets veranderen als de verslaafde niet alleen hulp nodig heeft, maar zich ook wíl laten helpen.

Meer informatie over omgaan met verslaving vind je achter in dit boek.

Tot slot

Verslavingen behoren tot de ergste ziektes die er zijn. Een echte verslaafde is bereid zijn ziel te verkopen aan de duivel, of aan wie die maar hebben wil, om het middel te krijgen waaraan hij verslaafd is. Deze oogkleppen zijn gevaarlijk, omdat de verslaafde door roeien en ruiten gaat. Maar ook al is dit de ergste strijd die je ooit hebt gestreden, toch is er hoop – of jijzelf nu de verslaafde bent of een vriend(in) of familielid. Veel mensen komen hun verslaving te boven, en jij kunt dat ook. Maar zoals voor de meeste ingrijpende veranderingen geldt, is dat niet makkelijk. Er zijn liefde, moed en geduld voor nodig. Het kost tijd, en je moet er je best voor doen. Er zullen heel zware dagen komen, waarop je het helemaal niet meer ziet zitten, maar daar kun je doorheen. Je moet alleen de keuzes maken die gemaakt moeten worden, ongeacht wat anderen doen. Als je dat doet, garandeer ik je dat je erin zult slagen je leven weer op orde te krijgen, en uiteindelijk is dat het enige deel waar jij verantwoordelijk voor bent.

Je weet dat ik er nooit doekjes om wind, dus ik hoop dat je me gelooft als ik zeg dat een verslaving aan alcohol of drugs echt te behandelen is. Je kunt die in de hand krijgen, je kunt die achter je laten, en je kunt de weg inslaan naar een prachtig, gezonder en gelukkiger leven. We weten tegenwoordig zo veel meer over behandeling dan een generatie geleden. Heb hoop, zet je ervoor in, wees eerlijk tegen jezelf, en vertrouw op mij als ik zeg dat je dit kunt!

Heb hoop, zet je ervoor in, wees eerlijk tegen jezelf, en vertrouw op mij als ik zeg dat je dit kunt!

Wanneer jij degene bent die verslaafd is aan drugs of alcohol, erken dan dat je dit niet op eigen kracht kunt oplossen, dat je niet zelf je verslaving kunt minderen en onder controle kunt krijgen. Er is geen ander alternatief dan hulp inschakelen en volledig en voorgoed met gebruiken te stoppen. Misschien doe je daar een minuut over, of een uur, of ga je dag voor dag te werk, maar het moet er hoe dan ook van komen.

10.

Existentiële crisis: wanneer je niet meer weet wat de zin van je leven is en geen antwoord hebt op de vraag 'waarom?'

Wie een waarom heeft om te leven kan vrijwel elk hoe aan.
– Friedrich Nietzsche

Volgens mij komt er in vrijwel ieders leven een moment dat je even pas op de plaats maakt en jezelf serieus de vraag stelt: 'Wat heeft het allemaal voor zin? Waarom loop ik eigenlijk dag in dag uit maar wat rond te scharrelen met de bezigheden waarmee ik mijn dagen vul? Niemand waardeert dat, ik verander de wereld er niet mee, ik heb geen invloed, ik heb geen stem, en ik loop toch alleen maar steeds met mijn kop tegen de muur.' Wanneer je geen antwoord op die vragen kunt geven, kun je je hopeloos gaan voelen en je diep van binnen afvragen wat eigenlijk de zin van je leven is. Dit gaat verder dan het slachtoffer uithangen of met jezelf te doen hebben. Het gaat verder dan die vragen aan anderen stellen alleen maar voor het effect, om sympathie of geruststelling op te roepen, of om je woede te koelen – want dát noemen de meeste mensen klagen. Wat ik hier bedoel is het moment waarop je jezelf die vragen stelt en er oprecht geen antwoord op weet te geven. Het tegenovergestelde van het citaat van Nietzsche hierboven gaat ook op: als je geen waarom hebt om te leven, kun je geen enkel hoe aan, zelfs niet als je van buitenaf gezien een comfortabel of benijdenswaardig leven leidt. Wanneer je niet weet waarom je leeft, kan dat elke taak heel zwaar maken; elke minuut voelt aan als een uur en elke dag als een jaar. Je ervaart dan een leegte waar je beroerd van wordt.

Soms is het makkelijker om pijn en problemen bij anderen te

herkennen dan bij jezelf. Wanneer je deze houding bij een van je kinderen ziet, zou je je grote zorgen maken – en terecht. Je zou alles doen om hun het gevoel te geven dat ze er wel degelijk toe doen, dat ze erbij horen en dat ze echt belangrijk zijn. Wanneer een kind dat niet kan voelen, heeft het een afschuwelijk leven. Ik heb een heleboel verwaarloosde kinderen gesproken die het idee hadden dat als ze zouden doodgaan of verdwijnen, dat niemand iets zou kunnen schelen en dat niemand hen zou missen. Misschien voel jij je ook wel zo: als een verlaten, eenzaam en bang kind. De crisis waar ik hier over schrijf, is de crisis waarbij jij of iemand van wie je veel houdt tegen een muur op loopt en er niet in slaagt een antwoord te vinden, een betekenis of een doel om voor te leven. Je kunt het gevoel hebben dat de reden waarom je dat antwoord niet kunt vinden, is dat zo'n antwoord domweg niet bestaat.

Want zoals bepaalde pessimistische, klagerige en weigerachtige figuren maar al te graag jammeren: 'We trappen, vechten, klauwen, bijten en strijden maar wat, maar uiteindelijk eindigen we allemaal als voedsel voor de wormen.' Je kunt dat ook iets eleganter formuleren door te zeggen dat niets er echt toe lijkt te doen, omdat we op het laatst toch allemaal doodgaan, en, zoals het gezegde luidt 'je niets mee kunt nemen je graf in'. Soms kan die uitspraak je ertoe zetten helemaal in het hier en nu te gaan leven. Maar nu je zo somber gestemd bent, ga je je er alleen maar door afvragen: 'Wat heeft het allemaal voor zin?'

Oké, als je momenteel niet somber bent of je niet verloren of leeg voelt, denk je misschien dat dit een wel heel treurig standpunt is, en een veel te simpele voorstelling van zaken. Maar feit is dat de meeste mensen op een zeker moment tijdens hun levensreis ervaren dat die dagelijkse en vaak overweldigende worstelingen zich opstapelen, hen omlaag trekken en hen van hun energie beroven, en de 'strijd' die leven heet volkomen zinloos maken. Er kunnen zich dagen voordoen waarop je het gevoel hebt dat je één stap voorwaarts doet en tien stappen achteruit, en waarop niets enige zin of een doel lijkt te hebben. Dus stellen we ons de vraag: 'Wat stel ik eigenlijk echt voor?' We stellen ons de vraag: 'Waarom doe ik mezelf dit allemaal aan als het, als puntje bij paaltje komt, toch niets uitmaakt?'

Wanneer je naar een hamster kijkt die eindeloos rondjes rent in een looprad, denk je misschien: 'Wat een stomme hamster.' Nou, de reden dat ik dit onderwerp wil bespreken is dat volgens mij ontzettend veel mensen – jij op een dag misschien ook – op een punt in hun leven aanbelanden waarop de wereld veel weg heeft van zo'n looprad. De meeste mensen praten daarover in abstracte, filosofische termen. Maar als jijzelf of iemand van wie je houdt nu met dit dilemma geconfronteerd wordt, of er in de toekomst mee geconfronteerd gaat worden, wil ik er graag met je over praten in gewone, dagelijkse taal, zonder psychologenjargon. We hebben het hier over wat filosofen door de eeuwen heen existentiële angst of existentiële crisis hebben genoemd.

Wat is een existentiële crisis?

Het moge duidelijk zijn dat ik het niet heb over een slecht humeur of een tijdelijk dipje. Een existentiële crisis of existentiële angst is een flitsende term voor de eeuwenoude zoektocht naar de zin van het leven, en die is afgeleid van 'existentie', dat 'leven, bestaan' betekent. Zo'n crisis kan worden opgeroepen door een gebeurtenis, of doet zich voor nadat je jarenlang zonder doel of passie op de wereld hebt rondgelopen. Hij kan op elke leeftijd toeslaan; wanneer dat halverwege je leven gebeurt, wordt hij vaak midlifecrisis genoemd. Maar ik heb het hier over veel meer dan dingen die te repareren zijn met een rode sportwagen of een facelift. Een existentiële crisis mag niet worden verward met een voorbijgaande midlifecrisis. Existentiële angst is een diepgewortelde pijn die grotendeels veroorzaakt wordt door een onvermogen om lijn of zin te ontdekken in een wereld die soms volkomen onzinnig lijkt. Je kunt echter geen existentiële angst voelen wanneer je niet ten minste om iets wílt geven, of er althans toe wílt doen. Wanneer je écht geen 'energie' voor je leven had of er niets in investeerde, zou je alleen maar achterover gaan liggen en je mee laten deinen naar nergens. En het feit alleen al dat je de moeite hebt genomen jezelf deze vragen te stellen, geeft aan dat je iemand bent die het op de een of andere manier allemaal wél kan schelen.

Je kunt geen existentiële angst voelen wanneer je niet ten minste om iets wílt geven, of er althans toe wílt doen.

We kennen allemaal de beroemde uitspraak van Shakespeare: 'Te zijn of niet te zijn, dat is de vraag.' Misschien dat een licht aangepaste versie daarvan hier van toepassing is. De vraag waarop ik je wil voorbereiden die je nu aan jezelf moet stellen is niet alleen maar de vraag naar 'zijn of niet zijn', maar ook waarom te zijn en hoe te zijn. Wees hier op een manier die wordt bepaald door het waarom van je doel. En dat is precies wat je je in deze crisis zult afvragen: niet wie je bent, maar waarom je bent. Waarom doe je wat je doet?

Voordat we nog een stapje verdergaan, moet ik eerst één ding aan de orde stellen, omdat al het andere dat ik te zeggen heb op deze waarheid is gebaseerd: of je het nu leuk vindt of niet, je hebt niets te kiezen over op aarde zijn. Dat zeg ik omdat ik fel gekant ben tegen zelfdestructie en zelfmoord als rationele optie die in aanmerking zou komen. In mijn optiek is zelfmoord immoreel, egoïstisch en laf, omdat je mensen achterlaat die zich, hoe irrationeel ook, altijd schuldig zullen blijven voelen over een keus die jíj hebt gemaakt. Misschien heb je er niet voor gekozen om te worden geboren op de plek en in de situatie waar je je nu bevindt, en misschien lijkt dat niet eerlijk. Maar eerlijk of niet, je hebt niets te kiezen over het moment of de manier waarop je doodgaat. Wél heb je de keus hoe je je leven leidt. Je kunt kiezen welke houding je aanneemt tegenover je leven en wat zich daarin bevindt, en dat vermogen geeft veel kracht. De grote psychiater en voormalige krijgsgevangene Viktor Frankl, die voor een groot deel verantwoordelijk is voor de introductie van het concept 'existentialisme' in de moderne tijd, leerde ons dat je ernaar kunt streven zelfs in je eigen lijden zin te vinden, en dat je dat ook moet doen. Zonder die zingeving voelen de zware tijden die het leven je brengt alleen maar aan als een pijnlijke straf. Maar als je er zin in ontdekt, is de pijn ten minste ergens goed voor. Dat maakt deel uit van de verhevenheid van het leven en het morele kompas en bewustzijn dat wij mensen bezitten.

Wanneer je niet kunt benoemen wat belangrijk voor je is, waar je voor in vuur en vlam raakt en wat je persoonlijke bevrediging schenkt, blijf je worstelen op je zoektocht naar zingeving. Wanneer je jezelf niet kunt karakteriseren op een manier waardoor je je actief betrokken voelt bij je leven en van wat zich daarin afspeelt, kun je regelrecht in een existentiële crisis terechtkomen. In feite is juist dit gebrek aan verbondenheid en betrokkenheid precies wat deze crisis zo pijnlijk maakt. Iedereen wil graag voelen dat hij ertoe doet, en jij bent daar geen uitzondering op. Iedereen wil graag voelen dat hij ergens deel van is en ergens bij hoort. Het meest extreme wat er in een existentiële crisis kan gebeuren, is dat je accepteert dat het leven geen zin heeft en – belangrijker nog – daar niets aan doet. Soms lopen we weg van dat gebrek aan echte betekenis, of proberen we onszelf ervan af te leiden door ons als workaholics volledig op ons werk te storten.

Ik ken een heleboel workaholics die veel hebben opgeofferd om dik te verdienen of om een bepaalde status in hun carrière te bereiken, en die op een dag wakker werden en zich afvroegen: 'Is dit nou alles?' Die vraag hakt er nog dieper in wanneer ze, op het moment dat hun de ogen opengaan, al een paar huwelijken achter de rug hebben en wanneer hun kinderen amper met hen praten omdat ze er in emotioneel opzicht jarenlang niet voor hen zijn geweest. Ik heb daarnaast ook mensen meegemaakt die alles opofferden voor hun carrière en op een dag naar hun werk gingen en ontdekten dat de sloten op de deuren waren veranderd. In plaats van hun afdeling te leiden, konden ze richting het arbeidsbureau.

Verder zijn er mensen die denken dat ze de martelaar moeten uithangen door hun eigen behoeften te ontkennen en hun hele leven, huwelijk en bestaan aan hun kinderen op te offeren. Dat overkwam Martha, voormalig manager in de reclamewereld met een MBA op zak. Toen haar kinderen werden geboren, gaf ze haar vliegende carrière op om hen thuis groot te brengen. Ze was uren in de weer om speelafspraken te regelen, om nauwgezet kostuums te naaien voor toneelstukken van school, om koekjes te bakken om geld in te zamelen, en om haar drie kinderen met de auto van de ene activiteit naar de andere te brengen. Ook al miste ze de adrenalineroes van haar oude baan en de tevredenheid over wat ze daar presteerde, ze genoot ervan om haar kinderen te zien opgroeien en geloofde dat het een goede zaak was om alles voor hen op te offeren. Haar kinderen leken nooit goed te 'snappen' of ook maar enigszins te waarderen dat hun moeder ervoor had gekozen haar eigen leven te laten schieten om hen gelukkig te maken. 'Op een dag zullen ze het wel begrijpen,' hield Martha zichzelf voor na de zoveelste driftbui van haar dochter, of nadat ze net een paar uur te lang in een warme auto had zitten wachten tot de voetbaltraining was afgelopen. Maar dat kwam er nooit van. Het gevoel van leegte sloeg toe toen haar inmiddels volwassen kinderen aan hun eigen leven begonnen en Martha achterlieten. De mensen die bijna elk uur dat ze haar ogen open had in beslag hadden genomen en haar ooit een doel in het leven hadden gegeven, waren nu niet meer dan stemmen aan de andere kant van de telefoonlijn, of ze schreven haar één of twee keer per week een kort mailtje. Het was alsof ze in een diepe slaap had verkeerd terwijl de rest van de wereld pijlsnel voorbij was gestoven. Martha had niets anders dat haar een goed gevoel kon geven, want ze had al haar hobby's opgegeven, had de ontwikkelingen in de reclamewereld niet meer gevolgd, en had veel vriendschappen laten versloffen, omdat die haar afleidden van haar kinderen. Zelfs haar man kwam haar als een vreemde voor zonder dat ene dat ze gemeen hadden: hun kinderen. Ze voelde zich stuurloos, raakte in paniek en werd zo depressief dat ze zelfmoord overwoog. Waarom zou ze hier op aarde en in deze wereld blijven, vroeg ze zich af, als het toch niet uitmaakte of zij daar nou rondliep of niet? Martha zag geen zin meer in haar leven en was haar passie kwijt, deels omdat ze zich had vereenzelvigd met de rol die ze speelde in andermans leven. Het werd tijd om zichzelf weer te omschrijven in termen van wat belangrijk was voor haarzelf.

Hoe luidt dus het antwoord? Waar draait het allemaal om?

De vraag naar de zin van het leven is door de eeuwen heen door miljoenen mensen gesteld. Als je spiritueel bent ingesteld en niet toevallig net in een geloofscrisis zit, zul je grotendeels antwoorden op die vraag kunnen geven. Hoewel ik christen ben, weet ik dat er in een groot land als Amerika een heleboel mensen zijn die vele religies belijden en verschillende wegen bewandelen die hen volgens hen dichter naar God brengen. Ik respecteer de keus van anderen die op zoek zijn naar religieuze bekrachtiging in andere vormen, en heb er begrip voor. Maar de grootste gemene deler is dat religie in het algemeen een positieve invloed heeft en bepaalde angsten kan doen afnemen. Elk geloof of geloofssysteem dat een opperwezen veronderstelt en enige vorm van ander leven – zoals een leven na dit leven, of reïncarnatie – biedt de volgelingen ervan zingeving in hun worsteling en lijden. Immers, wanneer je gelooft dat je overgaat naar een leven dat er echt toe doet en dat wat je nu doet bepaalt wat je positie in of toegang tot die andere wereld is, geeft dat je elke dag een soort doel. Religie kan je ook het gevoel geven dat je deel uitmaakt van iets wat groter is dan jijzelf, en dat kan je op zich al helpen een diepere zin in het leven te vinden.

Maar voor sommige gelovigen is dat niet altijd genoeg. Religieuze praktijken kunnen helpen je ziel tot rust te brengen wat het hiernamaals betreft, maar ze kunnen niet altijd een einde maken aan de emotionele psychologische spanningen die samengaan met de uitdagingen van het leven in het hier en nu. Je kunt je nog steeds afvragen wat het allemaal voor zin heeft. Waar gaat het nog meer om dan om dat andere leven? Dit gevoel is wijdverbreid – ook al geven velen het niet toe uit angst erom veroordeeld te worden. Of misschien veroordeel je jezelf wel. Ik heb gemerkt dat mensen vaak hun eigen vragen ten aanzien van het leven niet onder ogen willen zien, omdat ze geen verraad willen plegen aan hun geloofssysteem wanneer hun dingen overkomen die zij als onzekerheden ervaren. Volgens mij is het juist heel belangrijk dat je als gelovig mens niet het gevoel hebt dat je verraad aan je geloof pleegt wanneer je met vragen zit of hulp nodig hebt om problemen op te lossen. Denk maar aan de man die in Marcus 9:24 in de Bijbel beschreven staat en die tegen Jezus zei: 'Ik geloof! Kom mijn ongeloof te hulp.' Hij is een helder en duidelijk voorbeeld van het feit dat we over sommige dingen weliswaar zeker kunnen zijn, maar daar toch nog vragen over hebben.

Wanneer je het gevoel hebt dat je leven geen zin heeft, kun je niet passief blijven en alleen maar denken dat God dit zo voor jou heeft bedoeld. Nee. Ik geloof dat het Gods bedoeling is dat je midden in het leven staat en je best doet. Het is Gods bedoeling dat je alle middelen die Hij je heeft gegeven aanwendt om je leven op de best mogelijke manier te leven. Dit is een belangrijk onderwerp voor mensen die gelovig zijn en het geeft hun toestemming om hun bestaande geloof verder te versterken met counseling en aanvullende lectuur of therapeutische instrumenten, zonder dat ze het gevoel hoeven te hebben dat ze verraad hebben gepleegd aan de waarde van wat ze hebben binnen het geloof van hun keuze.

Het goede nieuws is dat dit zoeken naar zin – en de pijn die daarmee samengaat – een heel krachtige drijfveer is om veranderingen in je leven aan te brengen. Het is net als toen ik nog klein was en mijn vriendjes en ik blootsvoets over een verschroeiend hete asfaltweg liepen op een warme Texaanse zomerdag. We waren jong en – dat moge duidelijk zijn – niet al te slim. Ik kreeg heel snel in de gaten – na één keer had ik het al door – dat het asfalt plakkerig was geworden van de hitte en dat het ontzettend pijn deed om erop te lopen, en ik liet het wel uit mijn hoofd om midden op de weg stil te blijven staan en weg te smelten! Als iets pijn doet – en dan bedoel ik écht pijn – gaan mensen die pijn uit de weg. Ze gaan iets anders doen. Pijn kan een grote motivator zijn. En een beloning ook.

Om die redenen komen mensen in beweging en brengen ze veranderingen aan. Soms bewegen ze zich weg van de pijn, en soms bewegen ze zich in de richting van beloningen. Zoals ik eerder zei, zijn 'valuta's', zoals ik ze noem, de beloningen of resultaten die je krijgt wanneer je je overgeeft aan bepaald gedrag. Of je je er nu van bewust bent of niet, we hebben ze allemaal. De mens zit domweg zo in elkaar dat we geneigd zijn dingen te doen met het oog op wat we ervoor terugkrijgen. Dat maakt ons overigens niet zelfzuchtig, maar alleen menselijk. Het kan gaan om iets concreets als geld of voedsel of een paar nieuwe schoenen, of het is iets niet-concreets, zoals een prestatie, een bijdrage, aandacht, lof, voorrechten, tijd met een dierbare, of een ander helpen.

**De mens zit domweg zo in elkaar
dat we geneigd zijn dingen te doen
met het oog op wat we ervoor terugkrijgen.**

Het 'waarom' tot uitdrukking laten komen in je leven is belangrijk, en ik ben ervan overtuigd dat als je niet iets doet wat jóuw valuta's doet toenemen, je je bezigheden moet staken en iets anders moet gaan doen waarbij dat wél gebeurt. Je kunt ervoor kiezen om gebruik te maken van de talenten, vaardigheden en vermogens die God je heeft geschonken. Je zult het prettig vinden een gevoel van zelfbeschikking te hebben en in staat te zijn een keus te maken. Je zult het prettig vinden om invloed uit te oefenen op je reis door dit leven en daar persoonlijke voldoening uit putten.

Belangrijk om te onthouden is dat wat goed is voor jou, misschien niet voor iedereen goed is. Maar dat houdt de wereld nu eenmaal draaiende. Wat ik belangrijk vind, vindt een ander wellicht niet belangrijk en omgekeerd. Een ander vindt het misschien geweldig om een grote brug te bouwen of een nieuw zaadje te ontdekken waardoor de oogst toeneemt. Ik ken mensen die er trots op zijn en het zinvol vinden om papier, pennen, naamplaatjes en verfrissingen klaar te zetten voor een grote vergadering; of chauffeurs die het heel fijn vinden om mensen naar die vergaderingen toe te brengen. Ze hebben het gevoel dat ze een cruciale rol spelen, en dat doen ze ook. De uitdaging bestaat erin uit te zoeken waardoor jíj het gevoel krijgt dat je op een zinvolle manier leeft. De valuta's van de een zijn niet meer of minder belangrijk dan die van de ander.

Door woorden zoals 'zin' en 'betekenis' klinkt het alsof je iets groots en geweldigs zou moeten doen om een doel in je leven te vinden. Natuurlijk kun je grote dingen doen, maar maten die worden afgemeten aan andermans 'meetlat' doen er niet toe wanneer het erop aankomt je leven doel en zin te geven. Je hoeft echt niet de Kilimanjaro te beklimmen of huizen voor daklozen te bouwen om erachter te komen wat voor jou belangrijk is. Ik heb geen van die dingen gedaan en heb toch sterk het gevoel dat ik een betekenisvol leven leid. Die zingeving voelde ik met name toen ik jarenlang basketbalcoach was voor jonge jongens, soms zonder dat we ook maar één wedstrijd wonnen. Sommige mensen zouden kunnen vinden dat een juniorenteam coachen binnen het grote geheel der dingen niet veel voorstelt. Maar ik had echt een goed gevoel als ik zag hoeveel lol mijn team had als ze goed speelden en het eigen spel verbeterden. De jongens waren blij, en ik was dat ook. Voor mij was dat een hele prestatie. Ik wil maar zeggen dat je altijd een keus hebt als het erom gaat zin en betekenis aan je leven te geven, omdat het niet gaat om de activiteit die je zoekt, maar om het gevoel dat je krijgt als je die activiteit uitvoert.

En nu even een vrolijke noot. Ooit heb ik een man in behandeling gehad die zijn vrouw ontrouw was en geen goed contact met zijn kinderen had. Ik zei tegen hem dat hij er toch in elk geval naar kon streven het beste slechte voorbeeld te zijn dat er maar te vinden was! Dat was een benadering met een dubbele bodem, maar ook al maakte ik een grapje, toch denk ik dat het hem ertoe aanspoorde om – waarschijnlijk uit schaamte – veranderingen aan te brengen. Wie zal het zeggen?

Leven voor – en in – het hier en nu

Ieder van ons kan op een gegeven moment de draad kwijtraken. Zelfs op dit moment, terwijl ik het zonder meer prachtig vind wat er allemaal op verschillende niveaus in mijn leven gebeurt, vraag ik me toch nog steeds van tijd tot tijd af waarom of hoe God bepaalde dingen kan of kon laten gebeuren. Het is de eeuwenoude vraag: waarom maken slechte mensen het goed en moeten goede mensen vaak lijden en sterven? Er zijn ook keren dat ik om me heen kijk naar de wereld waarin ik leef en besef dat ik, zelfs met alle moeite die ik doe, met al mijn vaardigheden en vermogens, toch niet meer dan een huurder ben: ik loop maar tijdelijk op deze wereld rond. Oude gezegdes worden oude gezegdes omdat ze een diepe waarheid bevatten, en zoals ik eerder al zei is 'je kunt niets meenemen je graf in' er een van. Net als het oude gezegde van indianen 'in stromend water kun je geen voetafdruk achterlaten'. Met andere woorden: als ik dood ben, komt er iemand anders in mijn huis te wonen. Als ik er niet meer ben, zal iemand anders programma's produceren in mijn studio en iemand zal, nadat ik ervoor heb gekozen er eindelijk het zwijgen toe te doen, praten en nog eens praten en op anderen invloed uitoefenen. Dus wat stelt het nou eigenlijk allemaal voor? Die momenten kom ik te boven door te beseffen dat als ik mensen nu help en iemands ervaring nu beter maak, hier ter plekke, dat voor dit moment genoeg is. Ik geloof ook heilig in het uitwaaiereffect. Als ik er bijvoorbeeld voor kan zorgen dat één iemand zijn woede en impulsen beter in de hand krijgt en er dus mee stopt zijn kind te mishandelen, dan kan dat effect uitwaaieren over vele toekomstige generaties.

Het kan een uitputtingsslag zijn om in deze wereld te leven als je er geen zin in kunt ontdekken en als je leeft volgens, zoals ik dat noem, 'toegekende rollen': de rollen die andere mensen je geven en die niet in contact staan met je authentieke zelf. Ik herinner me nog goed hoe vermoeiend dat was, en hoewel ik al tegen de veertig liep toen ik dat uiteindelijk inzag, moest ik er toch iets aan doen. En wel omdat het je van je energie berooft om op die manier te leven. Je ware doel op deze aarde ontkennen is net zoiets als wanneer je als kind een strandbal onder water probeert te houden. Ik heb deze vergelijking al eerder gebruikt, maar gebruik hem hier weer omdat hij zo treffend is. De strandbal zal altijd naar boven willen, dus kostte het je als kind veel kracht en geworstel om hem onder water te houden. Vaak moest je daar je hele lichaam voor inzetten. Uiteindelijk was je moe en uitgeput. (Trouwens, als je zo leeft, krijg je veel stress, en chronische stress heeft een enorme invloed op je lichamelijke en emotionele welbevinden, zoals ik in hoofdstuk 3 vertelde.)

Maar wanneer je uitzoekt waarom je op de wereld bent, heb je de energie, de passie en de motivatie om je leven te hanteren – met obstakels en al. Je hoeft dan niet meer al je energie aan te wenden om alleen al elke dag je bed uit te komen, dus kun je die energie besteden aan de dingen waar je van houdt. Je voelt je kwiek en krachtig. Je voelt je geïnspireerd, alsof je alles aankunt, en de hele wereld ziet er anders uit. Niet langer is elke dag een last; het is een cadeautje.

Oefening: zit jij in een existentiële crisis?

Doe de onderstaande oefening om na te gaan of je momenteel misschien te kampen hebt met een existentiële crisis. Lees de onderstaande uitspraken over specifieke gedachten en gevoelens door, en kies welk van de vier antwoorden het best aansluit bij jouw situatie.

Nooit: Deze emoties of gedachten bestaan niet voor jou, of je bent je er niet van bewust.

Soms: Je bent je ervan bewust, maar ze hinderen je niet in de manier waarop je je leven leidt.

Vrij vaak: Je ervaart deze emoties of gedachten elke dag, en je sociale relaties en de kwaliteit van je privéleven of je werk worden er behoorlijk door beïnvloed.

Vaak: Je wordt door deze emoties of gedachten ernstig gehinderd in je relaties, je privéleven of je werk, en je kunt daar niet ten volle van genieten.

	Nooit	Soms	Vrij vaak	Vaak
1. Ik maak me er zorgen over dat ik nog maar een beperkt aantal jaren van mijn leven overheb en nog niet begonnen ben met echt te leven.				
2. Ik besef dat ik een bijzondere missie in het leven heb, maar ik weet niet waar die uit bestaat en heb geen idee hoe ik daarachter kan komen.				
3. Het stemt me somber dat ik mezelf heb beloofd bepaalde dingen te doen, maar dat ik die nog niet heb gedaan.				
4. Ik merk dat ik me er zorgen over maak waar mijn leven voor zou dienen of wie ik geacht word te zijn.				
5. Als ik alles zou bereiken wat ik me heb voorgenomen, vraag ik me af wat dat eigenlijk voor zoden aan de dijk zou zetten.				
6. Ik twijfel eraan of mijn leven wel de moeite waard is.				
7. Als ik de normen waarnaar ik tot nu toe heb geleefd eens onder de loep neem, vraag ik me af hoe ik de waarheid over het leven op het spoor kan komen.				
8. Ik vraag me af wie ik ben en wat er van me zou overblijven als ik geen naam of familieachtergrond zou hebben.				
9. Ik vraag me af waarom we eigenlijk leven en op aarde zijn.				
10. Ik vraag me af wat ik, als ik zou kunnen, zou kiezen als mijn naam, mijn cultuur of mijn familie.				

Score

Heb je voornamelijk 'nooit' en 'soms' ingevuld, dan is de kans dat je in een existentiële crisis zit niet groot. (Niettemin kunnen sommige van de tips hieronder nog steeds van pas komen in je leven, dus lees verder.)

Wanneer je vier of meer keer 'vaak' hebt ingevuld, zou het kunnen dat je in een existentiële crisis verkeert. In dat geval is het raadzaam je normen en waarden eens goed onder de loep te nemen en duidelijk te krijgen wat jij als de zin van je leven beschouwt – wat kan betekenen dat je je even vrijmaakt van de eisen die er aan je worden gesteld.

Heb je minstens vijf keer 'vrij vaak' ingevuld, of één tot vier keer 'vaak', dan heb je te maken met een milde, maar toch niet-onaanzienlijke mate van existentiële crisis. Besteed extra aandacht aan manieren waarop je jezelf kunt helpen om met deze worsteling om te gaan.

Wanneer je vijf keer 'vrij vaak' hebt ingevuld, kun je te kampen hebben met een tijdelijke angst die te maken heeft met de integratie van gedrag in je kernwaarden en gevoel van authenticiteit. Besteed in dat geval aandacht aan de aanbevelingen voor zelfhulp hieronder, zodat je kunt beginnen om je leven efficiënter aan te pakken.

Wat kun je verwachten?

Bij deze crisis komt een overweldigend gevoel van hulpeloosheid vaak voor. Mocht jij dat ook voelen, neem dan maar van mij aan dat je niet alleen staat. De psychologische term voor deze emoties – gebrek aan zeggenschap over je leven, of een overduidelijk onvermogen om te ontsnappen aan ontregelende pijn –, gemunt door de psycholoog Martin E.P. Seligman, is 'aangeleerde hulpeloosheid' (je leren komt tot stilstand, zodat je niet langer nieuwe informatie kunt verwerken die je verlichting zou kunnen bieden; je brein heeft gezegd dat er geen hulp en geen hoop is, en sluit het 'venster' waardoor nieuwe informatie naar binnen zou kunnen komen); dit is een toestand waarin je het gevoel hebt dat je geen enkele invloed uitoefent op wat je overkomt. Je kunt je gevangen voelen en de mening zijn toegedaan dat pogingen om jezelf te helpen toch niets uithalen. Veel mensen die zelfmoord proberen te plegen, hebben het over deze hulpeloosheid, en ze zeggen dat hun daad het gevolg was van het gevoel dat er geen andere oplossing was. Wanneer je immers het idee hebt dat je je toekomst op geen enkele manier kunt sturen of beïnvloeden, kan dat je volkomen boven het hoofd groeien. Dit gebrek aan richting, deze wanhoop en hopeloosheid kunnen een belangrijk bestanddeel van deze crisis zijn.

Andere emoties die zich voordoen, zijn zelfhaat, woede, verlammende angst, leegheid, emotionele afstomping, gebrek aan zelfrespect en het gevoel dat niets ertoe doet. Je kunt cynisch worden. Je kunt overal vraagtekens bij gaan zetten, van je eigen normen en waarden tot en met je familie. Wanneer je in God gelooft, kun je je gaan afvragen waarom je dat eigenlijk doet. Ook kan het gebeuren dat je je in sociaal opzicht terugtrekt en je van andere mensen isoleert. Dat komt doordat je hele wereld overhoop is gegooid – het deel van je dat vraagtekens zet bij de zin van je leven zet ook vraagtekens bij de beweegredenen van andere mensen die om jou te geven. Of je vindt ze maar dwaas en ziet geen enkele zin in hún levens.

Kijk er maar niet raar van op wanneer sommige vrienden en familieleden zich terugtrekken zodra je over dit onderwerp begint. Waarschijnlijk willen ze zichzelf de vraag niet stellen of de diepere kwesties des levens niet onder ogen zien. Ze moedigen je vaak eerder aan om maar gewoon door te gaan dan dat ze willen dat je de onderste steen boven haalt. Dat kan allemaal ontzettend frustrerend zijn wanneer je de fundamenten van je bestaan probeert te onderzoeken.

Terug naar betere tijden

Wanneer jij zelf in een existentiële crisis zit, zul jíj moeten nagaan wat je leven zin geeft. En denk maar niet dat je de crisis te boven kunt komen voordat je daarachter bent. Tegenwoordig is de gemiddelde levensverwachting in Amerika 78 jaar.[1] Dat betekent dat als je nu 38 bent, je nog veertig jaar te gaan hebt. Dat is 480 maanden, oftewel 14.600 dagen. Wat ga je met die tijd doen? Hoe wil je die op een zinvolle manier doorbrengen? Heb je een plan klaar voor hoe je de dagen die je nog hebt wilt doorbrengen en voor de betekenis die je aan je leven wilt geven? Anderzijds lijken 480 maanden misschien helemaal niet zo lang. Maar als je al die tijd maar wat aan rommelt in plaats van vol passie te leven, kan het heel, héél lang lijken. Je moet ernaar streven je pasvorm te vinden, je zin, je doel.

Voordat we bespreken hoe je dat kunt aanpakken, wil ik eerst een paar dingen duidelijk stellen. Zoals ik al eerder heb gezegd, in het hoofdstuk over levens die worden geregeerd door angst, zit je authentieke zelf – compleet met levensdoel en passie – binnen in je, en daar heeft het altijd al gezeten. Je moet het alleen weten te vinden. Het probleem is dat de meeste mensen hun ware zelf en hun ware verlangens niet naar buiten laten en een hoofdrol in hun leven laten spelen. Om de een of andere reden raken die ondergesneeuwd door andere dingen. Het leven bestaat uit een reeks interacties tussen de buitenwereld en jouw binnenwereld. Dat betekent dat, ook al begin je met bepaalde trekken en eigenschappen, je reis door deze wereld en de interacties en reacties die daarmee samengaan, veranderen wie je bent. Wanneer je levenservaringen resultaten hebben opgeleverd die voor jou negatief en pijnlijk zijn, en je het gevoel hebt dat het buiten je macht ligt om er een stokje voor te steken, kunnen je ware en authentieke zelf en je ware doel in het leven uit het zicht raken, terwijl jij je alleen maar 'door de dagen heen slaat' in plaats van met een echt doel te leven. Na een poosje raak je zo gewend aan die stille, bedachte persoon dat je niet meer goed weet wie je echt bent. Maar het goede nieuws is dat je authentieke zelf in je zit en altijd in je heeft gezeten; je kunt die eigenschappen en trekken opsporen en er weer contact mee maken als je bereid bent ernaar op zoek te gaan.

Wil je zin, maak dingen dan zinvol

Eén manier om er geestelijk weer bovenop te komen in een crisis die draait om zingeving, een crisis vol pijn en leegte, bestaat eruit om in je dagelijks leven niet alleen op zoek te gaan naar een zin en een doel, maar die ook zelf te maken. Het leven is niet altijd makkelijk, dat staat buiten kijf. Maar het is geen proces dat vergeefs hoeft te zijn. Je kunt zorgen dat het ertoe doet, dat het iets betekent. Ik had het al over Viktor Frankl, die de Holocaust overleefde en drie jaar van de oorlog in vier verschillende concentratiekampen doorbracht. Hij had helemaal kunnen instorten door de afschuwelijke wreedheden en de dood waarmee hij elke dag werd omgeven, maar in plaats daarvan koos hij ervoor om zin te zien in zijn geworstel en de choquerende manier waarop het er in zijn wereld aan toeging. Als hij die zin niet had gevonden, als hij niet in zijn hart was blijven hopen, had hij het volgens mij niet overleefd. De zin die hij 'vond', was deels om te overleven teneinde dit inzicht met anderen te delen: hoe je levensomstandigheden ook zijn, hoezeer anderen je gedrag ook proberen te sturen, jij hebt altijd het recht en het vermogen om te kiezen welke houding je daartegenover aanneemt. Trouwens, jij en ik horen bij degenen aan wie hij dat heeft kunnen navertellen.

De kans is groot dat je niet zo verschrikkelijk hoeft te lijden als dr. Frankl om je leven zinvol te kunnen maken, maar in wezen is het eenzelfde proces. Ikzelf heb dingen meegemaakt die, zacht uitgedrukt, op het moment zelf helemaal niet leuk waren. Maar hoe clichématig het ook klinkt, ik moet toegeven dat als ik ze níét had meegemaakt, ik niet zou zijn wie ik nu ben. Net als ieder ander worstel ik wanneer er iets misgaat met vragen zoals: 'Moest dit nou per se gebeuren? Is het mijn fout? Heb ik dit op mijn geweten?' Dus ik weet heel goed dat het weinig zinvol is om tegen je te zeggen dat je jezelf niet op deze manier moet kwellen, want dat doe je toch wel – of je hebt het al gedaan. Maar als je jezelf die vragen stelt, beantwoord ze dan ook. Heb je verkeerde keuzes gemaakt, neem daar dan de verantwoordelijkheid voor, maar probeer vervolgens de kracht en rijpheid op te brengen om jezelf te vergeven. Als je steeds maar over je schouder kijkt, wordt het verleden je toekomst. Oké, misschien heb je er echt een zootje van gemaakt, misschien heb je een paar héél verkeerde beslissingen genomen, maar als je niks doet met je gevoelens van schuld en spijt, en die niet achter je kunt laten door jezelf te vergeven (en anderen trouwens ook), blijf je voorgoed een gevangene van je verleden. Zelfs God kan niet veranderen wat er al is gebeurd. Vergeef jezelf en anderen tegen wie je woede, wrok of haat koestert, en ga verder.

Ben je verantwoordelijk voor de keuzes die je maakt? Natuurlijk ben je dat. Verdien je het om daarvoor gestraft te worden met een eeuwigdurend schuldgevoel? Nee. Het wordt tijd om te leren van je fouten of verkeerde keuzes, en er werk van te maken om verder te gaan met het volgende hoofdstuk van je leven.

Wanneer je in een existentiële crisis zit, kun je het moeilijk vinden om te weten wat nu precies goed voor je is. En al zou je het weten, je hebt er waarschijnlijk toch geen zin in, want daar heb je het zelfvertrouwen niet voor. Maar onze normen en waarden zitten diep verankerd en zijn door deze existentiële crisis echt niet uitgewist. Ze spelen misschien momenteel geen hoofdrol, maar ze zijn er wel degelijk, en deze normen en waarden vertellen ons wat goed en fout is. Ook al kost het je moeite om zin in je leven te zien en heb je het gevoel dat je kompas is dolgedraaid, toch kun je wél terugkijken op je leven en erkennen wat in betere tijden voor jou leidende principes zijn geweest. Hieronder nemen we de normen en waarden in je leven onder de loep die je misschien als vanzelfsprekend bent gaan beschouwen en die je voor jezelf wellicht nooit duidelijk hebt geformuleerd. Daarom is het nu, meer dan ooit, van belang om na te denken over en te benoemen wat volgens jou belangrijk in je leven is en hoe jouw valuta er in werkelijkheid uitziet. Je zult moeten omschrijven wat er voor jou toe doet. Verderop in dit hoofdstuk tref je vragen aan die je kunnen helpen om hierachter te komen.

Onze normen en waarden zitten diep verankerd en zijn door deze existentiële crisis echt niet uitgewist.

Geen enkele van je negatieve emoties – woede, bitterheid, wanhoop, eenzaamheid, leegte of somberheid – is alleen maar het gevolg van iets wat al dan niet in je leven is gebeurd. Zoals ik eerder in dit boek al zei, komen al die emoties voort uit wat je tegen jezelf hebt gezegd, gebaseerd op jouw percepties en etiketten van wat er wel of niet in je leven heeft plaatsgevonden. Wanneer we verdergaan met deze zoektocht naar zin, moet je eens goed opletten hoe je over jezelf en de gebeurtenissen in je leven tegen jezelf praat.

Het moge duidelijk zijn dat je geschiedenis en je perceptie van die geschiedenis je een beeld kunnen geven van je toekomst. Het eerste gedeelte van het ontdekken van je valuta's op het vlak van normen en waarden bestaat eruit dat je de meest positieve gebeurtenissen in je leven benoemt (dat wil zeggen: de gebeurtenissen die je in je zelfspraak van een positief etiket hebt voorzien) en nagaat welke gevoelens die gebeurtenissen zo prettig maakten. Vergeet niet dat het hierbij niet gaat om het externe object of doel, maar om de door jou zelf gegenereerde gevoelens van bevrediging. Een van die gebeurtenissen kan bijvoorbeeld bestaan uit het uitzoeken en aanschaffen van je eerste auto. De intrinsieke gevoelens die je hoogstwaarschijnlijk ervoer, waren opgetogenheid over het bezit van zoiets waardevols en trots op het feit dat je dat kon kopen, terwijl de extrinsieke gevoelens zouden kunnen zijn geweest: de bewondering van je vrienden of zelfs het gevoel aantrekkelijker te zijn zodra je achter het stuur plaatsnam. Als dit echt een positief gevoel was, zul je deze gebeurtenis met positieve gedachten associëren. Een ander voorbeeld kan zijn toen je trouwde of slaagde voor je eindexamen. Je had misschien het gevoel dat je op weg was een volwassene te worden die zijn eigen beslissingen nam, en je was er trots op dat je zoiets belangrijks voor elkaar had gekregen. Zelfs die keer dat je een zieke vriendin aan het lachen maakte toen ze in haar ziekenhuisbed lag kan, als je het voor jezelf positief labelt, het gevoel oproepen dat je echt een zinvolle bijdrage hebt geleverd. Begrijp me goed, ik zeg niet dat je alleen maar tegen jezelf hoeft te liegen over een gebeurtenis om positieve gevoelens op te roepen. Je weet zelf heus wel wanneer je de waarheid tegen jezelf spreekt, dus bestaat je taak eruit om de zaken in een kader te plaatsen en niet overdreven te reageren – ten goede of ten kwade – op wat er is gebeurd, maar om betekenis en zin te zoeken in je leven tot nu toe. Dat vermogen heb je, omdat jij zelf bepaalt wat je tegen jezelf zegt over wat er in je leven gebeurt.

Ik wil je graag helpen om je weer te richten op een paar zaken die voor jou misschien buiten het radarscherm zijn geraakt, zodat je een antwoord kunt vinden op de vraag waarom we ons toch zo druk maken in deze strijd die leven heet. Ik wil je helpen te bepalen wat jouw kernwaarden zijn, of daar weer contact mee te zoeken. Wanneer jij of iemand die je dierbaar is op dit moment geen zin, betekenis of richting ziet, raak je nu waarschijnlijk in de war. Dat geeft niet. Ik weet dat wanneer we over verheven zaken beginnen te praten zoals 'kernwaarden' en 'intrinsieke en extrinsieke gevoelens', dat algauw tot verwarring en gefronste wenkbrauwen leidt. Dus laten we teruggaan naar de basis. Ik zal je laten kennismaken met enkele belangrijke concepten en een paar ideeën opperen om je door dit proces heen te loodsen. Dit zijn niet zomaar concepten die ik ter plekke voor jou in je crisis uit mijn mouw schud, maar het zijn beproefde richtingaanwijzers die ik andere mensen met succes heb zien benutten in hun zoektocht naar zin in hun leven. Hieronder noem ik een paar dingen waar je eens met jezelf over in gesprek zou moeten gaan.

Hecht je waarde aan zaken zoals integriteit, liefde en verantwoordelijkheid? Wat betekenen die voor jou?

- Wat betekent integriteit voor jou? Voor mij betekent integer zijn dat ik doe wat goed is, ook al ben ik de enige die toekijkt.
- Wat betekent liefde voor jou? Misschien wel dat het welzijn van een ander je meer ter harte gaat dan je eigen welzijn.
- Wat betekent verantwoordelijkheid voor jou? Voor mij betekent het dat ik de verantwoordelijkheid aanvaard voor de keuzes die ik heb gemaakt, en niet het slachtoffer ga uithangen en anderen de schuld geef.

Denk na over andere normen, waarden en eigenschappen, of kwaliteiten die voor jou belangrijk zijn. De drie die ik hierboven noem, zijn maar het begin, dus maak nu je eigen lijstje. Niets is te klein wanneer het belangrijk voor je is en iets zegt over wie jij bent.

Wanneer je tot het inzicht komt dat je één of meer van de drie kwaliteiten bezit die ik hierboven opnoem, dan heb je hopelijk een deel van het antwoord op de vraag 'waarom zou je nog moeite doen in het leven?' gevonden. Immers, je maakt deze wereld tot een betere plek voor alle anderen die zich erop bevinden. Je bent een positieve kracht in deze wereld. Een kracht die voelbaar is voor degenen om je heen. Het feit dat je een mens bent – een burger, een vader, een broer, een zoon, een echtgenote, een moeder, een echtgenoot of een dochter – die met deze kwaliteiten leeft, betekent dat je voor anderen hun leven beter maakt: je maakt je gezin beter, je maakt de gemeenschap beter, en je maakt je eigen leven beter. Wanneer je die kwaliteiten niet bezit, vormen ze misschien iets om naar te streven of om opnieuw in te stellen.

Nu we een paar van je kernwaarden hebben benoemd die het

filter vormen waardoorheen jij naar de wereld kijkt, zullen we eens specifieker kijken wat je belangrijk in je leven vindt. Wanneer je het gevoel hebt dat je leven geen zin heeft, is het volgende dat je te doen staat nagaan wat je prioriteiten voor je eigen leven zijn.

Eerder schreef ik mijn boek *Dr. Phil weet raad: levenslessen en relatietips* (2002), en daarin vroeg ik mensen een oefening te doen die me toen – en nu nog steeds – belangrijk leek. Diezelfde oefening voer ik hier opnieuw ten tonele: maak een lijstje van wat er voor jou in jouw leven echt toe doet. En dan heb ik het niet over karaktertrekken en eigenschappen; ik doel op de dingen, de activiteiten, de mensen en delen van je leven die belangrijk voor je zijn of dat ooit zijn geweest. Noteer deze prioriteiten in de linkerkolom: de dingen waar je waarde aan hecht en die je na aan het hart liggen. Noteer vijf prioriteiten, te beginnen met de belangrijkste. Op de eerste plaats zet je wat het allerbelangrijkste is in jouw leven. Daarna ga je verder met het op één na belangrijkste – enzovoort, tot en met nummer vijf. Zo staat bij mij bovenaan dat ik mijn gezin veiligheid, onderdak, zekerheid en comfort wil bieden, en mijn tweede prioriteit is om, samen met mijn vrouw Robin, onze kinderen erop voor te bereiden om zich in deze wereld op eigen kracht te redden en het naar hun zin te hebben. Nummer drie zou kunnen zijn dat ik een positieve invloed wil hebben op de wereld waarin ik leef. Dit zijn maar een paar voorbeelden om je op weg te helpen – wat zijn jóúw prioriteiten? Ik snap ook wel dat ze misschien niet scherp van elkaar te scheiden zijn, maar verdeel ze toch in vijf afzonderlijke items. Denk hier goed over na en ga bij jezelf te rade wat belangrijk voor je is.

Gebruik nadat je je prioriteiten hebt benoemd de rechterkolom om in afnemende volgorde aan te geven hoeveel tijd je aan dingen besteedt. Zet op de eerste plaats de activiteit of het streven waar je je het grootste deel van je wakende uren aan wijdt. Wees eerlijk en ga nauwkeurig te werk, want dit is een kwantitatieve oefening. Om maar iets te noemen: hoeveel uur besteed je elke dag echt aan je gezin? Denk daar eens over na: je staat om zes uur op, racet rond, maakt je klaar om naar je werk te gaan, gaat naar je werk – daar moet je een uur voor reizen, dus ga je om zeven uur de deur uit om er om acht uur te zijn, waarna je tot vijf uur werkt, een uur terug moet reizen, en rond zessen thuiskomt; de kinderen doen dan hun huiswerk en er wordt gegeten, waarna je televisiekijkt... Zonder gekheid: hoeveel quality time breng je echt door met degenen van wie je houdt? Neem de tijd om hieronder eerlijk en accuraat je tijdverdeling in te vullen.

Prioriteiten
1. _____
2. _____
3. _____
4. _____
5. _____

Tijdverdeling
1. _____
2. _____
3. _____
4. _____
5. _____

Laten we, wanneer je alles hebt ingevuld, eens kijken naar wat je zojuist hebt opgeschreven. Stel jezelf de vraag of je misschien een paar van je prioriteiten hebt verwaarloosd. Als je je voelt zoals je je nu voelt, vermoed ik dat je waarschijnlijk niet naar je prioriteiten leeft. Als God en je gezin in de linkerkolom bovenaan staan, maar je werk staat bovenaan bij je tijdverdeling, dan heb je een probleem. Hoeveel tijd besteed je aan de dingen waar je echt om geeft? Hoeveel tijd besteed je bijvoorbeeld aan je gezin? Wanneer je net als veel mensen hard werkt, is dat vermoedelijk maar een fractie van de tijd die je aan je werk besteedt, en vermoedelijk minder dan de tijd die je kwijt bent met televisiekijken. In dat geval zou je op basis van je tijdverdeling kunnen concluderen dat de televisie blijkbaar belangrijker is dan je kinderen.

Ik zeg niet dat je, om meer tijd met je gezin door te brengen, dan maar je baan moet opgeven en het risico moet lopen dakloos te worden. Deze oefening maakt je echter wel duidelijk dat je een en ander meer in balans zou moeten brengen. Dat kan betekenen dat je een manier moet zoeken om af te komen van de aflossingstermijnen voor je auto, zodat je minder hoeft te werken. Het kan betekenen dat je de televisie uit laat, zodat jullie eens echt met elkaar kunnen praten. Het kan betekenen dat je de afstandsbediening van je zoon afpakt wanneer hij een voetbalvideospelletje zit te doen, en dat je de straat op gaat om eens écht een balletje te trappen. Het kan betekenen dat je betekenis, zin en waarde creëert door actief iets te veranderen aan je manier van leven. Wil je leven zin krijgen, dan moet je de manier waarop je tot nu toe je leven hebt geleid veranderen, want aan de uitkomsten te zien werkt het niet goed voor je, en ik probeer je alleen maar een paar ideetjes aan de hand te doen voor mogelijke veranderingen.

Wees bij deze oefening eerlijk tegen jezelf. Als je moet concluderen dat je in feite maar anderhalf uur per dag aan je gezin besteedt, tien uur aan je werk en vier uur aan tv-kijken, is je reactie misschien: 'Hé, wacht eens even, misschien moet ik die auto's wel de deur uit doen, stoppen met die tweede baan en vaker iets met mijn kinderen ondernemen.' Ik geef je op een briefje dat ze het veel leuker vinden om in een Honda naar school gebracht te worden dan om jou achter het stuur te zien zitten van een nieuwe Lexus. Ze vinden het veel leuker om met jou te spelen in de achtertuin van een bescheiden huis dan om jou nooit te zien terwijl zij in hun eentje in een villa zitten. Wanneer je in deze val bent getrapt, kun je sterk het gevoel hebben dat je leven geen zin heeft, maar dat komt dan doordat je niet leeft naar wat belangrijk voor je is. Je dóét dingen die betekenisloos zijn en verwaarloost wat betekenisvol is. Dat kan sterke gevoelens van frustratie en betekenisloosheid in je leven oproepen. De oplossing waar ik het daarnet over had – zorgen dat je met minder materiële zaken in het leven toe kunt – klinkt misschien als heiligschennis, maar toch kon het weleens precies zijn wat je nodig hebt. Dat houdt in dat je van een paar dingen afstand doet, om je te kunnen richten op mensen en een doel. Wellicht zou je er goed aan doen te verhuizen naar een wat minder chique buurt, waar je gezinsleven tot bloei kan komen. Misschien moet je wel ingaan tegen de trend en terugkeren naar een leven dat je in staat stelt je bezig te houden met wat echt belangrijk voor je is. Het kon weleens zijn dat je dan meer bevrediging in je leven vindt. Ik zeg dit allemaal tegen je omdat we zo in de put kunnen zitten dat we niet weten waar we moeten beginnen. Mensen hebben wel tegen me gezegd: 'Dr. Phil, ik wil echt graag betekenis aan mijn leven geven, maar ik weet niet waar ik moet beginnen!' Nou, als dat voor jou ook geldt, heb je nu een voorstel voor een begin.

> **Het jaar dat voor je ligt gaat toch wel voorbij, of je jezelf nu wel of niet troost en zorgt dat je een beter gevoel krijgt, of er alleen maar de brui aan geeft en op de stoep gaat zitten.**

De wedervraag: 'Waarom níét?'

Wanneer geen van de filosofieën en strategieën die ik in dit hoofdstuk aan de orde heb gesteld je iets zegt, zal ik je eens een andere vraag stellen. Te midden van deze zware crisis van leegte en doelloosheid stel jij de vraag: 'Waarom moet ik zo worstelen? Waarom ga ik maar door, terwijl het toch allemaal niets lijkt uit te maken?' Een simpel antwoord op die vraag is wellicht een wedervraag: 'Waarom níét?' Ook al denk je dat je leven zin- en betekenisloos is, en kun je het feit dat je op aarde rondloopt niet rechtvaardigen, waarom zou je het niet ten minste proberen? Waarom niet worstelen en proberen iets te bereiken? Wat heb je verder te doen? Zoals ik eerder zei, heb je als je 38 bent en in een existentiële crisis zit, nog veertig jaar oftewel 480 maanden te gaan – wat win je erbij om al die tijd alleen maar te simmen en te klagen?

Je enige alternatief is eraan werken om een beetje bevrediging te vinden, een beetje zelfbeloning, een beetje vrede en veiligheid. Benoem ten minste je valuta's. Waar hecht je waarde aan? Wat geeft je vandaag een beter gevoel? Ga dat na en doe je best om daar vandaag iets van tot stand te brengen. Je maakt je zorgen om 'morgen, morgen'. Maar denk nú aan jezelf en zorg voor iets wat je bevrediging schenkt. Waarom? Omdat het een beter gevoel geeft als je het wél dan als je het níét doet. En heb je niet liever een prettig gevoel dan géén prettig gevoel? Doe iets wat je vandaag een beter gevoel geeft. En trouwens, dat is niet alleen maar zelfzuchtig, want als jij je beter voelt, functioneer je ook beter, niet alleen voor jezelf, maar ook voor anderen. Het jaar dat voor je ligt, gaat toch wel voorbij, of je jezelf nu wel of niet troost en zorgt dat je een beter gevoel krijgt, of er alleen maar de brui aan geeft en op de stoep gaat zitten. Dit leven heeft dan misschien voor zover je nu ziet geen doel, maar zorg ten minste voor jezelf en maak je bestaan op de een of andere manier iets comfortabeler. En wie weet is de vraag 'waarom níét?' wel de eerste stap op je reis naar het antwoord op de vraag 'waarom?'.

Tot slot

Eén laatste belangrijke opmerking: vat de zoektocht naar zin en betekenis in je leven niet te licht op. Want bedenk: in de hele geschiedenis van de wereld is er maar één iemand zoals jij geweest. Anderen dragen misschien dezelfde naam – er lopen een heleboel Bobs, Bills, Karens en Susans rond, maar die zijn allemaal uniek. Jij bent uniek, en het is aan jou om je eigen plekje in de wereld te vinden, daar de invloed op te hebben die alleen jij kunt hebben, en je bestaan vorm te geven op een manier die helemaal van jou is. Ik wil je stimuleren om de werkelijkheid niet te zien als een last of een probleem, maar als iets wat je leven kan veranderen op manieren die je niet voor mogelijk had gehouden, mits je de kans weet te waarderen die jijzelf bent. Je hebt op dit moment misschien niet het gevoel dat je een bijzonder wezen bent en je slaat misschien je ogen ten hemel als ik dit zeg, maar knoop het in je oren, en volgens mij zul je het uiteindelijk toch met me eens zijn. Want met wat inspanning, geduld en toewijding kun je je rol in de reis door dit leven en in het leven van degenen die met je meereizen vorm gaan geven.

Er is niets op tegen om vraagtekens bij dingen te zetten totdat de antwoorden je tevredenstellen. Maar vraag wel net zo lang door tot je die antwoorden ook hebt. Je wilt immers niet gefrustreerd raken en de queeste voortijdig beëindigen. We hebben als samenleving en als cultuur ons voordeel gedaan met alle vragen die iedereen stelt. In de loop van de tijd is zonder meer vooruitgang te constateren in het denken. Lastige vragen stellen is goed, maar dat geldt niet voor stoppen met antwoorden zoeken! We lijken als mensen een nieuwe waardering te hebben ontwikkeld voor het leven in het algemeen. Het ziet er zelfs naar uit dat we dankbaarder zijn geworden voor de aarde waarop we leven en meer doordrongen zijn geraakt van onze verantwoordelijkheid daarvoor. Het is overduidelijk dat wij met z'n allen ons bewustzijn baseren op de opeenstapeling van levensvragen die opkomen en op de antwoorden die we voor onszelf en met elkaar vinden. Iedereen is daar een onderdeeltje van, en dat kan best eng zijn. Om iets tot stand te brengen zijn tenslotte moed en wijsheid nodig, en – belangrijker nog – eigen levenservaring.

11.

De draad weer oppakken

Ga je door een hel, blijf dan vooral doorgaan.
– Winston Churchill

Oké, we hebben nu uitgebreid bekeken hoe het met de zeven grootste crises in het leven gesteld is. Tjonge, was dat even lachen! Een heleboel details, en waarschijnlijk veel meer dan je had gedacht ooit te willen of te moeten weten. Maar ik kan je verzekeren dat *wanneer* – en niet *als* – jijzelf of iemand die je dierbaar is met een van deze zeer uitdagende en ongewenste crises te maken krijgt, je blij zult zijn dat je de moeite hebt genomen om je erop voor te bereiden.

Het leven is niet in een formule te vatten, en zeven is wat crises betreft geen magisch getal. Ik wil wedden dat je er nog wel een paar kunt noemen die ik in dit boek niet aan de orde heb gesteld. Het kan zijn dat je er maar vier of vijf van meemaakt, of alle zeven; en helaas kan het gebeuren dat je sommige ervan meer dan eens moet doorstaan. Hoe het ook zij, hopelijk snap je waarom ik zeg dat voorzorg, planning en realistische verwachtingen cruciaal zijn voor de manier waarop je op deze crises of op andere zult reageren. Je hebt er weliswaar niets over te zeggen of ze zich wel of niet voordoen, maar je hebt nu wel iets gedaan om er klaar voor te zijn wanneer het zo ver mocht komen.

Ondanks goede keuzes en de beste bedoelingen kunnen jij en ik echter niet álle valkuilen vermijden. We kunnen op de juiste manier leven, zinnige keuzes maken, verstandig en alert zijn, en problemen die een roekeloos leven meebrengt vermijden, maar er bestaat nog een heel andere categorie van moeilijkheden die domweg bij het mens-zijn en bij het leven horen. De vraag is niet of het eerlijk of oneerlijk is, want een groot deel van wat ons in het leven overkomt ís niet eerlijk. Het punt is dat het alleen maar *is*. Zoals ik aan het begin van ons gesprek al zei, ben ik van mening dat jij, ik en wij allemaal over het intellect, de kracht, de diepgang, het morele kompas en de vastberadenheid beschikken – of die kunnen verwerven – om te overleven, en om de uitdagingen die we in ons leven tegenkomen met succes aan te gaan. Daarmee is echter nog niet gezegd dat je je niet bepaalde vaardigheden of technieken eigen zou moeten maken. Er is ook niet mee gezegd dat je die uitdagingen leuk zult vinden of dat ze je geen pijn zullen doen en je leven niet zullen veranderen. Maar je bent scherpzinnig genoeg om erdoorheen te komen en om een manier te vinden om je leven op een waardevolle en doelgerichte manier te leiden. Tot nu toe hebben we ons ermee beziggehouden die manier te vinden.

Je bent scherpzinnig genoeg om door deze uitdagingen heen te komen en om een manier te vinden om je leven op een waardevolle en doelgerichte manier te leiden.

In dit boek heb ik geprobeerd om in elk geval twee dingen te doen. Ten eerste wil ik graag dat je voldoende in jezelf gelooft om te weten dat deze zware tijden je weliswaar kunnen buigen, maar niet breken – dat je in je hart over de kracht en vastberadenheid beschikt waar ik het net over had. En ten tweede heb ik je bepaalde vaardigheden en mentale en emotionele strategieën willen aanreiken om het beste te maken van je door God gegeven talenten, karaktertrekken en eigenschappen. Je hebt alles in je wat je nodig hebt om te overleven en er wat moois van te maken, maar net als de meeste mensen, inclusief ikzelf, moet je misschien wakker worden geschud. Dat herinnert je eraan dat het leven alles te maken heeft met keuzes maken en dat je het voorrecht en het vermogen hebt om te kiezen. Midden in een chaos goede keuzes maken kan moeilijk zijn, zo niet onmogelijk. De dingen gaan te snel, emoties lopen te hoog op, en alle bijkomstigheden kunnen je mentaal verlammen. Dat is dan ook precies de reden waarom je je vóóraf moet voorbereiden.

Zelfs de professionele piloten die de vliegtuigen besturen waar jij en je familie mee vliegen, gaan daarvan uit. Ze vertrouwen op 'lijstjes': puntsgewijze opsommingen in felrode letters die recht in het zicht op hun instrumentenpaneel zijn aangebracht. Die lijstjes geven aan welke onmiddellijke stappen er in een noodgeval moeten worden genomen, zoals wanneer er een motor uitvalt of brand uitbreekt. Voor hen zijn dat gigantische uitdagingen! Deze professionals weten dat je wanneer je onder druk staat stukken beter kunt nadenken als je er van tevoren je gedachten over hebt laten gaan en op het kritieke moment ergens houvast aan kunt hebben. Ik mag hopen dat dit boek een onderdeel wordt van jouw 'lijstje in vette letters' voor de zeven grootste uitdagingen die je in je leven tegen kunt komen. Ik hoop dat je er iets van hebt kunnen opsteken waarop je zo nodig kunt teruggrijpen. Het zal niet je enige steuntje in de rug zijn, maar hopelijk kan het helpen. Zoals ik steeds heb gezegd, is het goede nieuws dat veel van de strategieën te maken hebben met je manier van leven en hun brandpunt hebben in weloverwogen keuzes – keuzes op het vlak van levenshouding, benadering, omgaan met emoties en verwachtingen, die allemaal uit jouzelf voortkomen en daarom van de ene crisis op de andere gelijk blijven.

Ik zeg dit uit ervaring, omdat ik in mijn eigen leven heel wat crises heb meegemaakt. Ik heb grote geldproblemen gehad en flink in de nesten gezeten. Ik heb het pijnlijke verlies van mijn vader moeten ervaren, de plotselinge dood van zowel mijn schoonmoeder als mijn schoonvader, en iets wat misschien nog wel een grotere invloed op me heeft gehad, namelijk de gigantische pijn die deze sterfgevallen voor mijn vrouw opleverden. Dat ik haar zo moest zien lijden had misschien nog wel een grotere impact op me. Al deze dingen eisten veel van me en waren moeilijk, maar van elke ervaring heb ik iets geleerd. Ik heb mezelf in die moeilijke tijden eens goed geobserveerd en ik heb ontdekt dat ik, ook al was ik kwetsbaar, er toch voor 'koos' om te overleven. Jij kunt daar ook voor kiezen, en bovendien zul je daar steeds bedrevener in worden. Dat is volgens mij volwassenheid. Had ik tijdens die eerste crisis in mijn leven maar geweten wat ik wist tijdens de meest recente crisis die ik meemaakte. Ik hoop dat dit boek een deel van die belangrijke kennis voor jou vooraf beschikbaar heeft kunnen maken.

Ik weet nog goed dat ik, toen ik zag hoe verloren en breekbaar mijn moeder eruitzag op de dag dat mijn vader overleed, me afvroeg hoe ze hier in vredesnaam doorheen moest komen. Hoe zou het leven verder voor haar lopen? Zou ik nog ooit iets van haar levendigheid terugzien? Zou ik ooit haar lach nog horen? Ik wil niet beweren dat die eerste paar maanden, of zelfs jaren, niet moeilijk waren. Dat waren ze namelijk wel, voor ons allemaal. Maar na verloop van tijd vond mijn moeder een ritme voor haar nieuwe leven. Ze ging kleiner wonen, maaide haar gazonnetje en sloot vriendschap met haar buren. Niet dat ze haar man vergat – absuluut niet. Ze vond alleen een andere manier om haar leven te leiden. Tijdens dit onverwachte hoofdstuk van haar leven bloeide ze uitbundig. Ze kwam de verzengende pijn te boven. En dat kun jij ook.

Uiteraard kan ik niet garanderen dat je de rest van je leven gelukkig zult zijn, en als ik dat wel deed, zou je me toch niet geloven – niemand van ons is zo dwaas. Maar wat ik je wél kan beloven is dat je zult veranderen doordat je door een diep dal gaat; je zult er wijzer uit tevoorschijn komen, en ik durf te wedden dat je de perioden dat alles soepel verloopt daardoor meer zult kunnen waarderen. Na elk van deze zeven crises (of meer) kun je weer een weg terug vinden naar een vreugdevol en betekenisvol leven. Het is een cliché dat moeilijkheden goed zouden zijn voor je karakterontwikkeling, dus herhaal ik dat maar niet. Wat ik wel wil zeggen is dat je slim bent en dat je ervan zult leren. Je komt dit te boven, en hopelijk leef je daarna met passie en doelgerichtheid verder. Tim McGraw verwoordde het mooi in zijn lied: 'Leef alsof je doodgaat.'

Het leven gaat door

Madeleine L'Engle sprak ooit de wijze woorden: 'Het mooie van ouder worden is dat je alle andere leeftijden die je hebt gehad niet kwijtraakt.' Mij lijkt het van groot belang dat we zorgen voor een continue relatie tussen wie we nu zijn en wie we waren toen we tien, twaalf, vijftien, twintig, dertig, of zelfs veertig of vijftig waren. Zeker in de zeven besproken crises telt dat zwaar, omdat het belangrijk is te weten wie je was vóórdat die crisis toesloeg, en met die persoon in contact te staan. Wanneer zich een crisis voordoet, raken we daar helemaal in verstrikt en kunnen we letterlijk vergeten wie we waren. We kunnen het zicht verliezen op wat ons in de loop der jaren uniek heeft gemaakt omdat we zo emotioneel overweldigd raken en zo bang en verward worden – of misschien zelfs paniekerig – dat we geneigd zijn onze eigen geschiedenis van sterke punten en successen te vergeten. We kunnen alles wat we zeker dachten te weten ineens ter discussie stellen, elk sterk punt dat we dachten te bezitten, en zelfs de waarde van elke hulpbron en liefdevolle persoon om ons heen. Het is maar al te gemakkelijk om je op de bodem van de put volkomen verloren en alleen te voelen. Maar die put kan niet uitwissen wie we waren voordat we erin vielen – tenminste, niet als wij daar een stokje voor steken. Om kort te gaan: ik raad je aan om je bij tegenslag te weren en je er niet onder te laten krijgen, om een overlever te zijn in het spel dat leven heet. Je hebt het tot dusver gered, en je kunt ervoor kiezen om het nog verder te redden. Ga maar na: toen je twee of drie was, heb je leren lopen en praten, en in je eerste vijf levensjaren was je persoonlijkheid al voor een groot deel gevormd. Toen je in groep 8 zat, had je de overgrote meerderheid van dodelijke ziektes waar overal ter wereld talloze kinderen aan bezwijken overwonnen dankzij je goed afgestelde afweersysteem. Je hebt een heleboel informatie verwerkt en je vaardigheden eigen gemaakt om flink wat problemen op te lossen, waardoor je in deze ingewikkelde wereld terecht bent gekomen. Je ontwikkeling is een cumulatief proces en onderweg heb je leergeld betaald.

Ik geloof niet dat crises helden maken. Ik geloof wel dat crises helden die nog ontdekt moeten worden een plekje geven om te stralen. Elk van de zeven besproken crises nodigt helden uit om naar voren te stappen, en jij kunt er een van zijn. Ik weet zeker dat de dingen die mij op mijn vijftiende door het leven heen sleepten, toen ik in mijn eentje was en op straat leefde met maar een paar centen op zak, als ik die al had, dezelfde dingen zijn die me door elke crisis heen hebben geholpen die ik sindsdien heb meegemaakt. Ik zeg vaak dat relevant gedrag uit het verleden de beste voorspeller is van gedrag in de toekomst. Ik weet dat ik al die dingen heb doorstaan omdat ik het mezelf heb zien doen, en zolang ik me dat blijf herinneren, weet ik zeker dat ik alles wat de toekomst brengt aankan. Jij moet dat ook weten.

Het leven is een film, geen foto. Daarom zul je wanneer je die film op enig moment stilzet, nooit een goed beeld krijgen van wie je bent. Zet je de film stil op je meest glorieuze momenten, dan krijg je een vertekend beeld van wie je bent en hoe je leven eruitziet. En zet je hem stil op de zwaarste momenten, zoals een van deze zeven crises, dan krijg je óók een vertekend beeld van wie je bent en waar het in jouw leven om draait. Pas als je de hele film in zijn continuïteit bekijkt, krijg je een goed idee van wie je bent. En omgekeerd: als je je continuïteit uit het oog verliest, verlies je je identiteit.

Ikzelf voel dankzij die continuïteit een grotere kracht en zeggenschap over mijn eigen lot. Eén manier om in contact te blijven met mijn identiteit en de persoonlijke waarheid van wie ik ben is door naar muziek te luisteren. Ik luister vaak naar muziek van vroeger. Zo vaak dat mijn twee zonen wel tig keer hebben gezegd: 'Hé, pa, die gouwe ouwen van jou zijn écht uit de oude doos.' Maar als ik alleen ben en me wil concentreren op wie ik ben en wat ik allemaal heb meegemaakt, heeft die muziek grote emotionele kracht. Niet omdat ik in het verleden leef of naar die tijd terug zou willen. Dat wil ik helemaal niet. Ik vind mijn leven van nu leuker dan welk verleden ook. Maar ik luister naar die muziek om me te herinneren hoe mijn leven er destijds uitzag, en dat gebruik ik als anker voor wie ik ben. Ik weet nog goed hoe ik me voelde toen ik gekwetst, teleurgesteld of alleen was, of toen alles me voor de wind ging en ik alles aankon. Muziek is een effectieve 'tijdmachine', omdat songs in dezelfde delen van ons brein worden verwerkt als emoties. Als gevolg daarvan verbindt het luisteren naar zo'n song ons weer met de gevoelens van vroeger, toen we dat nummer leerden kennen. Zo is 'Amazing Grace' voor een heleboel mensen een van de populairste en belangrijkste gospelsongs. De meesten kunnen zelfs precies zeggen op welke dag – of zelfs op welk moment – dat lied voor hen betekenis kreeg. Dat is hetzelfde mechanisme waardoor muziek uit mooie tijden uit ons verleden ons kan inspireren om in het heden ons beste beentje voor te zetten. Wanneer je deze continuïteit eenmaal begrijpt en je ervan bewust bent, op welke manier je er ook contact mee zoekt, dan besef je dat wortels diep reiken. En hoe dieper je wortels reiken, hoe moeilijker het is om jezelf plat te laten trappen.

Ik wil maar zeggen dat je het van cruciaal belang is om op je héle leven gefocust te blijven, en niet alleen op wie je nu bent en op wat je nu doormaakt. Je bent meer dan vandaag. Je bent meer dan deze week. Je bent de optelsom van alle jaren van je leven. Je verleden is een gigantische hoeveelheid bewijsmateriaal van wie je bent. Ik beschik over 57 jaar bewijsmateriaal van wie ik echt ben. En daarom zal als er gisteren iets vreselijks is gebeurd of me vandaag of morgen iets moeilijks overkomt, dat niet bepalen hoe de jaren die ik op aarde nog te gaan heb eruit zullen zien, of iets veranderen aan de jaren die ik al geleefd heb. Voor het overgrote deel mag ik die vent die ik de afgelopen 57 jaar heb gadegeslagen wel. Als ik hem ergens tegen zou komen, zou ik zijn vriend wel willen zijn, dus moet ik nú ook zijn vriend zijn, zeker in zware tijden. Ik kan me vinden in wie hij is, in de keuzes die hij heeft gemaakt in zijn leven en in wat hij heeft gedaan. Oké, hij heeft ook fouten gemaakt, maar ik kan me wel in hem verplaatsen en in wat hij verkeerd heeft gedaan. Hij kán en zál met problemen te kampen hebben – hij zal daarvan leren en groeien – maar ondertussen is hij al met al best een goeie vent. Zou het niet mooi zijn als je je eigen beste vriend(in) kon zijn?

De blik vooruit

Om je leven in een breder kader te zien en het evenwicht erin te kunnen ontwaren, dien je ook aandacht te besteden aan je zegeningen. Ik weet zeker dat er nog een heleboel moois voor je in het verschiet ligt, dus laten we eens even kijken naar de toekomst. Ik ben ervan overtuigd dat je nog *minstens* zeven wonderen zult meemaken – momenten die boven alles uitsteken – en dat je die zult herkennen wanneer ze zich voordoen. Ja, er zijn voorspelbare fricties en wendingen in ons leven die ons op de knieën kunnen brengen. Maar er bestaan ook wonderen die zich op elke dag van je leven kunnen voltrekken. En het allermooiste is nog wel dat als je daarnaar uitkijkt, de vreugde die met deze wonderen samengaat groter kan zijn dan de pijn van je crises. Hieronder noem ik de wonderen waarvan ik vrijwel zeker weet dat ze je in de toekomst te wachten staan.

Het wonder van het leven. De kans is groot dat je getuige zult zijn van het unieke moment waarop er een baby wordt geboren – ofwel je eigen kind, ofwel dat van iemand anders. Woorden schieten daarvoor tekort, maar het gevoel dat je van binnen ervaart, bewijst dat je midden in een wonder bent beland dat je begrip te boven gaat. Soms zijn we zelfzuchtig en alleen met onszelf bezig, maar op andere momenten realiseren we ons dat we een klein, maar uniek onderdeel zijn van een veel groter geheel. We hebben geen idee hoe we ook maar de simpelste vlo tot leven zouden moeten brengen. We weten maar heel weinig van de dynamica en mechanica waarmee het orgaan van drie pond dat we ons brein noemen eigenlijk functioneert. Ik sta volkomen perplex als ik boeken lees die het bestaan van God en de oorsprong van het leven ter discussie stellen, zeker gezien het feit dat we nog zo verschrikkelijk weinig weten over zelfs maar de kleinste lichaamscel. Het is hoogmoed om ervan uit te gaan dat wij uitputtend zouden kunnen omschrijven wat leven is.

Het wonder van de liefde. De liefde is sterker dan de dood, want die blijft ook bij ons wanneer een dierbare is overleden. De liefde is een helende kracht die zowel iets lichamelijks als iets geestelijks is, en liefde verbindt ons met elkaar. Het verbijsterende is dat het een van de weinige dingen is waar we een eindeloze hoeveelheid van hebben; ons vermogen om lief te hebben neemt nooit af, maar wordt alleen maar groter. Zelfs als iemand is overleden, kunnen we weer nieuwe liefde vinden – misschien niet dezelfde liefde, maar op de een of andere manier openen we ons hart opnieuw. Soms voel je je bemind terwijl je dat naar je eigen idee helemaal niet verdient. Ik weet hoe dat is, omdat ik de eerste zal zijn om toe te geven dat in de ruim dertig jaar dat ik nu getrouwd ben er momenten zijn geweest waarop zelfs ik niet het gevoel had dat ik de liefde verdiende die Robin me gaf. Ik denk echt dat deze onvoorwaardelijke emotie en het feit dat er ondanks jezelf van je kan worden gehouden ware wonderen zijn.

Het wonder van vergeving. Vergeving is een geschenk, of je nou degene bent die vergeven wordt of degene die zelf vergeeft. Wanneer iemand je diep kwetst, is het maar al te makkelijk om gefixeerd te raken op emoties die je ervan weerhouden verder te gaan. Deze woede en wraaklust en pogingen om 'terug' te kwetsen om je eigen pijn te bevredigen, kunnen elke vreugde die je kunt voelen om zeep helpen. Het is een daad van kwade wil waardoor beide betrokkenen terecht kunnen komen in een spiraal van zowel lichamelijke als geestelijke destructie. Het wonder voltrekt zich wanneer je in staat bent die emotionele schuld los te laten, want dat kan echt je leven diepgaand veranderen.

Het wonder van schoonheid. Je zult iets gaan zien wat zo mooi is dat je de adem benomen wordt. Misschien is het een prachtige zonsondergang, een ontzagwekkend berglandschap of een moment van grote tederheid tussen je kind en je partner. Je zult ook dingen horen die die uitwerking op je hebben. Denk aan een wiegeliedje, een gedicht, een loflied, een bruiloftslied, of de eerste keer dat je kind tegen je zegt: 'Ik hou van je.'

Het wonder van medeleven. Je zult oprechte naastenliefde ervaren van iemand die zichzelf onzelfzuchtig geeft. Misschien is het een soldaat die zijn leven waagt voor het jouwe, of misschien gaat het om mensen die toesnellen om hulp te bieden aan volslagen vreemden in tragische omstandigheden, zoals bij de orkaan Katrina en op 9/11. Hoe dan ook, dergelijke momenten herinneren je eraan dat je nooit alleen staat.

Het wonder van helen. Ja, tijdens de zeven grote levenscrises ervaar je een heleboel pijn, zowel geestelijk als lichamelijk, maar ook al zijn de gebeurtenissen die we hebben besproken nog zo zwart, het échte wonder is dat we gezegend zijn met het vermogen om te helen. We zijn geen machines die het niet meer doen zodra er een onderdeeltje kapot is. Ons lichaam en onze geest zijn zo geprogrammeerd dat ze kunnen helen. Denk aan mensen die als kind of jongvolwassene heel erge dingen hebben meegemaakt – waardoor ze voorgoed lamgelegd zouden kunnen zijn – en die er toch overheen zijn gekomen.

Het wonder van bewustzijn. Je bent je ervan bewust dat je niet alleen bent, maar deel uitmaakt van iets wat groter is dan jijzelf. De meeste mensen voelen zich geïsoleerd en afgescheiden in hun lijden, zeker wanneer ze emotionele of lichamelijke pijn doormaken. Misschien heeft dat er wel mee te maken dat het woord 'pijn' is afgeleid van het Latijnse woord voor 'straf'. De opvatting is immers wijdverbreid dat goede mensen worden beloond, terwijl de minder goeden worden gestraft. Als gevolg daarvan zijn we wanneer we pijn ervaren geneigd onszelf af te zonderen en voelen we vaak diepe schaamte. Maar wanneer je die pijn deelt en beseft dat je deel uitmaakt van iets wat groter is dan jijzelf, kan dat je redding zijn. Dan word je weer verbonden, je transformeert.

Alcoholverslaafden putten er veel troost uit om met andere alcoholisten om te gaan, die net als zij worstelen om hun verslaving te boven te komen, en voelen veel verbondenheid. Doven kunnen er grote kracht uit putten om op te trekken met andere doven, zelfs zozeer dat ze een operatie die hun gehoor zou kunnen teruggeven niet meer nodig vinden.

Observeer je eigen leven

Ik wil graag dat je iets voor me probeert. Schrijf voor zo veel nachten als het prettig voelt voor het slapengaan ten minste één wonder of zegen op zoals op die dag ervaren. Dat kan bijvoorbeeld iets verbijsterends zijn zoals een blik op de baby van je vriend(in) die net een paar uur geleden is geboren, of iets kleins zoals een buurman of -vrouw die je helpt je boodschappen te dragen wanneer de plastic draagtassen dreigen te knappen. Schrijf zulke dingen op één plek op, in een notitieboek of dagboek. Lees als de maand voorbij is alles van die maand nog eens over. Ga na of je er iets in herkent van de zeven wonderen die ik hierboven heb genoemd. Ik geef je op een briefje dat het je een goed gevoel zal geven!

Naast het observeren van je leven en aandacht schenken aan al je zegeningen is het ook belangrijk om proactief te zijn en er gedurende de rest van je dagen op aarde alles uit te halen wat erin zit. In de hoofdstukken hiervoor heb je al uitgerekend hoe lang je nog zo ongeveer te gaan hebt. Het is een goed idee om er eens in alle rust over na te denken hoe je die tijd wilt gaan inrichten en om de dingen die je nog wilt bereiken op dezelfde plek op te schrijven als je zegeningen. Het kost je maar vijf minuten per dag, en dat beetje tijd voor jezelf komt je toe.

Het resultaat kan grote kracht hebben. Franklin D. Roosevelt zei ooit: 'Er valt niets te vrezen, behalve de vrees zelf.' Daar kan ik alleen maar van harte mee instemmen. Angst is vaak het grootste obstakel voor vreugde en vrede. Niemand wil tenslotte dat er op zijn begrafenis wordt gezegd dat hij of zij zich niet sterk maakte voor zijn of haar eigen normen en waarden, en uit angst nooit een sprong durfde te wagen. Angst ligt ten grondslag aan alle beperkingen die mensen ervaren, en kan toch alleen maar slecht aflopen. Doe je best om je angst te overwinnen. Zoals ik al vele malen heb gezegd, is er in werkelijkheid niets waar je niet tegen bestand zou zijn.

Dat betekent overigens niet dat je in je eentje moet worstelen of al je bergen alleen moet beklimmen. Het is vaak moeilijk om op eigen kracht de eerste stap te zetten (of zelfs de vijfde of de zesde) wanneer je zware tijden te boven wilt komen. Het is helemaal niet erg om dat gevoel te hebben – veel mensen hebben het. Je hoeft je ook niet zwak, tekortschietend of slecht over jezelf te voelen wanneer je in een crisis de professionele hulp wilt inschakelen van een erkende psycholoog, psychiater of pastor. Het contact met een objectieve deskundige uit de geestelijke gezondheidszorg kan van onschatbare waarde zijn in een van deze zeven crises of andere zware tijden. Niemand verdient er bonuspunten mee als hij het allemaal in zijn eentje doet.

Tot slot… voorlopig!

Ik heb nu diverse hoofdstukken besteed aan dingen waar niemand over wil praten: de donkere, zware tijden die ons op de knieën kunnen brengen en waardoor we ons gaan afvragen hoe we het tot de volgende minuut moeten zien te redden. Maar het leven zit ook vol met een niet te voorspellen schoonheid en rijkdom, en nu je je hebt voorbereid op een paar van de meest uitdagende crises, denk ik dat je van de mooie dingen ook een beter beeld hebt gekregen. Ik hoop dat je op je reis door dit boek anders aan bent gaan kijken tegen het proces dat je leven is. Aan de zijlijn zitten met het zweet in je handen is een verspilling van kostbare tijd. Andere mensen of gebeurtenissen jouw beslissingen laten sturen is heel verkeerd. Jij hebt het vermogen om te kiezen cadeau gekregen, en hopelijk heb je nu wat extra ideeën opgedaan om goede keuzes te maken. Wanneer je de verantwoordelijkheid neemt voor je daden en ervan doordrongen bent dat je je eigen ervaringen schept, kom je in een kracht schenkende werkelijkheid die je helpt om te leven met een gevoel van rust, vrede en veiligheid. Vergeet niet: wanneer je midden in een moeilijk moment of in een langere crisis zit en behoefte hebt aan een wonder – wees dan zelf dat wonder.

Bijlage A

Desensibilisatie en cognitieve therapie

Bij desensibilisatie wordt een gebeurtenis of voorstelling ontdaan van zijn emotionele lading om de persoon in kwestie rationeler te laten functioneren. Deze methode gaat ervan uit dat je niet tegelijkertijd angst en ontspanning kunt ervaren (waarbij je tegelijk in een sympathische en in een parasympathische toestand zou verkeren), omdat het brein nu eenmaal niet zo in elkaar zit. Het doel is om te leren reageren met ontspanning in plaats van met angst.

Er bestaan diverse protocollen, maar ik geef je een voorbeeld. Stel dat je heel bang was toen je voor het eerst een auto probeerde te besturen; je hebt een ongeluk gehad of je hebt een afschuwelijk verhaal gehoord waar je je mee vereenzelvigde, en sindsdien durf je het stuur niet goed meer aan te raken. De therapeut helpt je dan om te benoemen welke specifieke factoren met je associatie verbonden zijn, en brengt zo het herleerproces op gang. Daarna volgen stappen om die angst op te lossen en de gebeurtenissen opnieuw te verbinden met welbewuste ontspanning, bijvoorbeeld in de vorm van ademhalings- en spierontspanningsoefeningen. Eerst gebeurt dat terwijl je je voorstelt dat je een auto bestuurt, en op het laatst doe je dat ook echt.

Cognitieve therapie is een benadering die zich bezighoudt met de irrationele gedachten die angst bij je oproepen en helpt je om je denkpatronen te veranderen. Je zult leren dat je daadwerkelijk je gedachten kunt *kiezen*, wat betekent dat je zelf kunt bepalen met welke gedachten je reageert op de gebeurtenis die je overkomt. En wanneer je de vrijheid hebt om je gedachten te veranderen, kun je ook je angsten veranderen. Op die manier kun je betere keuzes maken: keuzes die niet worden ingegeven door angst, maar door je werkelijke verlangens. In plaats van te leven met gedachten die nooit ter discussie worden gesteld – bijvoorbeeld dat je liefde niet waard bent of verdient – kun je je gedachten veranderen in overeenstemming met de waarheid dat jou wel degelijk goede dingen toekomen, wat anderen ook mogen denken.

Bijlage B

Opmerking: de onderstaande informatie dient niet om een zelfdiagnose te stellen, maar is hier uitsluitend opgenomen om bepaalde gedragingen, eigenschappen of gedachtenpatronen te herkennen die erop kunnen wijzen dat het verstandig is om deskundige hulp te zoeken.

1. Stemmingsstoornissen

- **Klinische depressie**: gekenmerkt door één of meer periodes van zware depressie die ten minste twee weken duren.

- **Dysthymie**: gekenmerkt door gebrek aan vreugde en/of plezier in het leven gedurende het grootste deel van de tijd gedurende ten minste twee jaar. De symptomen zijn milder dan die van een klinische depressie, en de persoon in kwestie kan wel functioneren, maar niet optimaal.

- **Bipolaire stoornis I**: over het algemeen beschouwd als de 'klassieke' vorm van deze ziekte; gekenmerkt door sterke stemmingswisselingen tussen zogeheten 'manische' episodes (uitbundigheid) en 'depressies' (somberheid), die afgewisseld kunnen worden door periodes met een normale stemming.*

- *Manische periode*: een periode van intense euforie die minstens gedurende een week vrijwel elke dag optreedt en waarbij de persoon in kwestie het gevoel heeft dat hij niet kapot te krijgen is. Hij of zij kan meer en/of sneller praten dan anders, een overmaat aan zelfvertrouwen tentoonspreiden, snel opgewonden en/of afgeleid raken, voortrazende gedachten hebben, over meer energie beschikken dan anders en toe kunnen met minder slaap. Deze mensen lijken misschien een soort 'feestbeesten', maar manie kan gevaarlijk zijn, omdat de patiënt het

---

* De depressies volgen in de regel op manische episodes, wanneer de geest van de persoon in kwestie uiteindelijk voldoende vertraagt om de gevolgen van zijn of haar handelingen in te zien.

contact met de werkelijkheid kan verliezen, wat weer overmatig geld uitgeven, gokken, overhaaste beslissingen op zakelijk en privégebied, riskant seksueel gedrag en overmatig gebruik van drugs en/of alcohol tot gevolg kan hebben.

- **Bipolaire stoornis II**: een minder ernstige vorm dan de bipolaire stoornis I, waarbij de kenmerkende pieken en dalen ook een rol spelen, maar de toppen zijn hierbij geen manische episodes, maar hypomanische.

- *Hypomanische episode*: een 'high' periode met symptomen die lijken op die van een manische episode, maar die niet zo ernstig zijn. Ziekenhuisopname is niet nodig en het sociale of werkende leven van de persoon in kwestie wordt er niet sterk door gehinderd.

- **Postnatale depressie** (*Postpartum Major Depression*, PMD): gekenmerkt door ernstige symptomen van depressie na de bevalling, met een duur van weken of maanden. Vrouwen kunnen in deze periode aan somberheid ten prooi vallen door de hormonale veranderingen die na de bevalling optreden, in combinatie met psychosociale stress zoals slaapgebrek.

2. Angststoornissen
- **Paniekaanval**: een onverwachte uitbarsting van hevige angst waarbij gevoelens van doem, vrees of bangheid het overnemen. Kan vergezeld gaan van angstaanjagende lichamelijke symptomen, zoals pijn op de borst, duizeligheid en/of kortademigheid.

- **Pleinvrees (agorafobie)**: angst voor plekken en situaties waaruit bij een paniekaanval moeilijk te ontsnappen is, wat leidt tot vermijding van normale activiteiten buitenshuis.

- **Fobie**: aanzienlijke angst, meestal irrationeel, die wordt opgewekt door een specifieke omstandigheid of een specifiek voorwerp.

- **Obsessief-compulsieve stoornis** (*Obsessive-Compulsive Disorder*, OCD): gekenmerkt door herhaaldelijke ongewenste gedachten (obsessies) en/of herhaald gedrag of rituelen, uitgevoerd om de gedachten te verhinderen of te doen verdwijnen (compulsie).

- **Posttraumatische stressstoornis**: zeer grote angst bij de herbeleving van een traumatische gebeurtenis of beproeving (waarbij lichamelijk letsel is opgetreden of daarvan dreiging heeft bestaan) door middel van associatieve beelden of blootstelling aan vergelijkbare omstandigheden of prikkels.

- **Gegeneraliseerde angststoornis**: overmatige angst gedurende lange tijd, terwijl er geen aanleiding voor is; leidt tot zwaar piekeren en spanningen (voor de duur van ten minste een half jaar).

3. Ernstige geestelijke stoornissen
- **Schizofrenie**: een stoornis die ten minste een half jaar duurt en die wordt gekenmerkt door hallucinaties, verward gedrag, waanvoorstellingen en/of stoornissen in het denken.

Hoofdvormen:

- *Paranoïde schizofrenie*: gekenmerkt door waanvoorstellingen en hallucinaties met een gemeenschappelijk element, zoals achtervolgingsangsten of grootheidswaanzin.

- *Catatonische schizofrenie*: stoornis in bewegingsapparaat, lichaam en spraak die tot uiting kan komen in vergaand negativisme, stilzwijgen, het aannemen van vreemde houdingen en herhaling van wat anderen zeggen.

- *Gedesorganiseerde schizofrenie (hebefrenie)*: incoherente spraak en ernstige afname van emotionele expressiviteit, mogelijk tot uitdrukking komend in verwaarlozing van persoonlijke hygiene of onnozelheid en gelach die geen verband houden met het onderwerp van gesprek.

Naast deze hoofdvormen bestaan er nog andere vormen van schizofrenie, zoals de schizoaffectieve stoornis (een combinatie van schizofrenie en een stemmingsstoornis), tijdelijke schizofrenie (één tot zes maanden), en waanvoorstellingen waarbij geen sprake is van de andere aspecten van schizofrenie.

Bijlage C

Opmerking: wanneer je de aanwezigheid van enkele of alle gedachtenpatronen, gedragingen of eigenschappen constateert, laat dat dan een prikkel zijn om deskundige hulp in te schakelen.

Leer de waarschuwingssignalen herkennen

Waar rook is, is waarschijnlijk ook vuur. En hoe eerder je dat opspoort, hoe sneller je er iets aan kunt doen en hoe kleiner de kans dat het uitgroeit tot een brand die alles verwoest, inclusief je toekomst.

Hieronder volgt een opsomming van signalen die je waarschuwen dat voor jou of voor iemand die je dierbaar is de zaken wellicht uit de hand dreigen te lopen.

Tekenen van depressie

Ga voor elk van de onderstaande signalen na of deze emoties of gevoelens je ernstig hebben beperkt in je sociale relaties, je privé-leven of je werk:

- Een gevoel van leegheid en verdriet over wat je allemaal niet voor elkaar hebt gekregen in het verleden of over je prestaties in de toekomst.

- Het gevoel dat de wereld zonder jou beter af zou zijn.

- Gebrek aan energie of motivatie om iets te doen waardoor je je emotioneel beter zou voelen.

- Gebrek aan belangstelling voor activiteiten die je voorheen altijd leuk vond of waar je graag aan deelnam.

- Slaapgebrek, of juist heel veel slapen.

- Vermoeidheid.

- Gevoel van waardeloosheid.

- Een wolk van schuldgevoel die het je onmogelijk maakt van dingen te genieten.

- Onvermogen om je te concentreren of je aandacht ergens op te richten.

- Herhaalde gedachten aan de dood, overwegen van zelfmoord.

- Eenzaamheid, ook wanneer je mensen om je heen hebt.

Tekenen van een angststoornis

Ga voor elk van de onderstaande signalen na of deze emoties of gevoelens je ernstig hebben beperkt in je sociale relaties, je privéleven of je werk:

- Overmatige stress en angstige verwachtingen (zorgen) inzake gebeurtenissen en activiteiten (werk, school, huwelijk, gezin enzovoort).

- Onvermogen angst en stress in de hand te houden, zodat die in stand blijven totdat iemand of iets anders erdoorheen breekt.

- Rusteloosheid en geagiteerdheid (vaker wel dan niet).

- Uitputting en vermoeidheid, onafhankelijk van wat je hebt gedaan, of het grootste deel van de tijd.

- Concentratieproblemen voor het grootste deel van de tijd.

- Geprikkeldheid, ongeduld en een 'kort lontje' tegenover anderen.

- Grote spierspanning in de schouders, benen en nek – zo erg dat het pijn doet.

- Problemen met inslapen of al snel daarna weer wakker worden; daarna niet meer kunnen inslapen.

- Irrationele angsten voor dingen in de omgeving (buitenshuis, mensen, hoogtes enzovoort).

- Irrationele angsten voor zaken die de gezondheid betreffen (dik worden, besmetting, ernstige ziektes enzovoort).

Tekenen van schizofrenie/psychose

Ga voor elk van de onderstaande signalen na of deze emoties of gevoelens je ernstig hebben beperkt in je sociale relaties, je privé-leven of je werk:

- Stemmen horen die zeggen dat je jezelf of anderen iets aan moet doen.

- Veelvuldige waanvoorstellingen en hallucinaties: dingen zien en horen die anderen niet zien en horen.

- Je niet opgewassen voelen tegen de uitdagingen in je leven en niet beschikken over de vaardigheden om daarmee om te gaan.

- Ernstige problemen met weten waar je bent; in een werkelijkheid verkeren die heel anders is dan de werkelijkheid van dat moment.

- Wantrouwendheid, angst voor onzichtbare of vertekende voorwerpen die eropuit zouden zijn jou iets aan te doen.

- Angst voor alles wat met het leven te maken heeft.

- Grote problemen om de relaties met familie- en gezinsleden goed te houden, of om langdurige intieme relaties aan te gaan.

- Een slechte geestelijke gezondheid en ongepast gedrag dat je problemen oplevert in je werk.

- Verwarrende en gedesorganiseerde gedachten.

Noten

Hoofdstuk 3: Stress: tussen pieken en dalen

1. Geciteerd in Vince Fox, *Addiction, Change, and Choice* (See Sharp Pr, 1993).
2. Harvey Simon, 'Stress', University of Maryland Medical Center, 25 oktober 2006, http://www.umm.edu/patiented/articles/what_health_consequences_of_stress_000031_3.htm (geraadpleegd op 27 mei 2008).
3. Rick E. Luxton en David D. Ingram, 'Vulnerability-Stress Models', in: *Development of Psychopathology: A Vulnerability-Stress Perspective*, red. Benjamin L. Hankin en John R.Z. Abela (Sage Publications, 2005), 520.
4. D.S. Charney en H.K. Manji, 'Life Stress, Genes, and Depression: Multiple Pathways Lead to Increased Risk and New Opportunities for Intervention', *Sci. STKE* 2004, re5 (2004).
5. David R. Imig, 'Accumulated Stress of Life Changes and Interpersonal Effectiveness in the Family', *Family Relations*, juli 1981: 367-371.
6. Lyn W. Freeman en G. Frank Lawlis, *Mosby's Complementary and Alternative Medicine: A Research-Based Approach* (St. Louis, Mo.: Mosby, 2001).
7. Harvey Simon, 'Stress', University of Maryland Medical Center, 25 oktober 2006, www.umm.edu/patiented/articles/what_health_consequences_of_stress_000031_3.htm (geraadpleegd op 27 mei 2008).
8. Ernest Lawrence Rossi, *Psychobiology of Mind-Body Healing: New Concepts of Therapeutic Hypnosis* (New York: W.W. Norton & Company, 1993).
9. J.C. Coyne en A. DeLongis, 'Going Beyond Social Support: The Role of Social Relationships and Adaptation', *Journal of Consulting and Clinical Psychology*, 54: (1986): 454.
10. J.D. Wilson, E. Braunwalk, K.J. Issenbacher, et al., *Harrison's Principles of Internal Medicine*, 12de dr. (New York: McGraw-Hill, 1991).
11. Janice K. Kiecolt-Glaser, Laura D. Fisher, Paula Ogrocki, Julie C. Stout, Carl E. Speicher, Ronald Glaser, 'Marital Quality, Marital Disruption, and Immune Function', *Psychosomatic*

Medicine, 1987: 13-34.

12. Ibid.

13. American Institute of Stress, 'Job Stress', http://64.233.167.104/
search?q= cache:RuhgnCNhFKYJ:www.stress.org/job.htm+1
+million+people+call+in+sick+to+work+each+day+due+t
o+stress&hl=en&ct=clnk&cd=1&gl=us (geraadpleegd op 27
mei 2008).

14. Jeanna Bryner, 'Job Stress Fuels Disease', LiveScience.com,
november 2006.

15. S. Melamed, A. Shirom, A.S. Toker, L. Shapira, 'Burnout and
Risk of Type 2 Diabetes: A Prospective Study of Apparent-
ly Healthy Employed Persons', *Psychosomatic Medicine* 68
(2006): 863-869.

16. C. Aboa-Eboule, C. Brisson, E. Maunsell, et al., 'Job Strain
and Risk of Acute Recurrent Coronary Heart Disease Events',
Journal of the American Medical Association 298 (2007): 1652-
1660.

17. J.K. Kiecolt-Glaser, W. Garner, C.E. Speicher, et al., 'Psychoso-
cial Modifiers of Immuno Competence in Medical Students',
Psychosomatic Medicine 46, no. 1 (1984): 7.

18. L.D. Kubzansky, I. Kawachi, A. Sprio, et al., 'Is Worrying Bad
for Your Health? A Prospective Study of Worry and Coronary
Heart Disease in the Normative Aging Study', *Circulation* 95
(1997): 818.

19. J. Denollet en D. L. Brutsaer, 'Personality, Disease Severity,
and the Risk of Long Term Cardiac Events in Patients with
a Decreased Injection Fraction after Myocardial Infarction',
Circulation 97(1998): 16.

20. J. Milam, 'Post-traumatic Growth and HIV Disease Progres-
sion', *Journal of Consulting and Clinical Psychology* 74, no. 5
(2006): 317.

21. *Americans Report Stress and Anxiety On-the-Job Affects Work
Performance, Home Life: Almost Half of Employees Say Their
Anxiety Is Persistent, Excessive, 2006 Stress & Anxiety Disorders Survey* (Silver Spring, Md.: The Anxiety Disorders Association of America, 2006).

22. British Council en Richard Wiseman, 'Pace of Life Project',
Pace of Life: A Quirkology Experiment, 22 augustus 2006,
www.paceoflife.co.uk (geraadpleegd op 10 juli 2008).

23. Centers for Disease Control and Prevention, 'Physical Activity', *Department of Health and Human Services Centers for Disease Control and Prevention*, 26 maart 2008, www.cdc.gov (geraadpleegd op 10 juli 2008).
24. Mayo Clinic Staff, 'Aerobic Exercise: What 30 Minutes a Day Can Do: Need Inspiration to Start a Fitness Program? Explore the Many Benefits of Aerobic Exercise, from Increased Energy and Improved Stamina to Disease Prevention', *MayoClinic. com*, 16 februari 2007, www.mayoclinic.com/health/aerobic-exercise/EP00002 (geraadpleegd op 10 juli 2008).
25. G.F. Lawlis, D. Selby, en D. Hinnan, 'Reduction of Postoperative Pain Parameters by Presurgical Relaxation Instructions for Spinal Pain Patients', *Spine*, 1985: 649-651.
26. Radha Chitale, 'You Feel What You Eat: Certain Foods May Have Direct Impact on Emotional State', ABC *News*, 5 maart 2008, www.drgeorgepratt.com./main_reviews_article_abc-20080305.html (geraadpleegd op 10 juli 2008).
27. 'Stress from Foods', *Stressinfo.net*, 2005, www.stressinfo.net/Foods.htm (geraadpleegd op 10 juli 2008).
28. Frank Lawlis en Maggie Greenwood-Robinson, *The Brain Power Cookbook* (New York: Plume, 2008).
29. 'Prevent Stress Setbacks', *MayoClinic.com*, 20 juli 2006, www.mayclinic.com/health/stress-management/SR00038 (geraadpleegd op 24 juni 2008).
30. Michael Braunstein, 'Humor Therapy Part 2: The Few, the Proud, Funny.' Heartland Healing Center, 1999, www.heartlandhealing.com/pages/archive/humor_therapy_pt2/index.html (geraadpleegd op 24 juni 2008).

Hoofdstuk 4: Verlies: wanneer je hart breekt

1. Martha Tousley, *Understanding the Grief Process*, 1999-2000, www.griefhealing.com/column1.htm (geraadpleegd op 25 juni 2008).
2. Richard H. Steeves, R.N., Ph.D., 'The Rhythms of Bereavement', *Family Community Health*, 2002: 1-10.
3. Karen Kersting, 'A New Approach to Complicated Grief: Better Assessments and Treatments Lead to a Brighter Outlook for People with Severe Grief, According to a Report from an APA Group', *Monitor on Psychology*, 2004: 51-54.

4. Cathy Meyer, 'Supporting Yourself After Divorce', www.divorcesupport.about.com/od/lovethenexttimearound/a/support_divorce.htm (geraadpleegd op 10 juli 2008).

Hoofdstuk 7: Gezondheid: wanneer je lichaam het laat afweten

1. Andrew Steptoe (red.), *Depression and Physical Illness* (New York: Cambridge University Press, 2007).
2. Patricia Blakeney Creson en Daniel Creson, 'Psychological and Physical Trauma', *Journal of Mind Action: Victim Assistance*, 2002.
3. J.K. Kiecolt-Glaser, J.R. Glaser, S. Gravenstein, et al., 'Chronic Stress Alters the Immune Response in Influenza Virus Vaccine in Older Adults', *Proceedings of the National Academy of Sciences USA* 93 (1996): 3043.
4. National Institute on Alcohol Abuse and Alcoholism (NI-AAA), 'The Genetics of Alcoholism', *Alcohol Alert*, 18 (Rockville, Md.: 1992).
5. American Diabetes Association, 'The Genetics of Diabetes', www.diabetes.org/genetics.jsp (geraadpleegd op 11 juli 2008).
6. American Heart Association, 'Heredity as a Risk Factor: Can Heart and Blood Disease Be Inherited?' 11 juli 2008, www.americanheart.org/presenter.jhtml?indentifier=4610 (geraadpleegd op 11 juli 2008).
7. Martin L. Rossman, *Guided Imagery for Self-Healing* (Tiburon, Calif.: H.J. Kramer, Novato, CA: en New World Library, 2000).
8. Jeanne Achterberg en G. Frank Lawlis, *The Health Attribution Test,* (Champaign, Ill.: IPAT, 1979).
9. Jeanne Achterberg en G. Frank Lawlis, *Bridges of the Bodymind: Behavioral Approaches to Health Care* (Champaign, Ill.: Institute for Personality and Ability Testing, 1980).
10. World Health Organization, 'World Health Organization Assesses the World's Health Systems', 21 juni 2000, www.who.int/whr/2000/media_centre/press_release/en/index.html (geraadpleegd op 22 mei 2008).
11. Barnaby Feder, 'New Priority: Saving the Feet of Diabetics', *New York Times*, 30 augustus 2005.

12. Ibid.
13. Lyn W. Freeman en G. Frank Lawlis, *Mosby's Complementary and Alternative Medicine: A Research-based Approach* (St. Louis, Mo.: C.V. Mosby, 2000).

Hoofdstuk 8: Geestelijke gezondheid: wanneer je geest het laat afweten

1. National Institute of Mental Health, *Depression: What Every Woman Should Know* (U.S. Department of Health and Human Services, 2000).
2. William Glasser, *Defining Mental Health as a Public Health Issue* (The William Glasser Institute, 2005).
3. 'Mental Health: A Call for Action by World Health Ministers', *Ministerial Round Tables 2001 54th World Health Assembly* (Genève: World Health Organization, 2001), 43-45.
4. DuPage County Health Department, 'Mental Health Matters', www.dupagehealth.org/mental_health/stigma.html (geraadpleegd op 3 maart 2008).
5. (Gegevens afkomstig uit) Canadian Mental Health Association (MHA), *Understanding Mental Illness*, 2008, www.cmha.ca/bins/contents_page.asp?cid=3 (geraadpleegd op 27 juni 2008).
6. Virginia Aldige Hiday, Marvin S. Schwartz, Jeffrey W. Swanson, Randy Borum, H. Ryan Wagner, 'Criminal Victimization of Persons with Severe Mental Illness', *Psychiatric Services: A Journal of the American Psychiatric Association*, 1999: 62-68.
7. National Institute of Mental Health, 'The Number Count: Mental Disorders in America', 26 juni 2008, www.nimh.nih.gov/health/publications/the-numbers-count-mental-disorders-in-america.shtml#Anxiety (geraadpleegd op 27 juni 2008).
8. American Psychiatric Association, *Diagnostic and Statistical Manual of Mental Disorder: DSM-IV-TR*, Washington, DC: American Psychiatric Association, 2000.
9. C. Mazure, 'Life Stressors as Risk Factors in Depression', *Clinical Psychology: Science and Practice* 45 (1998): 867-872.
10. webMD, 'Depression Caused by Chronic Illness', 4 mei 2008, www.webmd.com/depression/guide/depression-caused-chronic-illness (geraadpleegd op 27 juni 2008).

11. Noreen Cavan Frisch en Lawrence E. Frisch, *Psychiatric Mental Health Nursing: Understanding the Client as Well as the Condition,* 2de dr. Albany (Delmar Publishers, 2002), 456.

12. '*Depression: What Every Woman Should Know*', National Institute of Mental Health, (Washington, DC: U.S. Department of Health and Human Services, 2000).

13. 'Mayo Foundation for Medical Education and Research (MF-MER', CNN.com., 14 februari 2006, www.cnn.com/HEALTH/library/DS/00175.html (geraadpleegd op 6 mei 2008).

14. National Institute of Mental Health, 'The Numbers Count: Mental Disorders in America', 26 juni 2008, www.nih.gov/health/publications/the-numbers-count-mental-disorders-in-america.shtml#Anxiety (geraadpleegd op 27 juni 2008).

15. Whitney Matheson, 'Pop Candy: Unwrapping Pop Culture's Hip and Hidden Treasures: A Q&A with... Alan Alda', *USA Today,* 9 november 2005, www.blogs.usatoday.com/popcandy/2005/11/a_qa_with_alan_.html (geraadpleegd op 2 juli 2008).

16. Graham K. Murray, Luke Clark, Philip R. Corlett, Andrew D. Blackwell, Roshan Cools, Peter B. Jones, Trevor W. Robbins, Luise Poustka, BMC Psychiatry, 'Lack of Motivation in Schizophrenia Linked to Brain Chemical Imbalance, *Science Daily*, 8 mei 2008, www.sciencedaily.com/releases/008/080508075216.htm (geraadpleegd op 27 juni 2008).

17. Thomas W. Heinrich en Garth Grahm, 'Hypothyroidism Presenting as Psychosis: Myxedema Madness Revisited', *The Primary Care Companion to the Journal of Clinical Psychiatry,* 203: 260-266.

18. American Art Association, 'About Art Therapy', www.arttherapy.org/about.html (geraadpleegd op 19 juli 2008).

19. American Music Therapy Association, 'Frequently Asked Questions About Music Therapy', 1999, www.musictherapy.org/faqs.html (geraadpleegd op 9 juli 2008).

20. Robert Fried i.s.m. Joseph Grimaldi, The Psychology and Physiology of Breathing: In *Behavioral Medicine, Clinical Psychology and Psychiatry,* The Springer Series in *Behavioral Psychophysiology and Medicine* (New York: Springer, 1993).

Hoofdstuk 9: Verslaving: wanneer je verslaving met je op de loop gaat

1. C.W. Nevius, 'Meth Speeds Headlong into Suburbs', *San Francisco Chronicle*, 5 maart 2005, B-1.
2. Michael D. Lemonick, 'The Science of Addiction (How We Get Addicted)', *Time*, december 2007: 42-48.
3. National Council on Alcoholism and Drug Dependence, 'Facts: America's Number One Health Problem', 20 juli 2007, www.ncadd.org/facts/numberoneprob.html (geraadpleegd op 3 mei 2008).
4. Ibid.
5. 'Traffic Safety Facts: Data', Washington, DC: National Center for Statistics and Analysis, 2005.
6. 'Facts: America's Number One Health Problem', National Council on Alcoholism and Drug Dependence, juni 2002, www.ncadd.org/facts/numberoneprob.html (geraadpleegd op 26 juni 2008).
7. 'Addictive Behaviors', Psychologist 4therapy.com, 2 mei 2008, www.4therapy.com/consumer/life_topics/category/566/Addictive+Behaviors (geraadpleegd op 3 mei 2008).
8. Charles N. Roper, 'Myths and Facts About Addiction and Treatment', www.alcoholanddrugabuse.com/article2.html (geraadpleegd op 14 juli 2008).
9. 'CBC News Indepth: Drugs', CBC, 19 september 2006, www.cbc.ca/news/background/drugs/crystalmeth.html (geraadpleegd op 2 mei 2008).
10. Eric J. Nestler, 'The Neurobiology of Cocaine Addiction', *Science & Practice Perspectives*, 2005: 4-12.
11. National Institute of Alcohol Abuse and Alcoholism, 'A Family History of Alcoholism', september 2005, http://pubs.niaaa.nih.gov/publications/FamilyHistory/famhist.htm (geraadpleegd op 3 mei 2008).
12. Dr. Barry Starr, 'Ask a Geneticist', 12 mei 2006, www.thetech.org/genetics/asklist.php (geraadpleegd op 14 juli 2008).
13. National Institute on Drug Abuse. *NIDA InfoFacts: Understanding Drug Abuse and Addiction*, 2 januari 2008, www.nida.nih.gov/infofacts/understand.html (geraadpleegd op 28 juni 2008).
14. Darryl S. Inaba, 'Discoveries in Brain Chemistry', 30 januari

2008, www.cnsproductions.com/drugeducationblog/category/in-the-news/ (geraadpleegd op 13 juli 2008).
15. 'Cocaine and Meth Information', *Inpatient-Drug-Rehab.info*, 2007, www.inpatientdrug-rehab.info/cocaine-meth.php (geraadpleegd op 14 juli 2008).
16. 'Fergie's New Fight', *Marie Claire*, april 2008, www.marieclaire.com/world/make-difference/fergie-fights-aids (geraadpleegd op 2 mei 2008).
17. Amanda J. Roberts, Ph.D., en George F. Koob, Ph.D., 'The Neurobiology of Addiction: An Overview', *Alcohol Health and Research World*, 1997: 101-106.
18. American Psychological Association, 'Monitor on Psychology: Empty Pill Bottles', maart 2007, www.apa.org/monitor/mar07/emptypill.html (geraadpleegd op 2 mei 2008).
19. Faculty of the Harvard Medical School, 'Aspirin: Quitting Cold Turkey Could Be Dangerous', 21 augustus 2006, www.body.aol.com/conditions/aspirin-quitting-cold-turkey-could-be-dangerous (geraadpleegd op 3 mei 2008).
20. 'InfoFacts –Treatment Approaches for Drug Addiction', National Institute on Drug Abuse, augustus 2006, www.nida.nih.gov/infofacts (geraadpleegd op 26 juni 2008).
21. 'Helping Patients Who Drink Too Much', National Institutes on Alcohol Abuse and Alcoholism, 2005, www.pubs.niaaa.nih.gov/publications/Practitioner/CliniciansGuide2005; shguide.pdf (geraadpleegd op 26 juni 2008).

Hoofdstuk 10: Existentiële crisis: wanneer je niet meer weet wat de zin van je leven is en je geen antwoord hebt op de vraag 'waarom?'

1. 'Life Expectancy Average United States', www.data360.org (geraadpleegd op 29 juni 2008).

Bronnen en adressen

Stress

www.gezondheidsplein.nl
Tik stress in in de zoekbalk en krijg allerlei info over stress plus
een zelftest: Hoe stressvol is mijn leven?

www.nuevenniet.com/flash/stressometer.html
De stress-o-meter geeft je inzicht in het risico dat je loopt door je
gewoonten en eigenschappen.

Rouwverwerking

www.verliesverwerken.nl
Landelijke Stichting Rouwbegeleiding (LSR)
Doelstelling van de stichting is het bevorderen van aandacht voor
rouw in de privésfeer en in werk- en andere situaties; nabestaan-
den en hun omgeving voorzien van informatie en doorverwij-
zing; de kwaliteit van rouwzorg verhogen door de deskundigheid
van rouwzorgverleners te bevorderen (beroepskrachten en vrij-
willigers); en het stimuleren van kennisontwikkeling over rouw.

www.vook.nl
Vereniging Ouders van een Overleden Kind (VOOK) is een landelijke zelfhulporganisatie die lotgenoten met elkaar in contact
wil brengen.

www.achterderegenboog.nl
Stichting Achter de Regenboog is er voor kinderen en jongeren,
die van dichtbij te maken hebben (gehad) met het overlijden van
een dierbare. Website heeft doorklikmogelijkheden.

Angst

www.vgct.nl
Vereniging voor Gedragstherapie en Cognitieve Therapie (VGCT)
Op de website van de VGCT kunt u een gedragstherapeut en/of
cognitief therapeut zoeken, informatie lezen over cognitieve gedragstherapie en diverse folders inzien.

www.eftcentrum.nl
Site geeft informatie over Emotional Freedom Techniques (EFT),
een therapie-methode die is gebaseerd op het wegnemen van verstoringen in het energiesysteem van het lichaam.

http://www.123test.nl/eq-test/
Doe een EQ-test en lees de uitleg over emotionele intelligentie.

Breakdown

Voor meer over werk zoeken ga naar:
www.werk.nl
Dit is de site van het UWV Werkbedrijf (voorheen (CWI) Centrum
voor Werk en Inkomen), met alles over werk en uitkering, plus
een vacaturesite.

Verder zijn er diverse vacaturesites zoals:
www.nationalevacaturebank.nl,
www.monsterboard.nl,
www.jobtrack.nl

www.abc-van-meditatie.nl/meditatietechnieken
Site met alles over meditatiemethodes, oefeningen met verschillende moeilijkheidsgraad, informatie over meditatie, combinatie
met gezondheid, cursussen en workshops.

Gezondheid

www.gezondheidsplein.nl
Online gezondheidsmagazine met forum, aandoeningengids, woordenboek, filmpjes en symptomenchecker.

www.huisartsen.nl
Site met informatie over het vinden van een huisarts, wat te doen bij een noodgeval, een medisch handboek, patiëntenvoorlichting van het NHG (Nederlands Huisartsen Genootschap).

www.nigz.nl
Site van het Nationaal Instituut voor Gezondheidszorg en Ziektepreventie (NIGZ).

www.kiesbeter.nl/Patientenorganisaties
Informatie over een groot aantal patiëntenorganisaties. Zoeken op naam of trefwoord.

www.npcf.nl
Nederlandse Patiënten Consumenten Federatie, met actuele informatie over de zorg.

www.merckmanual.nl
Website van het Merck Manual Medisch handboek. Dit medische naslagwerk biedt inzicht in de oorzaken en behandelingen van meer dan 3000 aandoeningen. Het is wereldwijd het meest geraadpleegde medische naslagwerk.

www.vhan.nl
Site van de artsenvereniging voor homeopathie.

www.rivm.nl
Site van het Rijksinstituut voor de Volksgezondheid.

www.rivm.nl/vtv/object_document/o4235n21143.html
De Nationale Atlas Volksgezondheid geeft een geografisch beeld van de volksgezondheid en de gezondheidszorg in Nederland. De Atlas kan antwoord geven op vele 'waar'-vragen: Waar bevinden

zich de ziekenhuizen? Waar is de sterfte het hoogst? Waar ondervindt men de meeste geluidsoverlast? Waar zijn mensen het
zwaarst? Waar is de ziekenhuiszorg duur? Plus nog vele andere
vragen.

www.minvws.nl
Website van het ministerie van Volksgezondheid, Welzijn en
Sport.

Geestelijke gezondheid

www.ggznederland.nl
De vereniging GGZ Nederland is de brancheorganisatie van de instellingen voor de geestelijke gezondheids- en verslavingszorg.

www.hulpgids.nl
Hulpgids voor de geestelijke gezondheidszorg (GGZ).
Informatie over ondermeer psychische en psychiatrische ziekte-
beelden, medicatie, wettelijke regelingen en therapievormen. Een
adressengids, met links naar de belangrijkste GGZ-instellingen en
de adressen van meer dan 1300 therapeuten (psychiaters, psycho-
therapeuten, psychologen en alternatieve therapeuten). De hulpgids heeft een forum, waar een vraag gesteld kan worden aan een
psychiater (de 'webpsychiater').

www.hulpgids.nl/adressen/pagina1.htm
Adressen instellingen geestelijke gezondheidszorg.

www.kiesbeter.nl/GGZ/OverHulpZoeken/
KiesBeter.nl is een openbare zorgportal. Deze portal is bedoeld
voor alle volwassen inwoners van Nederland die vragen hebben
op het gebied van zorg, zorgverzekeringen en gezondheid.
Met medische encyclopedie.

www.psychischegezondheid.nl/depressiecentrum
Het Depressie Centrum is het kenniscentrum voor depressie van
het Fonds Psychische Gezondheid. Het zet zich in voor mensen
met een depressie en hun omgeving.

Met informatie over preventie, diagnostiek en behandeling, ruimte voor (h)erkenning en ontmoeting.

www.stichtingpandora.nl

Stichting Pandora zet zich in voor iedereen die psychische problemen heeft of heeft gehad.
Met helpdesk en depressielijn. Actuele informatie.

www.adfstichting.nl

Site van patiëntenvereniging voor mensen met angst- en dwangklachten.

www.trimbos.nl

Het Trimbos Instituut (Netherlands Institute of Mental Health and Addiction) is het landelijk kennisinstituut voor de geestelijke gezondheidszorg, de verslavingszorg en de maatschappelijke zorg. Met o.a. algemene informatie over verschillende psychische stoornissen, zoals bipolaire stoornis, posttraumatische stressstoornis (PTSS), en schizofrenie.

www.vmdb.nl

Site van de patiëntenvereniging voor mensen met een manisch depressieve stoornis (MDS, ook wel bipolaire stoornis) en hun betrokkenen.

Verslaving

www.aa-nederland.nl
Website van Anonieme Alcoholisten Nederland.
Zelfhulpgroep voor alcoholisten.

www.al-anon.nl
Al-Anon: Zelfhulpgroep voor partners van alcoholisten.

Al-Anon/Alateen:
Zelfhulpgroep voor jongeren tot en met 18 jaar met ouders met alcoholproblemen.
Alateen is een onderdeel van de Anonieme Alcoholisten (AA).

Al-Anon/ACA:
Zelfhulpgroep voor volwassen kinderen van alcoholisten.

www.lsovd.nl
Landelijke Stichting Ouders van Drugsgebruikers: Zelfhulpgroep voor ouders en verwanten van (ex)-drugsgebruikers.

www.vnn.nl
Verslavingszorg Noord Nederland (vnn) heeft testen per internet voor het gebruik van alcohol, cannabis, cocaïne, speed, xtc.

www.centrummaliebaan.nl
Uitgebreide informatie over gebruik van alcohol en drugs.

www.drugsinfo.nl
Onderdeel van het Trimbos Instituut met alles over drugs en verslaving, informatie over drugsgebruik in Nederland en antwoord op vragen over de werking, effecten en risico's van veel verschillende middelen. Aparte thema's als drugs, ouders en opvoeding.